O FIM DO ALZHEIMER – GUIA PRÁTICO

Dale E. Bredesen

O fim do Alzheimer – Guia prático
O passo a passo para estimular a cognição e reverter seu declínio

TRADUÇÃO
Cássio de Arantes Leite

2ª reimpressão

Copyright © 2020 by Dale E. Bredesen

Todos os direitos reservados incluindo o direito de reprodução total ou parcial em qualquer formato. Esta edição foi publicada mediante acordo com Avery, um selo da Penguin Publishing Group, uma divisão da Penguin Random House LLC.

Grafia atualizada segundo o Acordo Ortográfico da Língua Portuguesa de 1990, que entrou em vigor no Brasil em 2009.

Título original
The End of Alzheimer's Program: The First Protocol to Enhance Cognition and Reverse Decline at Any Age

Capa
Joana Figueiredo

Revisão técnica
Gilberto Stam

Preparação
Julia Passos

Índice remissivo
Probo Poletti

Revisão
Jane Pessoa
Marise Leal

Dados Internacionais de Catalogação na Publicação (CIP)
(Câmara Brasileira do Livro, SP, Brasil)

Bredesen, Dale E.
  O fim do Alzheimer — Guia prático : O passo a passo para estimular a cognição e reverter seu declínio / Dale E. Bredesen ; tradução Cássio de Arantes Leite ; prefácio Dr. David Perlmutter — 1ª ed. — Rio de Janeiro : Objetiva, 2021.

  Título original: The End of Alzheimer's Program : The First Protocol to Enhance Cognition and Reverse Decline at Any Age.
  ISBN 978-85-470-0142-1

  1. Doença de Alzheimer 2. Doença de Alzheimer — Cuidados e tratamento 3. Doença de Alzheimer — Diagnóstico 4. Doença de Alzheimer — Pacientes 5. Narrativas pessoais I. Título.

21-82983
CDD-616.83
NLM-WT 155

Índice para catálogo sistemático:
1. Doença de Alzheimer : Diagnóstico e tratamento : Medicina   616.83

Eliete Marques da Silva – Bibliotecária – CRB-8/9380

Todos os direitos desta edição reservados à
EDITORA SCHWARCZ S.A.
Praça Floriano, 19, sala 3001 — Cinelândia
20031-050 — Rio de Janeiro — RJ
Telefone: (21) 3993-7510
www.companhiadasletras.com.br
www.blogdacompanhia.com.br
facebook.com/editoraobjetiva
instagram.com/editora_objetiva
twitter.com/edobjetiva

Este livro é dedicado a Julie G. e aos mais de 3 mil membros do ApoE4.Info, que juntos defendem uma abordagem do século XXI para a saúde e oferecem esperança para mais de 1 bilhão de pessoas que vivem sob alto risco de Alzheimer no mundo todo.

Sumário

Prefácio 9

PARTE UM: ALZHEIMER: A GERAÇÃO FINAL?

1. Um novo tipo de vacina 15
2. Um detetive inconveniente 38
3. Virando os dogmas do avesso: As lições aprendidas 57

PARTE DOIS: MANUAL, SEÇÃO 1: REVERTENDO O DECLÍNIO COGNITIVO

4. Potencializando a cognição com KetoFLEX 12/3 71
5. Apagando o incêndio 85
6. Cabeça bem nutrida: A pirâmide alimentar do cérebro 94
7. Pirâmide, nível 1: Casa limpa 101
8. Pirâmide, nível 2: Sirva-se à vontade 110
9. Pirâmide, nível 3: Um upgrade intestinal 136
10. Pirâmide, nível 4: Escolha com sabedoria 157
11. Pirâmide, nível 5: Negócio arriscado 172
12. Os detalhes fazem toda a diferença 183
13. Exercícios: Tudo que fizer você se mexer 203
14. Sono: Intervenção divina 215

15. Estresse: Recalculando a rota 229
16. Estímulo mental: Expandindo o cérebro 239
17. Saúde oral: Tudo passa pelos dentes 250
18. Traduzindo dados em sucesso 254

PARTE TRÊS: MANUAL, SEÇÃO 2: MAIS CARTUCHOS DE PRATA

19. Dementógenos: Nadando na sopa do Alzheimer 269
20. Sobre micróbios e microbiomas 286
21. Suplementos: Por onde começar? 292
22. Calibragem: Quando não dá certo de primeira 306

Epílogo: O triunfo da medicina do século XXI 315
Agradecimentos 319
Índice remissivo 321

Visite endofalzheimersprogram.com para ver as referências deste livro.

Prefácio

A cada encruzilhada da estrada que leva ao futuro, os espíritos progressistas são confrontados por mil homens designados a guardar o passado.
Maurice Maeterlinck

A prática médica nunca esteve tão polarizada pela dicotomia reducionismo e holismo quanto a que existe hoje em relação ao tratamento da doença de Alzheimer.

Aplicado à prática da medicina, o reducionismo adota a posição de que, para compreender melhor o processo de uma doença e depois formular e implementar uma intervenção terapêutica adequada, tanto a doença como a intervenção precisam ser reduzidas a suas partes e seus mecanismos operacionais mais simples. Muitos atribuem ao filósofo francês do século XVI René Descartes a sistematização desse paradigma. Na parte V de seu *Discurso do método*, Descartes descrevia o mundo como um relógio que podia ser inteiramente compreendido através da exploração de seus componentes individuais. E, de fato, o progresso da ciência da medicina, ao longo da história e no presente, é profundamente pontuado por avanços revolucionários caracterizados pela dedicação a essa abordagem.

Seja Antonie Philips van Leeuwenhoek usando um microscópio de lente simples para descobrir animálculos (micróbios), seja o sequenciamento do genoma humano, os fundamentos da medicina ocidental continuam a celebrar a ideia de que o exame aprofundado das partes constituintes acaba por oferecer uma base de conhecimento capaz de revelar soluções para processos desafiadores das doenças.

A microscopia de fato levou a uma compreensão da patofisiologia que resultou diretamente em avanços maravilhosos alavancados por efeitos salutares. Mas a adoção míope de uma filosofia centrada no escrutínio das unidades em termos de partes e processos inevitavelmente acaba por sancionar uma terapia também centrada na validação do singular. Em termos simples, abraçar o reducionismo na medicina significa apoiar a ideologia da monoterapia, a ideia de que o objetivo da pesquisa médica moderna deve ser o desenvolvimento de balas mágicas isoladas, concebidas e comercializadas para o combate a doenças isoladas.

Como o dr. Andrew Ahn, médico de Harvard, escreveu em um artigo sobre os limites do reducionismo na medicina: "O reducionismo permeia as ciências médicas e afeta o modo como diagnosticamos, tratamos e prevenimos doenças. Embora responsável por sucessos tremendos na medicina moderna, o reducionismo tem seus limites e devemos buscar uma explicação alternativa para complementá-lo".

No momento em que escrevo, nenhum outro processo degenerativo evidencia mais as limitações de uma abordagem reducionista no que se refere à terapia do que a demência senil típica do Alzheimer. Sem dúvida, a profunda investigação para desvendar a etiologia dessa doença hoje epidêmica é desenvolvida e sustentada há décadas por centenas de milhões de dólares. A aplicação da abordagem reducionista de fato revelou mecanismos fascinantes que possivelmente estão envolvidos nessa doença que hoje afeta 5,5 milhões de americanos. Mas, ai de nós, nenhuma farmacoterapia isolada ou combinada teve qualquer efeito em modificar o curso inexorável do mal de Alzheimer.

Como testemunho da tenacidade da indústria farmacêutica, diversos medicamentos são comercializados para o público nos Estados Unidos, e na verdade em todo o mundo, com a ideia de que de algum modo "tratam" o Alzheimer. Mas embora essas medicações possam afetar minimamente os sintomas da doença, mais uma vez não oferecem absolutamente nenhum benefício que melhore efetivamente o resultado final. Como o dr. Michal Schnaider-Beeri revelou recentemente em um editorial do periódico *Neuro-*

logy: "A despeito dos grandes esforços científicos em encontrar tratamentos para o mal de Alzheimer, apenas cinco medicações são comercializadas, com efeitos benéficos limitados sobre os sintomas em uma proporção restrita de pacientes, sem modificar a evolução da doença".

Mais recentemente, a preocupação com a falta de efetividade dessas medicações foi ofuscada por um artigo publicado no *The Journal of the American Medical Association*, revelando que não só os remédios que costumam ser prescritos para Alzheimer carecem de eficácia, como também sua utilização está associada *ao declínio cognitivo mais acelerado*.

Ao contrário da visão reducionista, o holismo valoriza mais explorar o todo que as partes individuais. A abordagem holística da saúde e da doença certamente adota sem ressalvas as descobertas de investigações científicas aprofundadas, mas sua diferença fundamental em comparação ao reducionismo se revela quando examinamos como a ciência é utilizada no momento de tratar de fato a doença. Enquanto o reducionismo procura acertar na mosca, o holismo leva em consideração todas as opções disponíveis que têm algo positivo a oferecer.

Como você descobrirá em breve nas páginas a seguir, desenvolvemos pela primeira vez uma intervenção terapêutica para tratar com sucesso a doença de Alzheimer. O protocolo criado pelo dr. Bredesen é por definição holístico. Seu programa incorpora as descobertas nas pesquisas de uma infinidade de disciplinas que dizem respeito à patogênese do Alzheimer. Nossa investigação científica altamente respeitada delineou com toda clareza os mecanismos específicos pelos quais uma série de processos aparentemente não relacionados contribuem para a manifestação da doença. E é precisamente porque o Alzheimer surge a partir da confluência de múltiplos fatores que sua cura requer a orquestração de diversos instrumentos.

Embora a fonte da citação "Insanidade é fazer a mesma coisa repetidas vezes e esperar resultados diferentes" seja questionável, sua relevância para a abordagem que busca uma monoterapia para o tratamento do Alzheimer não é. Hoje, com o desafio do dr. Bredesen ao statu quo, a sanidade prevalece, significando possivelmente o fim da doença de Alzheimer.

Dr. David Perlmutter
Naples, Flórida
Janeiro de 2019

Parte Um

Alzheimer: A geração final?

1. Um novo tipo de vacina

Saber não basta; é preciso aplicar.
Disposição não basta; é preciso fazer.
Leonardo da Vinci

O Alzheimer deveria ser — e *será* — uma doença rara. Lembra da pólio? Lembra da sífilis? Da lepra? Todas foram flagelos, em um momento ou outro, e o Alzheimer compartilha características com cada uma dessas doenças. Quantas pessoas você conhece que sofrem de pólio, sífilis ou lepra atualmente? Houve uma época em que a palavra "pólio" levava o medo ao coração de muita gente, inclusive ao da minha mãe. Foi na década de 1950, quando eu estava na pré-escola, e as pessoas, aparentemente de uma hora para outra, ficavam rapidamente paralisadas. Algumas morriam, outras sobreviviam com incapacitações diversas, e os pulmões de aço proliferaram. Minha mãe me explicou que um especialista havia sugerido que a pólio talvez fosse transmitida por mosquitos, portanto eu deveria tentar evitá-los — uma tarefa nada fácil para um menino que brincava em parquinhos e corria em bosques!

Felizmente, a pólio mostrou-se completamente evitável com a vacina. Agora precisamos de uma para prevenir o Alzheimer. Entretanto, a "vacina" das doenças do século XXI, como o Alzheimer, parece ser bem diferente da vacina da pólio — ela não é uma injeção, mas uma "ininjeção".* Trata-se de um programa personalizado, baseado nas inúmeras informações obtidas com a medição de todos os parâmetros críticos — genoma, microbioma, metaboloma, exposoma — que contribuem para o declínio cognitivo, usando um algoritmo computacional para identificar o tipo de Alzheimer (sim, há mais de um tipo, e é importante descobri-lo para a prevenção e o tratamento efetivos) e produzir um programa ideal para impedir ou reverter o problema. Se você é resistente à insulina, por exemplo, como quase metade das pessoas nos Estados Unidos, sofre um risco maior de Alzheimer, mas isso pode ser revertido. Se sofre de inflamação crônica não identificada, como milhões de americanos, corre risco de Alzheimer, mas isso pode ser identificado e mitigado. Se tem deficiência de zinco, como é o caso de bilhões no mundo todo, ou de vitamina D, há um risco aumentado de declínio cognitivo, mas isso pode ser tratado. Se possui uma infecção oculta de *Babesia*, *Borrelia* ou *Ehrlichia*, de mordida de carrapato, ou infecções virais como *Herpes simplex* ou HHV-6, ou exposição não identificada a micotoxinas (venenos produzidos por alguns mofos), corre um risco aumentado de declínio cognitivo, mas isso pode ser tratado. Da máxima importância, se você tem predisposição genética à doença de Alzheimer, como é o caso de mais de 75 milhões de americanos, agora pode adotar um programa para evitar ou resolver o problema, como temos divulgado repetidamente nos últimos anos.

Portanto, assim será a "vacina" para o Alzheimer do século XXI — nada de agulhas, nada de timerosal, nada de mercúrio, nada de risco de Guillain-Barré (paralisia), mas, em alguns aspectos, ainda mais eficaz que as antigas. Assim como houve projetos globais para a vacinação contra varíola, também deverá haver projetos globais para prevenir e reverter o declínio cognitivo utilizando a "vacina" do século XXI. Desse modo erradicaremos essas enfermidades que nos matam hoje — doenças crônicas complexas como Alzheimer, Parkinson, degeneração macular, cardiopatias, hipertensão, diabetes tipo 2, câncer e assim por diante. *Todas* deveriam ser — e *podem* ser — doenças raras, em lugar dos ubíquos fatores de contribuição para a má saúde humana que são hoje.

* O termo "ininjeção", ou "unjection" em inglês, é uma marca registrada da Pfizer.

Nina me consultou para "prevenir a doença de Alzheimer", disse-me ela — sua avó sofrera de demência após os sessenta anos e sua mãe tinha apenas 55 quando começou a ter dificuldades para encontrar as palavras e perdeu a capacidade de fazer cálculos simples, como decidir o valor de uma gorjeta. Sua saúde se deteriorou e ela foi diagnosticada com Alzheimer, algo que Nina queria evitar, na medida do possível. O médico anterior com quem havia se consultado se limitara a repetir o velho chavão de que "não há nada que previna, reverta ou adie a doença de Alzheimer".

Ela era portadora de uma única cópia do gene comum de risco de Alzheimer, ApoE4, assim como outros 75 milhões de americanos. Seu gene ApoE4 provavelmente havia sido passado a ela por sua mãe e sua avó e devia ser o principal fator de contribuição genético para o desenvolvimento da demência. Ela também tinha um histórico de vitamina B_{12} no limiar mínimo e de vitamina D baixa.

Embora com apenas 48 anos e em essência sem queixas cognitivas — afirmou ser "um pouco hipocondríaca" —, sua pontuação foi ruim no teste MOCA (Montreal Cognitive Assessment), um método simples e rápido de obter uma amostragem dos vários tipos de função cerebral, como memória, organização, cálculo e capacidade verbal. A maioria se situa entre 28 e trinta de um total de trinta pontos possíveis no teste MOCA, mas Nina fez apenas 23, sinal de que já apresentava quadro de déficit cognitivo leve (MCI), uma fase inicial do Alzheimer. Testes neuropsicológicos adicionais confirmaram seu diagnóstico de declínio cognitivo — ela já estava a caminho da demência que sua mãe e sua avó infelizmente haviam apresentado.

Ela iniciou o programa desenvolvido por mim e por meu grupo de pesquisa, chamado ReCODE (das iniciais em inglês para reversão do declínio cognitivo) e, muitos meses depois, notou grande mudança, afirmando: "Eu não tinha ideia de como meu raciocínio estava ruim até me recuperar". Ela fez trinta pontos no MOCA e desde então se sente cada vez melhor. Em um e-mail, disse: "Muito obrigada pela oportunidade de participar desse programa. Ele salvou minha vida e eu lhe sou eternamente grata".

Você deve ter pensado: "Certo, Nina melhorou, mas seu declínio cognitivo ainda estava num estágio relativamente inicial. E se fosse Alzheimer em estágio final?".

Deixe-me lhe contar sobre Claudia:

Claudia, 78 anos, desenvolveu declínio cognitivo, que progrediu para um Alzheimer grave. Sua pontuação MOCA foi zero. Ela era incapaz de falar, a não ser pelo ocasional sim ou não. Não conseguia andar de bicicleta, vestir-se sozinha ou cuidar de si mesma. Após ser avaliada, ela iniciou o protocolo, que foi personalizado para seus próprios indutores de declínio cognitivo. Sua avaliação indicou diversos fatores contribuintes que não haviam sido identificados previamente, incluindo micotoxinas produzidas por mofos. O exame deu negativo, mas ela apresentou resistência à insulina. Foi tratada por uma médica excelente, a dra. Mary Kay Ross, especialista em pacientes com exposição a biotoxina. Claudia teve altos e baixos conforme removia a exposição, otimizava a desintoxicação, ajustava a dieta e iniciava diferentes suportes sinápticos. Mas, nos quatro meses seguintes, começou a melhorar, recuperando a fala, voltando a escrever e-mails, vestindo-se com o básico, andando de bicicleta e até dançando com o marido.

Seu marido escreveu: "Esta noite saímos para uma caminhada e ela me agradeceu por levá-la para passear, pois assim podia observar tudo. Ela apontou um monte de coisas, incluindo as nuvens rosadas com o pôr do sol. Mais tarde, quando a gente se sentou e conversou, li para ela todas as postagens do blog e expliquei o que estava acontecendo a cada etapa do caminho. E ela disse: 'Acho que estou melhorando e serei capaz de apreciar as coisas outra vez'".

Apresso-me a acrescentar que Claudia é a exceção, não a regra — em geral, quanto antes você começa o protocolo, maior a chance de resultados positivos, e mais completa a resposta. Ainda assim, como ilustra o caso dela, mesmo em fase bem avançada alguns indivíduos de fato apresentam melhora. Essa melhora — aliás, qualquer melhora — teria sido impensável poucos anos atrás, e ainda é impensável para muitos que recorrem às monoterapias tradicionais.

Mas voltemos a Nina — Nina continua na "vacina" do século XXI para Alzheimer: um programa de medicina de precisão personalizado que analisa e trata os parâmetros bioquímicos que contribuem para o Alzheimer. Essa "vacina" do século XXI funciona não só para prevenção, como também para reversão inicial, algo que as vacinas injetáveis do século XX não faziam. Mas isso não é tudo: além da prevenção e da reversão, há o *fortalecimento* da capacidade cognitiva em qualquer idade. Esteja você na casa dos vinte, quarenta ou oitenta anos, o uso do protocolo aqui descrito vai fortalecer sua capacidade cognitiva, otimizar seu foco e a qualidade do seu trabalho, afiar sua memória e melhorar sua fala.

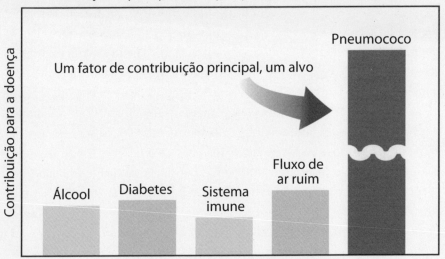

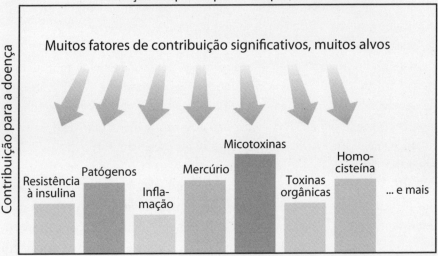

Doenças simples como pneumonia vs. doenças complexas como Alzheimer. *As doenças simples podem ter muitos fatores contribuintes, mas um deles é de longe o predominante e, portanto, uma única medicação, como a penicilina, em geral resolve o problema. Doenças complexas, por sua vez, normalmente têm muitos fatores de contribuição, mas nenhum deles predomina claramente e, portanto, identificar e tratar múltiplos fatores com um protocolo preciso é a abordagem de tratamento mais efetiva.*

O caso de Nina ensina uma lição importante: o declínio cognitivo com frequência nos pega de surpresa. Richard Feynman — o Einstein da segunda metade do século XX —, ganhador do prêmio Nobel, desenvolveu um declínio cognitivo devido a um hematoma subdural (um coágulo sanguíneo pressionando o cérebro). Quando o hematoma foi removido e sua lucidez voltou, ele comentou como não temos consciência do próprio declínio cognitivo. Assim, essas doenças crônicas complexas são como uma jiboia: conforme o dominam, você permanece anos indiferente ao seu aperto... elas enroscam seus anéis em torno do seu corpo, e pode ser que haja alguns lapsos ocasionais, como esquecer onde estacionou o carro, mas você pensa: *Isso acontece com todo mundo, não?* Nem o médico consegue perceber o furtivo abraço constritor. Até ser tarde demais e você manifestar uma doença terminal em estágio avançado. Mas eis a boa notícia — o calcanhar de aquiles de todas essas doenças crônicas complexas é que podemos percebê-las vindo *anos* antes de se instalarem, dando assim tempo suficiente para a prevenção (certo, uma jiboia não tem calcanhar, eu sei, mas você entendeu — podemos vencer essas doenças bem no início). Só precisamos nos dar ao trabalho de investigar.

Mas, infelizmente, é exatamente o que não acontece.

Espere, como é?! Podemos tratar um problema de saúde mundial que custa 1 trilhão de dólares, salvar milhões de vidas, impedir o horror absoluto da demência, manter incontáveis famílias intactas, fugir das casas de repouso e potencializar a saúde global — mas não nos damos ao trabalho de detectar ou tratar os anéis constritores que por anos se enroscam em torno de nós? Como pode ser? Tragicamente, isso acontece por diversas razões. Como afirmou um executivo dos planos de saúde: "Por que ajudar a concorrência? A maioria dos pacientes passa muitos anos em outros planos antes de trocar, assim, se estabelecemos a prevenção, estamos simplesmente ajudando a concorrência, e não vamos fazer isso". Alguém se esqueceu de dizer a esse velhaco ganancioso que o inimigo é a doença, não os outros seguros-saúde. Imagine alguém ficar sentado em seu escritório luxuoso tomando decisões que sabe que resultarão em sofrimento desnecessário para milhares de famílias, tudo em nome do dinheiro. Acho que a maioria seria incapaz disso.

Mas esse não é o único motivo para o Alzheimer pegar muita gente desprevenida. As consultas limitadas a sete minutos, a falta de cobertura para os principais exames necessários, a diminuição dos exames para aumentar os lucros e a lacuna no ensino de novos princípios na medicina são fatores importantes. Como ouvi do reitor de uma das faculdades de medicina mais respeitadas do país: "Gostaríamos de ensinar essas novas abordagens para os alunos, mas não podemos fazer isso enquanto não forem aceitas por toda a classe médica". E é claro que não serão aceitas enquanto não forem ensinadas nas faculdades de medicina. É um beco sem saída. Assim, enquanto o Vale do Silício nos conduz rumo ao século XXII, o establishment médico nos conduz de volta ao século XIX...

Lembro de um esquete engraçadíssimo do *Saturday Night Live* em que o diretor da US Airways comentava os vários problemas ocorridos com a malfadada companhia aérea, chegando a uma conclusão otimista e tranquilizadora: "USAir — aprendendo a *cada desastre!*". A ideia de que uma linha aérea não tentasse *prevenir* acidentes, mas, pelo contrário, investisse em aprender *depois* de terem ocorrido soava ultrajante — puro humor ácido —, mas é exatamente a abordagem adotada pelo sistema de saúde em relação a nós, suas vítimas... *hum*, quis dizer, pacientes. Hoje temos a capacidade de prevenir e reverter o declínio cognitivo, bem como outras doenças crônicas complexas, e devemos fazer disso o modelo dos cuidados médicos, se esperamos preservar nossa cognição e impedir a falência do Medicare, entre outras inúmeras consequências graves.

Assim, se os médicos deixam de pedir os exames adequados para prever e impedir o declínio cognitivo, e nós deixamos de tomar as medidas cruciais para preveni-lo, muitos — cerca de 45 milhões de americanos atualmente — desenvolverão Alzheimer, que, de forma preocupante, se transformou na terceira maior causa de mortalidade.[1] Esperamos surgirem os sintomas para procurar a avaliação de um especialista, que afirma: "É Alzheimer". Isso é como levar seu carro ao mecânico porque ele está com problema e ouvir o mecânico dizer: "Ah, sabemos exatamente o que é, a gente vê isso o tempo todo — é chamada síndrome do carro com problema. Costuma acontecer com latas-velhas. Não existe causa conhecida nem cura — seu carro vai morrer". Quando você franze as sobrancelhas e pergunta ao médico se ele planeja pedir alguns exames para identificar a raiz do problema, a resposta é: "Não, os planos não cobrem esses exames". Por isso recomendo que, assim como todos vamos passar por uma colonoscopia após os cinquenta anos, deveríamos fazer uma "cognoscopia" aos 45 anos (ou o mais próximo disso possível) — uma série de exames de sangue e uma avaliação cognitiva on-line simples, assim saberemos o que fazer para prevenir o declínio cognitivo — de modo a de fato fazer do Alzheimer uma doença *rara*, como deve ser.

Então examinemos o que o Alzheimer realmente *é*: como compreender de verdade a doença, por que ela é tão comum e, o mais importante, como prevenir e reverter o declínio cognitivo, com uma melhora sustentável, como já fizemos em centenas de pacientes.[2] É o que meus colegas de laboratório e eu pesquisamos há trinta anos. Em 2011, propusemos o primeiro ensaio clínico abrangente para o mal de Alzheimer com base nos resultados de nossa pesquisa,

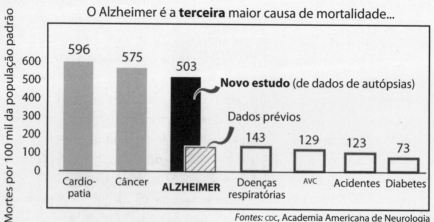

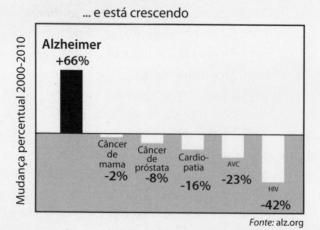

O Alzheimer é hoje a terceira principal causa de mortalidade nos Estados Unidos. *Enquanto outras doenças comuns como cardiopatia e AVC estão em queda, o Alzheimer vem crescendo.*

22

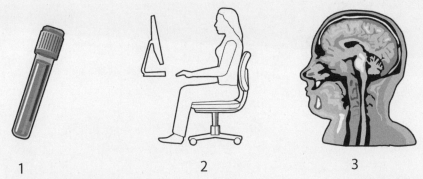

A **"cognoscopia"** inclui uma série de exames de sangue para revelar o risco de Alzheimer; uma simples avaliação cognitiva on-line, que leva cerca de meia hora; e uma ressonância magnética com análise volumétrica (a ressonância magnética é opcional para pacientes assintomáticos, mas recomendada para quem já apresenta sintomas de declínio cognitivo).

mostrando que devemos avaliar e atacar dezenas de fatores que contribuem se pretendemos tratar as causas subjacentes da doença, em lugar de empregar a abordagem usual de um único medicamento (monoterapia), que fracassou diversas vezes. Infelizmente, o ensaio clínico foi rejeitado pela Institutional Review Board (IRB), que o achou complicado demais e que não obedecia ao padrão em que cada ensaio clínico avalia apenas um remédio ou tratamento. Claro que nossa resposta foi que o Alzheimer não é uma simples doença com uma única variável e, portanto, não se presta à monoterapia usual. Infelizmente, nossos argumentos caíram em ouvidos moucos.

Por que nossos anos de pesquisa laboratorial ditaram uma abordagem tão atípica? Porque o que havíamos descoberto sugeria uma mudança real de paradigma na maneira de prevenir e reverter o declínio cognitivo (e, por extensão, outras doenças degenerativas; na verdade, a maioria das doenças crônicas complexas) — não com uma bala de prata, mas, antes, com um *cartucho de prata*.

É assim que tudo funciona: inúmeras teorias foram formuladas sobre a doença — já se sugeriu que o Alzheimer é provocado por radicais livres, cálcio, alumínio, mercúrio, amiloide, tau, príons (proteínas replicadoras), diabetes do cérebro ("diabetes tipo 3"), danos à membrana, danos às mitocôndrias (o centro de energia das células), envelhecimento cerebral e assim por diante — mas *nenhuma teoria isolada* levou a um tratamento efetivo, a despeito de bilhões de dólares gastos em ensaios clínicos e no desenvolvimento de remédios.

Cemitério de remédios. *As monoterapias (medicamento único) para Alzheimer e outras enfermidades crônicas complexas fracassaram repetidamente — mais de quatrocentas vezes. Nem os relatos de "sucesso" melhoraram a cognição de forma sustentável ou alteraram o declínio cognitivo.*

Enquanto a abordagem da "bala de prata" nunca teve êxito, a do "cartucho de prata" rendeu os primeiros sucessos na reversão do declínio cognitivo.

Por outro lado, o que descobrimos revela como prevenir e tratar o Alzheimer: no coração da doença reside uma chave chamada APP, ou proteína precursora de amiloide, que se projeta de seus neurônios. A APP reage de duas maneiras opostas, dependendo do ambiente. É como se você fosse o presidente de um país chamado MeuCerebronistão. Quando tudo vai bem, os cofres estão cheios, não há guerra, inflação galopante, nenhum grande problema de poluição, você decide que é o momento apropriado para a construção e a manutenção da infraestrutura de seu país. Assim você dá as devidas ordens e novas construções são erguidas, surgem interações e a rede do país fica mais extensa. É isso que está acontecendo em seu cérebro a cada instante que níveis ideais de nutrientes, hormônios e fatores de crescimento são mantidos (isto é, os cofres estão cheios), não há patógenos ou inflamação associada (ou seja, as guerras), você não se torna resistente à insulina (a inflação galopante) e não sofreu nenhuma grande exposição a toxinas (a poluição). Logo, seus APPs sinalizam o crescimento, e fazem isso sendo cortados por tesouras moleculares chamadas proteases, em um local específico chamado sítio alfa, fragmentando-se desse modo nos dois pedaços de crescimento e manutenção (chamados peptídeos), sAPPα (que significa fragmento solúvel de APP clivado no sítio alfa) e αCTF (o fragmento carboxi-terminal — ou seja, a porção terminal da proteína de APP — da clivagem do sítio alfa). Isso resulta em sinalização sinaptoblástica (da palavra grega para "germinar" ou "gerar") — produzindo as sinapses (conexões) em seu cérebro, necessárias para a memória e a cognição geral.

Agora imagine que, em seu segundo mandato como presidente do MeuCerebronistão, o cenário é outro. Os cofres estão esvaziando, então você não pode mais construir e manter a infraestrutura; invasores atravessam suas fronteiras, assim você usa napalm para limar o avanço inimigo; houve inflação durante os anos bons, então mais recursos são tirados do tesouro para financiar o crescimento; e a infraestrutura frágil levou a problemas graves de poluição, então você precisa dar início à descontaminação. Isso é o que acontece com o seu cérebro com a doença de Alzheimer e durante os anos de declínio cognitivo que levam ao Alzheimer em estágio avançado: a falta de suporte de fatores nutricionais, hormonais e tróficos requer uma redução; os micróbios e fragmentos inflamatórios são combatidos com o próprio amiloide que associamos à doença de Alzheimer,[3] que é muito parecido com napalm; a resistência à insulina significa que a insulina secretada simplesmente é ineficaz para manter os neurônios vivos (ela é em geral uma molécula de apoio potente para as células cerebrais e, de fato, quando cultivamos neurônios em laboratório, esse hormônio é essencial para sua saúde e vitalidade); e toxinas como mercúrio são aglutinadas pelo amiloide. A fim de lidar com essas diversas agressões, a APP é clivada em diferentes locais — não no sítio alfa, como ocorre quando as coisas vão bem, mas em três locais, os sítios beta, gama e caspase, gerando quatro fragmentos: sAPPβ (APP solúvel clivado no sítio beta), Aβ (o peptídeo amiloide que associamos ao mal de Alzheimer), Jcasp (o pedaço de justamembrana cortado no sítio da caspase, que fica perto da extremidade da proteína) e C31 (os 31 aminoácidos finais da proteína). Como você pode imaginar, esses quatro fragmentos — os quatro cavaleiros de nosso apocalipse pessoal — sinalizam redução em vez de crescimento.

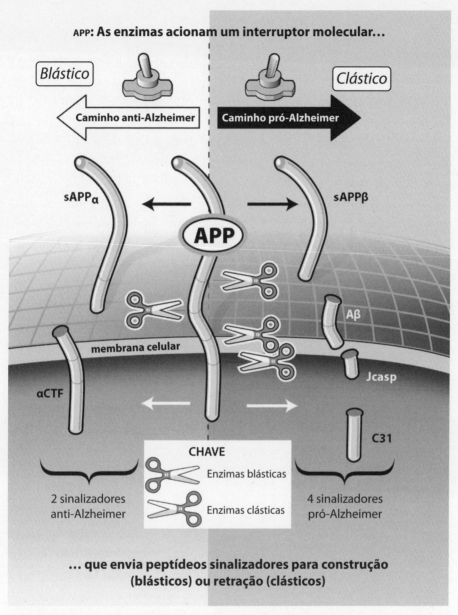

A proteína precursora de amiloide (APP) é um interruptor molecular *que deve ser clivado para gerar dois fragmentos (peptídeos) mediadores do crescimento e da manutenção das sinapses — sinalização sinaptoblástica — ou, por outro lado, produzir quatro fragmentos mediadores da perda sináptica e da retração dos prolongamentos neuronais — sinalização sinaptoclástica.*

Chamamos isso de sinalização sinaptoclástica (da palavra grega para quebrar) — a remoção de sinapses.

Voltemos outra vez a MeuCerebronistão. Imagine que você acaba de ser reeleito para um terceiro mandato como presidente (sim, a lei permite três mandatos consecutivos!), mas seu país se dividiu em MeuCerebronistão do Norte e MeuCerebronistão do Sul, de modo que você é o líder de um dos dois — qual será? MeuCerebronistão do Norte é uma nação belicosa, que decidiu investir seus recursos na defesa (e em ataques), ao passo que MeuCerebronistão do Sul concentra seus recursos em pesquisa e desenvolvimento. Ambos, portanto, possuem forças e fragilidades específicas. É desse modo que a genética individual influencia seu risco de Alzheimer: embora dezenas de genes desempenhem um papel, o risco genético mais comum se deve a um gene isolado, realmente extraordinário, chamado ApoE, de apolipoproteína E. Você tem duas cópias — uma da sua mãe e uma do seu pai —, e assim você pode terminar sem nenhuma cópia da versão de alto risco do ApoE, que é o ApoE4, com uma cópia ou com duas. Quase três quartos da população americana — cerca de 240 milhões de pessoas — não possuem nenhuma cópia (a maioria é ApoE3/3, de modo que temos duas cópias de ApoE3 e nenhuma de ApoE4) — e o risco de Alzheimer é de aproximadamente 9%. Entretanto, cerca de um quarto de americanos — mais de 75 milhões de pessoas — tem uma cópia isolada de ApoE4, correspondendo a um risco de aproximadamente 30%. Por fim, uma pequena quantidade de americanos — apenas cerca de 2%, ou menos de 7 milhões de pessoas — porta duas cópias, e o risco é muito elevado — bem mais de 50% —, assim tem maior tendência a desenvolver do que a evitar o Alzheimer. Na parte 2, você verá a história de Julie, que possui duas cópias de ApoE4 e manifestou sintomas significativos de declínio cognitivo, mas se recuperou tão bem que foi uma inestimável colaboradora neste livro.

Se você porta o ApoE4, é presidente do MeuCerebronistão do Norte — você pôs seus recursos na defesa e, portanto, consegue resistir a invasores. Portadores de ApoE4 apresentaram resistência a parasitas e outras infecções, e por isso têm uma vantagem em condições adversas. Na verdade, já foi sugerido que essa resistência ligada ao ApoE4 é um dos principais fatores que permitiu a nossos ancestrais, os antigos hominídeos, descer das árvores e caminhar pela savana, machucando os pés, mas contendo as ameaçadoras infecções. Isso se ajusta bem ao fato de que o ApoE4 era o ApoE primordial dos hominídeos. Nossos ancestrais foram todos ApoE4/4 até apenas 220 mil anos atrás — em outras palavras, em 96% de nossa evolução como hominídeos —, quando o ApoE3 apareceu. Entretanto, como desenvolvemos uma vigorosa reação inflamatória, que é ideal para ingerir carne crua e sobreviver a ferimentos, mas cobra seu preço em nosso corpo ao longo dos anos, temos risco aumentado para enfermidades relacionadas à inflamação, como Alzheimer e doenças cardiovasculares.

Se você não possui o gene ApoE4, é o presidente do MeuCerebronistão do Sul — seus recursos foram investidos em pesquisa e desenvolvimento (isto é, menos inflamação, metabolismo mais eficiente, mais longevidade). Aqueles de nós que não portam o ApoE4 são mais suscetíveis à invasão de predadores como parasitas, mas, se conseguem evitá-los, seu nível mais reduzido de inflamação está associado a um risco menor de Alzheimer e de cardiopatia e, na média, a uma expectativa de vida um pouco maior.

Como podemos ver, a assim chamada doença de Alzheimer é na verdade uma *reação protetora* a diferentes agressões: micróbios e outros inflamógenos, resistência à insulina, toxinas e perda de apoio dos nutrientes, hormônios e fatores de crescimento. É um *programa de redução protetora*. Em outras palavras, o Alzheimer é um cérebro em retração — *um exército em recuo que deixa uma terra arrasada* —, sofrendo seus próprios danos colaterais conforme bate em retirada, e o declínio cognitivo pode ser prevenido ou revertido tratando exatamente os fatores que contribuem para esse desequilíbrio entre a sinalização sinaptoblástica e a sinaptoclástica. Com efeito, publicamos recentemente um artigo médico que descreve uma centena de pacientes, uns com Alzheimer, outros em fase inicial da doença, que apresentaram melhora documentada, quantificada.[4] Não só sua cognição melhorou; alguns foram submetidos a eletroencefalogramas quantitativos (para medir a velocidade das ondas cerebrais, que em geral diminui com a demência) e a imagens de ressonância magnética com volumetria (para detectar o encolhimento nas várias regiões cerebrais), que também apresentaram melhora. Isso não significa dizer que todo mundo responde ao protocolo, pois não é o caso, mas documentamos melhoras sem precedentes e, mais importante, *prolongadas*, usando essa abordagem dirigida, programática.

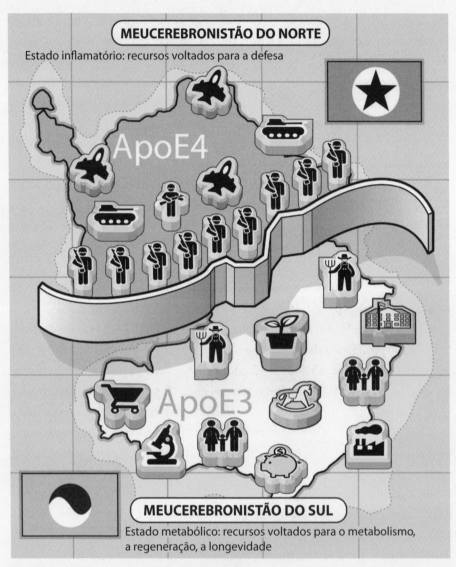

MeuCerebronistão do Norte vs. MeuCerebronistão do Sul. *O MeuCerebronistão do Norte aloca seus recursos em defesa e guerra, e assim é análogo a células e indivíduos positivos para ApoE4; o MeuCerebronistão do Sul, por sua vez, aloca seus recursos em pesquisa e desenvolvimento, e assim é análogo aos indivíduos negativos para ApoE4.*

Então como exatamente fazemos para traduzir esses conceitos em um plano exequível que todos possam usar? É precisamente disso que trata este livro. Você vai ler todos os detalhes necessários para adotar seu próprio programa personalizado e voltado para potencializar a cognição, não importa se você decidir fazê-lo com seu médico pessoal, um *health coach*, outro profissional de saúde ou por conta própria.

Em meu livro anterior, *O fim do Alzheimer*, falei sobre a pesquisa científica que levou ao desenvolvimento do nosso protocolo ReCODE e descrevi sua primeira versão e seus sucessos. Nos mais de oito anos desde que o primeiro paciente iniciou o protocolo, em 2012, aprendemos diversas coisas necessárias para otimizar a abordagem e cada um de seus componentes; treinamos mais de 1500 médicos em dez países e por todos os Estados Unidos; o livro foi traduzido para 31 idiomas; e recebemos mais de 40 mil perguntas e comentários. Uma das sugestões mais comuns era fornecermos mais detalhes, bem como atualizações, sobre o protocolo. Logo, o presente livro está repleto de explicações, sites, recursos, rotas alternativas para driblar obstáculos e novas informações, com vistas a proporcionar a cada um de nós a melhor chance de sucesso cognitivo, diminuir a carga global da demência e fortalecer a cognição no mundo todo para pessoas que não sofrem desse mal.

Então comecemos pelo básico. Se você está sofrendo ou sob risco de declínio cognitivo, ou se sua meta é potencializar sua cognição, então você simplesmente quer aumentar todos os fatores de contribuição para sua sinalização sinapto*blástica* e reduzir todos os fatores de contribuição para sua sinalização sinapto*clástica*. Para isso, é importante conhecer os potenciais fatores de contribuição:

- **Você tem alguma *inflamação*?** Isso é fácil de ver. Verifique sua hs-CRP (proteína C reativa de alta sensibilidade). Procure descobrir também sua taxa A/G (proporção entre albumina e globulina). Se houver a presença de inflamação, é preciso descobrir *por quê* — qual é a causa? Isso é crucial, uma vez que seus melhores resultados serão obtidos removendo a(s) causa(s) da inflamação. Cuidado — embora algumas pessoas manifestem sintomas de inflamação, como artrite ou doença inflamatória intestinal, muitas só exibem sintomas com o declínio cognitivo, um ataque cardíaco ou um AVC. Uma das causas mais comuns de inflamação

crônica é o intestino permeável — o vazamento de bactérias, fragmentos de bactérias, outros micróbios, moléculas de alimento digeridas de forma incompleta e outras que entram na corrente sanguínea e incitam a resposta inflamatória. Outra causa comum é a síndrome metabólica: uma combinação de hipertensão (pressão arterial alta), colesterol alto, glicose elevada (diabetes ou pré-diabetes) e inflamação, associada a uma dieta com alto consumo de açúcares ou outros carboidratos simples.[5] Uma terceira causa comum é dentição ruim — periodontite (inflamação em volta dos dentes) ou gengivite (inflamação das gengivas).
- **Você tem *resistência à insulina*?** Também é fácil descobrir — você precisa verificar seu nível de insulina em jejum e pode obter alguma informação complementar de sua hemoglobina A1c e glicose em jejum. Se o diabetes é de família, adicione um último exame — o mais sensível —, que é um teste oral de tolerância à glicose com níveis de insulina.
- **Você tem um nível ideal de *nutrientes*, *hormônios* e *fatores tróficos* (fatores de crescimento)?** Podemos determinar a maioria deles com exames de sangue simples, como vitamina B_{12}, vitamina D, homocisteína e T3 livre, tudo como parte da "cognoscopia" recomendada para quem tem 45 anos ou mais. Embora ainda não existam bons ensaios clínicos para determinar os níveis cerebrais da maioria dos fatores tróficos, temos métodos para melhorá-los. Por fim, ajuda muito assegurar que seu oxigênio e sua glicose não costumam cair demais à noite: cheque a oxigenação com um oxímetro (que seu médico pode emprestar ou você pode comprar) e a glicose com um aparelho como o FreeStyle Libre, da Abbott Labs.

A tabela 1 lista os níveis pretendidos para vários nutrientes, hormônios e toxinas. Seu médico pode querer acrescentar outros exames com base em seus sintomas e resultados.

Tabela 1. Valores de referência para exames bioquímicos e fisiológicos associados à cognição

	Exames essenciais	Valores de referência	Comentários
Inflamação, proteção e vascular	hs-CRP	< 0,9 mg/dL	Inflamação sistêmica
	Insulina em jejum Glicose em jejum Hemoglobina A1c HOMA-IR	3,0-5,0 µIU/mL* 70-90 mg/dL 4,0-5,3% < 1,2	Glicotoxicidade e marcadores de resistência à insulina
	Índice de massa corporal (IMC)	18,5-25	Peso (kg) / altura^2 (m)
	Proporção cintura/quadril (mulheres) Proporção cintura/quadril (homens)	< 0,85 < 0,9	
	Homocisteína	≤ 7µmol/L	Reflete metilação, inflamação e detox
	Vitamina B$_6$ Vitamina B$_9$ (ácido fólico) Vitamina B$_{12}$	25-50 mcg/L (PP) 10-25 ng/mL 500-1500 pg/mL	Melhora a metilação e reduz a homocisteína
	Vitamina C Vitamina D Vitamina E	1,3-2,5 mg/dL 50-80 ng/mL 12-20 mg/L	
	Proporção ômega-6 para ômega-3	1:1 to 4:1 (cuidado que < 0,5:1 pode estar associado à tendência de hemorragia)	Proporção de gorduras ômega inflamatórias para anti-inflamatórias
	Índice ômega-3	≥ 10% (ApoE4+) 8-10% (ApoE4-)	Proporção de gorduras ômega-3 anti-inflamatórias
	Proporção de AA para EPA (ácido araquidônico para ácido eicosapentaenoico)	< 3:1	Proporção de AA inflamatório para EPA anti-inflamatório
	Taxa A/G (proporção de albumina para globulina) Albumina	≥ 1,8:1 4,5-5,4 g/dL	Marcadores de inflamação, saúde hepática e remoção de amiloide
	LDL-P LDL pequena e densa LDL oxidada	700-1200 nM < 28 mg/dL < 60 ng/mL	LDL-P é a quantidade de partículas LDL
	Colesterol total Colesterol HDL Triglicérides Proporção TG para HDL	150-200 mg/dL > 50 mg/dL < 150 mg/dL < 1,1	

	Exames essenciais	Valores de referência	Comentários
	CoQ10	1,1-2,2 mcg/mL	Afetado pelo nível de colesterol
	Glutationa	> 250 mcg/mL (> 814 µM)	Antioxidante e desintoxicante essencial
	Intestino permeável, barreira cérebro-sangue permeável, sensibilidade ao glúten, autoanticorpos	Negativo	
Minerais	magnésio-RBC	5,2-6,5 mg/dL	Preferível ao magnésio sérico
	Cobre Zinco	90-110 mcg/dL 90-110 mcg/dL	
	Selênio	110-150 ng/mL	
	Potássio	4,5-5,5 mEq/L	
Suporte trófico	Vitamina D	50-80 ng/mL	(25OH-D3)
	Estradiol Progesterona	50-250 pg/mL 1-20 ng/dL (P)	Mulheres; depende da idade
	Pregnenolona Cortisol (AM) DHEA-S (mulheres) DHEA-S (homens)	100-250 ng/dL 10-18 mcg/dL 100-380 mcg/dL 150-500 mcg/dL	Depende da idade
	Testosterona Testosterona livre	500-1000 ng/dL 18-26 pg/ml	Homens; depende da idade
	T3 livre T4 livre T3 reverso TSH T3 livre para T3 reverso Anticorpo Antitireoglobulina Anti-TPO	3,2-4,2 pg/mL 1,3-1,8 ng/dL < 20 ng/dL < 2,0 mIU/L > 0,02:1 Negativo Negativo	mIU/L = µIU/mL
Relacionados a toxinas	Mercúrio Chumbo Arsênico Cádmio	< 5 mcg/L < 2 mcg/dL < 7 mcg/L < 2,5 mcg/dL	Metais pesados
	Mercury Tri-Test	< 50º percentil	Cabelo, sangue, urina
	Toxinas orgânicas (urina)	Negativo	Benzeno, tolueno etc.
	Glifosato (urina)	< 1,0 mcg/g creatinina	Herbicida

	Exames essenciais	Valores de referência	Comentários
	Proporção de cobre para zinco	0,8-1,2:1	Taxas mais elevadas associadas à demência
	C4a TGF-β1 MMP-9 MSH	< 2830 ng/mL < 2380 pg/mL 85-332 ng/mL 35-81 pg/mL	Associado à resposta inflamatória
	Micotoxinas urinárias	Negativo	Pode incluir fatores contribuintes por inalação, ingestão e infecção
	BUN Creatinina	< 20 mg/dL < 1,0 mg/dL	Reflete função renal
	AST ALT	< 25 U/L < 25 U/L	Reflete danos hepáticos
	TSC (teste de sensibilidade ao contraste)	Passe	Falha associada à exposição à biotoxina
	Exame ERMI	< 2	Índice de mofo da construção
	Exame HERTSMI-2	< 11	Índice dos mofos mais tóxicos
Relacionados a patógenos	CD57	60-360 células/ µL	Reduzido com Lyme
	MARCONS	Negativo	
	Anticorpos de patógenos transmitidos por carrapato	Negativo	*Borrelia, Babesia, Bartonella, Ehrlichia, Anaplasma*
	Anticorpos de vírus da família *Herpes*	Negativo	HSV-1, HSV-2, HHV-6, VZV, EBV, CMV
Neurofisiologia	Frequência alfa de pico em EEG quantitativo	8,9-11 Hz	Diminui com o declínio cognitivo; útil para progresso subsequente
	P300b em exame de resposta evocada	< 450 ms	Adiado com o declínio cognitivo; útil para acompanhar o progresso
Outros exames	MOCA (Montreal Cognitive Assessment)	28-30	
	Saturação de oxigênio noturna (SpO$_2$)	96-98%	Afetado se vivendo em altitude elevada

Exames essenciais	Valores de referência	Comentários
AHI (índice de apneia-hipopneia)	< 5 eventos por hora	> 5 indica apneia do sono
DNA oral	Negativo para patógenos	*P. gingivalis*, *T. denticola* etc.
Análise das fezes	Sem patógenos ou disbiose	
ImmuKnow (função CD4, indicado por produção de ATP)	≥ 525 ng/mL	Indica função de células auxiliares do ramal celular do sistema imune adaptativo

Abreviaturas: AA, ácido araquidônico; AHI, índice de apneia-hipopneia; ALT, alanina aminotransferase; AST, aspartato aminotransferase; IMC, índice de massa corporal; BUN, nitrogênio ureico no sangue; C4a, produto dividido de complemento 4a; CD57, grupamento de diferenciação 57; CMV, citomegalovírus; CoQ10, coenzima Q10 (ubiquinona); DHEA-S, sulfato de dehidroepiandrosterona; DNA, ácido desoxirribonucleico; EBV, vírus Epstein-Barr; EEG, eletroencefalograma; EPA, ácido eicosapentaenoico; ERMI, índice relativo de mofo da Agência de Proteção Ambiental; HERTSMI-2, Health Effects Roster of TypeSpecificFormers of Mycotoxins and Inflammagens [Lista de efeitos para a saúde dos formadores de tipo específico de micotoxinas e inflamógenos], segunda versão; HHV-6, *Herpesvírus humano 6* (A e B); HOMA-IR, avaliação de modelo homeostático de resistência à insulina; hs-CRP, alta sensibilidade à proteína reativa C; HSV-1, vírus 1 do *Herpes simplex*; HSV-2, vírus 2 do *Herpes simplex*; LDL, lipoproteína de baixa densidade; MARCONS, resistência a múltiplos antibióticos do *Staphylococcus* de coagulase-negativa; MMP9, metaloproteinase-9 da matriz; MOCA, Montreal Cognitive Assessment [avaliação cognitiva de Montreal]; MSH, hormônio estimulante de alfamelanócitos; P300b, onda positiva a trezentos milissegundos (potencial relativo ao evento), componente B; PP, fosfato piridoxal; RBC, hemácias; SpO$_2$, saturação periférica do oxigênio capilar; T3, tri-iodotironina; T4, tiroxina; TG, triglicérides; TGFβ1, fator de crescimento transformador beta-1; TPO, peroxidase da tireoide; TSH, hormônio estimulador da tireoide; VZV, vírus da varicela zóster.
* Para pessoas com sensibilidade à insulina, com glicose em jejum < 90 mg/dL, a insulina em jejum < 3,0 continua na faixa saudável.

- **Você tem *patógenos específicos*** — micróbios que fazem seu cérebro reagir produzindo o amiloide da doença de Alzheimer? Podem ser espiroquetas (bactérias em forma espiral, parentes do organismo causador da sífilis) como *Borrelia* (espiroqueta da doença de Lyme), vírus como do *Herpes* (principalmente *Herpes simplex-1*, HSV-1 ou HHV-6A), parasitas como *Babesia* (parente do parasita da malária, que muita gente contrai da picada do carrapato), bactérias como *Porphyromonas gingivalis* (associada à dentição ruim) ou outros patógenos. Embora atualmente não haja um modo simples de descobrir se esses patógenos estão escondidos em placas amiloides no nosso cérebro, podemos fazer exames de sangue para determinar se fomos expostos a esses micróbios e assim ter uma ideia sobre quais são os fatores de contribuição mais prováveis.

- **Você é *imunossuprimido*?** Se o seu sistema imune não está funcionando bem, esses vários agentes infecciosos — vírus, mofos, bactérias, parasitas e espiroquetas descritos acima — conseguem sobreviver no corpo e chegar ao cérebro. Seu cérebro então se protege produzindo — você adivinhou — o amiloide associado ao Alzheimer. Assim, ajuda saber se seu sistema imune está de fato funcionando de forma otimizada e, mais uma vez, alguns exames de sangue simples como imunoglobulinas, o teste ImmuKnow e os subconjuntos linfócitos podem nos informar.

  > Lola, 58 anos, enfrenta há seis a perda progressiva de sua capacidade de se organizar, calcular, encontrar as palavras e ler, problemas que começaram após um surto de depressão. Sua pontuação MoCA foi zero. Sua ressonância magnética indicou atrofia generalizada, e ela foi diagnosticada com Alzheimer. O exame de ApoE4 deu negativo. Seu teste ImmuKnow, que avalia uma parte crucial do sistema imune (as células auxiliadoras do sistema imune), revelou-se marcadamente anormal, com 206 ng/ml (o normal é > 525), e sua urina tinha níveis extremamente elevados (25 a cem vezes o nível tóxico típico) de três toxinas de mofo que suprimem o sistema imune: ocratoxina A, zearalenona e ácido micofenólico.

- **Você sofreu exposição a toxinas**, como mercúrio ou micotoxinas (toxinas produzidas por mofo)? Elas podem ser identificadas de imediato com exames de sangue e urina; a remoção dessas toxinas pode ser muito benéfica para a cognição.

Há várias maneiras de conseguir esses exames: seu médico pode pedi-los, você pode procurar um médico com treinamento no protocolo ReCODE ou pode obtê-los diretamente no site, MyRecodeReport.com. Quando fizer uma ideia de seus fatores de risco, inicie o tratamento para cada um. No capítulo 2, explicarei como ser bem-sucedido ao atacar os fatores de contribuição do declínio cognitivo e, em seguida, no capítulo 3, explicarei os pontos mais importantes que aprendemos após anos trabalhando com pacientes com declínio cognitivo, usando o ReCODE.

2. Um detetive inconveniente

A mediocridade é bem-sucedida em um único esforço:
proteger os próprios interesses.
R. F. Loeb

Pat Riley, famoso treinador, jogador e executivo de basquete, incentivava seus jogadores a adotar a seguinte atitude em uma partida: "Imagine que sua cabeça está debaixo d'água e que você só consegue respirar se vencer". Isso que é motivação! E é essa mesma atitude que devemos ter em relação ao Alzheimer e, na verdade, às doenças neurodegenerativas de um modo geral — são todas doenças terminais intratáveis e, se não as abordarmos como uma emergência social, presenciaremos 13 milhões de americanos sofrendo de demência até 2050, famílias arruinadas, a falência do Medicare e um ônus mundial multitrilionário. Contudo, nosso "padrão de cuidados" é tratar sem determinar a causa do Alzheimer ou seus fatores contribuintes, limitar nosso tratamento a uma ou duas medicações no máximo, evitar programas de tratamento dirigidos, rejeitar ensaios clínicos com terapias multifacetadas e repetir infinitamente as mesmas abordagens velhas e ineficazes. Onde está a inovação? Onde está a inspiração? Acho que precisamos de um discurso motivacional de Pat Riley.

Portanto não fique preocupado se você pegar seus exames, levá-los ao médico e ele se mostrar cético. Caso esteja esperando que ele peça esses exames,

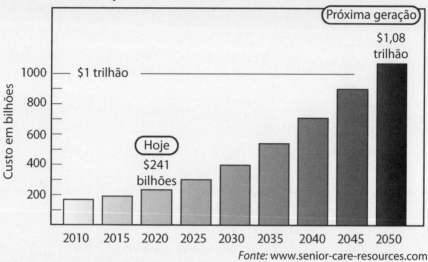

Os custos do Alzheimer são alarmantes e estão subindo.

não fique surpreso se ele ignorá-lo com um sorrisinho arrogante ou mesmo uma expressão de desdém. Como dizem: "Especialista é aquele que não quer escutar nenhuma novidade em seu campo de especialização". Essa abordagem personalizada do declínio cognitivo pertence ao século XXI, ainda não está em prática entre a vasta maioria da classe médica. Como afirmou um neurologista: "Não costumo pedir esses exames porque não saberia interpretá-los". Outro disse: "Esses exames não dizem se o paciente tem ou não Alzheimer". É verdade; o que dizem é *por que* você tem declínio cognitivo (ou risco de) — quais são os fatores de contribuição. Determinar *se* você tem Alzheimer não ajuda a evitar ou reverter a doença; determinar *por que* é a chave. A maioria dos pacientes de Alzheimer, MCI (déficit cognitivo leve, o precursor do Alzheimer) ou SCI (déficit cognitivo subjetivo, que precede o MCI), tem entre dez e 25 fatores de contribuição, e eles são identificados pelos exames, de modo que cada um deles possa ser tratado.

Assim, vamos resumir os planos de tratamento e prevenção aqui e depois incluirei os vários detalhes nas seções seguintes do Manual. A ideia é simples: o ser humano tentou lidar com a demência por milhares de anos sem saber o que a *causava* ou contribuía para ela, mas agora, pela primeira vez, podemos efetivamente tratar os mecanismos subjacentes. Claro, quando médicos ayurvédicos tratavam demência há milhares de anos, não se referiam ao problema como doença de Alzheimer — só entre 1906 e 1907 o dr. Alois Alzheimer publicou seus famosos artigos —, mas os médicos ayurvédicos claramente descreveram e tentaram tratar a demência, e o que hoje chamamos de Alzheimer é a síndrome de demência mais comum.

Vinte anos atrás, nossa pesquisa laboratorial nos levou a identificar o interruptor APP que descrevi anteriormente, e quando começamos a olhar para os fatores que acionam esse interruptor em prol do Alzheimer — o lado sinaptoclástico —, descobrimos que havia diferentes grupos de fatores, de modo que na realidade há diferentes *tipos* de Alzheimer. Eles estão alinhados com os exames que listei no capítulo 1:

- **O Alzheimer tipo 1 é *inflamatório* ou quente,** assim, se houver inflamação presente, você tem mais risco de ter Alzheimer. De fato, um dos principais mediadores da resposta inflamatória chama NFκB (fator nuclear capa estimulador de cadeia leve de células B ativadas) e aumenta exatamente a produção das tesouras moleculares que produzem o amiloide a partir da APP, portanto, de fato há um elo direto entre inflamação e Alzheimer.
- **O Alzheimer tipo 2 é *atrófico* ou frio,** assim, se você tem níveis subótimos de nutrientes, hormônios ou fatores tróficos (fatores de crescimento celular como NGF, fator de crescimento nervoso), tem mais risco de ter Alzheimer. Em termos simples, falta-lhe o suporte necessário para manter os 500 trilhões (500 000 000 000 000) de conexões sinápticas em seu cérebro. Pelo lado positivo, a otimização desses mesmos nutrientes, hormônios e fatores tróficos lhe oferece a melhor chance de otimizar sua memória e função cognitiva geral.
- **O Alzheimer tipo 1,5 é *glicotóxico* ou doce,** assim, se você tem excesso de açúcar no sangue ou insulina em jejum elevada, como é o caso de 80 milhões de americanos, tem mais risco de ter Alzheimer. Chamamos esse tipo de 1,5 porque exibe características tanto do tipo 1 como do tipo 2: a inflamação crônica (tipo 1) ocorre porque a glicose se liga a inúmeras de suas proteínas, como rêmoras em um tubarão, causando uma reação inflamatória nessas proteínas alteradas (como a

hemoglobina A1c, que é ligada a uma glicose, bem como centenas de outras proteínas). O suporte trófico reduzido (tipo 2) ocorre porque sua insulina — que é um fator de crescimento crítico para as células cerebrais — se manteve cronicamente elevada, levando suas células a perderem sensibilidade à insulina.

> Sammy, 68 anos, desenvolveu perda de memória progressiva. Nos exames, foi incapaz de dizer o dia, o mês ou o ano. Sua pontuação no MOCA foi de apenas doze (a média para doença de Alzheimer plenamente desenvolvida é 16,2, assim ele já estava mais avançado do que o paciente de Alzheimer típico) e o exame de ressonância magnética revelou atrofia cerebral. Seu índice de massa corporal (que para homens deve ser entre 19-25) era de 31,7, indicando obesidade. Sua insulina em jejum estava elevada a catorze; a glicose em jejum, elevada a 102; e a hemoglobina A1c, elevada em 5,8, indicando quadro de pré-diabetes. Seus marcadores inflamatórios e tóxicos deram negativo. O diagnóstico foi de Alzheimer tipo 1,5 (glicotóxico).

- **O Alzheimer tipo 3 é *tóxico* ou vil,** assim, se você foi exposto a toxinas como mercúrio, tolueno ou micotoxinas (produzidas por certos mofos, como *Stachybotrys* e *Penicillium*), tem mais risco de ter Alzheimer. Como somos expostos a centenas de toxinas — mercúrio nos alimentos marinhos, amálgamas dentários, poluição do ar, benzeno em velas de parafina, tricotecenos no bolor preto que se forma em casas destruídas pela umidade, e assim por diante —, todos nós corremos esse risco em maior ou menor grau, de maneira que o segredo é minimizar a exposição, identificar as toxinas a que fomos expostos e aumentar a excreção e o metabolismo delas.
- **O Alzheimer tipo 4 é *vascular* ou pálido,** assim, se você tem doença cardiovascular, tem mais risco de ter Alzheimer. De fato, a permeabilidade vascular representa uma das primeiras alterações identificadas com a doença.
- **O Alzheimer tipo 5 é *traumático* ou confuso,** assim, se você sofreu algum traumatismo craniano — de um acidente de trânsito, uma queda ou até concussões menores decorrentes de atividades esportivas —, tem mais risco de ter Alzheimer.

Como você pode ver por esses diferentes tipos de Alzheimer que identificamos e as causas de cada um, praticamente qualquer um pode desenvolver a doença e esse é um dos motivos para ser tão comum. Considerando as inúmeras toxinas a que somos expostos, os alimentos processados, o alto teor de carboidratos e as gorduras prejudiciais contidas na SAD (dieta padrão americana), o intestino permeável que muitos têm e as anormalidades lipídicas ("colesterol", embora o colesterol em si não seja o real problema), a maioria corre risco significativo de Alzheimer. A boa notícia é que quase todo mundo pode evitar ou reverter o problema, agora que compreendemos os fatores de contribuição. Para isso, precisamos apenas atacar as causas subjacentes do processo da doença — é como consertar 36 vazamentos no seu telhado —, os mesmos descritos na enumeração dos subtipos acima, e quanto antes fizermos isso, maiores as chances de obter sucesso. O objetivo geral do tratamento pode ser sintetizado como *remoção*, *resiliência* e *reconstrução*: a *remoção* das exposições que contribuem para o declínio cognitivo, a *resiliência* resultante da otimização do suporte à saúde e a *reconstrução* da rede neural. Isso é feito da seguinte maneira:

- **Primeiro, temos de tratar a resistência à insulina** — em outras palavras, queremos ficar sensíveis à insulina, um hormônio produzido no pâncreas e que possui diversas funções. É um elemento preponderante do metabolismo — ela se prende ao receptor, que induz a entrada de glicose e o armazenamento de gordura, dessa forma reduzindo a glicose em seu sangue. Porém, também é um fator de crescimento fundamental para os neurônios, de modo que perder a sensibilidade é um problema muito significativo.

    Praticamente todo paciente de Alzheimer perde a sensibilidade e desenvolve resistência à insulina, pelo menos no cérebro.[1] Isso ocorre com 80 milhões de americanos. Quando sua insulina permanece elevada por anos — como acontece com a maioria das pessoas acostumadas à dieta padrão americana —, a composição molecular do caminho de sinalização se altera, seu padrão de fosforilação é modificado. Assim, é como se você vivesse há anos sob um sol tão forte que precisasse usar óculos escuros o tempo todo; agora, com a luz atenuada, você não consegue enxergar. As células resistentes deixam de responder de forma apropriada aos níveis normais de insulina, o que significa que seus neurônios não contam mais com a ajuda necessária para sobreviver e interagir.

Essa resistência à insulina é o mesmo fenômeno ocorrido no diabetes tipo 2, então Alzheimer e diabetes são parentes. Inclusive, alguns sugerem que o Alzheimer seja chamado de "diabetes tipo 3",[2] mas como podemos perceber pelos muitos outros fatores de contribuição do declínio cognitivo (patógenos, toxinas etc.), não é assim tão simples.

É possível restabelecer a sensibilidade à insulina combinando dieta e estilo de vida KetoFLEX 12/3 (explicados em detalhes no cap. 4), otimizando nutrientes essenciais como o zinco (que está envolvido em múltiplos passos da secreção e dos efeitos da insulina), exercitando-se regularmente, reduzindo o estresse, tratando a apneia do sono (caso o paciente a tenha), e se necessário tomando suplementos como berberina, canela, ácido alfalipoico ou picolinato de cromo. Praticamente todo mundo pode se tornar sensível à insulina usando essa abordagem.

Para fornecer a você os melhores resultados para sua sensibilidade à insulina e níveis de glicose, há um novo método prático que ajuda a otimizar os vários passos que estamos dando. Chama-se monitoramento contínuo de glicose (CGM), e você pode realizá-lo com o FreeStyle Libre, um dispositivo que adere na parte superior do braço para monitorar a glicose continuamente durante duas semanas, de modo a lhe mostrar o que está disparando sua glicose ou por que ela está muito baixa (hipoglicemia). Tanto os picos como as quedas podem contribuir para o declínio cognitivo, então amenizá-los é uma abordagem eficaz.

- **Segundo, entrar em cetose** — em outras palavras, queimar gordura. O Alzheimer está associado à menor capacidade de utilizar glicose no cérebro, em um padrão de L, afetando o lobo temporal (que corre horizontalmente ao longo das suas têmporas) e o lobo parietal (que corre verticalmente atrás de suas orelhas). Para muitos, essa diminuição na utilização da glicose, provocada pela resistência à insulina descrita acima, ocorre mais de uma década antes do declínio cognitivo.[3] Quando combinamos a capacidade de utilizar cetonas com a sensibilidade à insulina, temos uma poderosa arma contra a demência — a *flexibilidade metabólica*, ou seja, a capacidade de queimar cetonas ou glicose. Após estudar muitos pacientes em nosso protocolo, descobrimos que os que desenvolvem cetose na faixa de 1,0 a 4,0 milimols no nível de beta-hidroxibutirato (BHB) tendem a se sair melhor, embora, se a pessoa ainda não apresentar sintomas, talvez seja suficiente estar na faixa de 0,5 a 1,0. Há medidores de cetona simples e baratos que você pode usar (detalhes na seção do Manual, parte 2).

Teoricamente, entrar em cetose é simples (ver detalhes na seção do Manual), mas, na prática, não é bem assim, uma vez que a resistência à insulina é tão predominante no Alzheimer e nas fases iniciais da doença que, na verdade, inibe a metabolização de gordura, impedindo desse modo a produção das cetonas que precisamos (além de perpetuar o desejo de açúcar, gerando um ciclo de demência metabólico). Para encerrar o ciclo, recomendamos uma abordagem em três frentes: dieta rica em vegetais e fibras e pobre em carboidratos, com nível elevado de gorduras saudáveis; jejum noturno de ao menos doze horas; e exercícios regulares. Seu corpo reagirá quebrando gorduras e transformando-as em cetonas. Muitos acham que o simples processo de entrar em cetose resulta em maior clareza mental, memória mais robusta, fortalecimento do alerta e do foco e mais energia.

Há duas ressalvas quanto aos prós da cetose: uma é *como* você chega lá, a outra é *quando*. Na questão de *como* chegar lá, ao escutar a palavra "cetose", muita gente pensa imediatamente em bacon, mas a cetose que favorece o cérebro é rica em alimentos vegetarianos, não bacon! (O bacon tem seus próprios problemas de toxicidade devido em parte aos conservantes de nitratos, às toxinas introduzidas na alimentação do animal e à sua gordura saturada, entre outras desvantagens.) Na seção Manual do livro, apresentarei detalhes sobre a dieta e a nutrição ideais para a cognição e a reversão do declínio cognitivo chamada KetoFLEX 12/3.

Mais um ponto sobre *como* entramos em cetose: muita gente é capaz de produzir cetonas queimando a própria gordura (é preferível), mas outros (especialmente pessoas magras demais — ver pp. 105-9, "Perda de peso excessiva", que, portanto, têm pouca gordura corporal para queimar) precisam de alguma ajuda inicial para produzir cetonas suficientes de modo a atender às necessidades do cérebro. O auxílio pode vir na forma do óleo MCT (óleo triglicérides de cadeia média) ou das próprias cetonas, seja como sais (por exemplo, Perfect Keto), seja como ésteres (por exemplo, KetoneAid). Cada suplemento tem suas vantagens e desvantagens. Se você toma óleo MCT (por exemplo, na forma de ácido caprílico ou, menos desejável, conforme explicarei mais tarde, óleo de coco), pode consumir até uma colher de sopa três vezes ao dia, e isso deverá levar seu nível cetônico à faixa ideal. Entretanto, como o MCT é uma gordura saturada, ele pode aumentar seu colesterol, assim, é uma boa ideia verificar o nível de seu LDL-P (a quantidade de partículas LDL; meta = 700-1200 nM), que é um indicador muito mais importante de risco vascular do que o colesterol.

Bem, agora quanto a *quando* entrar em cetose: se você toma sais ou ésteres de cetona, seu nível de cetonas subirá rápido, mas o efeito é relativamente de curto prazo, por algumas horas. Os ésteres de cetona não têm sabor muito bom, mas aumentam o nível cetônico de maneira mais acentuada do que os sais, que são mais palatáveis, mas não levam a um grande salto no nível cetônico. A vantagem dessas "cetonas exógenas" é que não provocam o aumento de colesterol que costuma ocorrer com óleo MCT.

> Irene, 69 anos, começou a ter dificuldades de se organizar, fazer cálculos, seguir orientações e se lembrar das coisas. Ela testou positivo para ApoE4 e sua pontuação no teste MoCA foi dezoito, indicando que sofria de Alzheimer ou déficit cognitivo leve (MCI) em estágio avançado, no limiar da doença de Alzheimer. Seus exames indicaram tanto Alzheimer tipo 2 (atrófico) como tipo 3 (tóxico). Ela iniciou o protocolo ReCODE e incluiu sais de cetona para elevar seu nível cetônico a 1,5 mM BHB, que ela e o marido verificavam com um medidor de cetonas. Nos nove meses seguintes, sua pontuação MoCA subiu de dezoito para 27, seus sintomas se atenuaram e a melhora se manteve durante o ano passado.

- **Terceiro, otimizar o suporte nutricional, hormonal e trófico (fator de crescimento).** Em outras palavras, queremos promover resiliência, otimizar o sistema imune, sustentar as mitocôndrias e reconstruir as redes sinápticas do cérebro. Uma das principais questões a serem respondidas é quanto tempo — em que ponto do avanço da doença —

podemos esperar para começar a reconstrução? Em que momento ainda dá tempo de restabelecer as conexões perdidas em nosso cérebro? Bem, você pode pensar na perda das conexões funcionais do Alzheimer como sendo algo similar à perda de conexão do celular. O menor problema é que o sinal é fraco, mas ambos os aparelhos continuam funcionando bem. O problema mais grave é que o telefone está desligado, então você não conseguirá fazer a chamada enquanto não religá-lo. Ou o telefone na verdade está destruído. De maneira análoga, as alterações iniciais do Alzheimer obstruem a comunicação entre os neurônios sem destruir as conexões físicas nem matar os neurônios; à medida que a doença progride, as conexões são perdidas, mas as células continuam vivas; e, por fim, os próprios neurônios sucumbem, muitas vezes por suicídio.

Logo, talvez não cause surpresa o fato de estarmos descobrindo que, nos estágios iniciais, é comum conseguir e manter a melhora, ao passo que à medida que a doença progride, e quanto mais grave for, mais difícil será reverter o quadro. Então, o que é preciso para iniciar a reconstrução quando tantas sinapses e neurônios foram perdidos? Células-tronco? Fatores tróficos? Estimulação por luz, eletricidade ou magnetismo? Presenciamos algum progresso com células-tronco e isso representa uma área muito promissora para tratamento. De fato, hoje são realizados ensaios clínicos com células-tronco para o Alzheimer. Entretanto, usam-se em geral apenas as células-tronco, sem tratar o que efetivamente está causando o declínio cognitivo, assim pode ser um pouco como tentar, na prática, reconstruir a casa enquanto está pegando fogo. Em outras palavras, precisamos determinar se os tratamentos com células-tronco funcionam melhor após os vários fatores que estão contribuindo para o declínio cognitivo serem atacados e sua progressão ser interrompida. Independentemente do grau de declínio cognitivo, queremos otimizar os nutrientes, hormônios e fatores tróficos (fatores de crescimento) que sustentam o cérebro. Níveis baixos de muitos deles — como vitamina B_1 (tiamina), vitamina B_{12}, vitamina D, testosterona, estrogênio e o fator de crescimento nervoso — estão associados ao declínio cognitivo. Assim, queremos otimizar todas essas substâncias bioquímicas que dão suporte cerebral — não apenas levando-as ao limite mínimo dos valores de referência "normais", com frequência abaixo do ideal, como também assegurando que haja o suficiente para o funcionamento otimizado do sistema nervoso. Isso inclui as cetonas derivadas de gordura e o auxílio da sensibilidade à insulina vistos acima, além de outros nutrientes, como complexo B, vitamina C, vitamina D, vitamina E, vitamina K_2, gorduras ômega-3 (como o ácido docosa-hexaenoico utilizado na formação de sinapses), colina e outros precursores de neurotransmissor, bem como metais essenciais, como zinco, magnésio, cobre e selênio, e outros nutrientes. O modo de obtê-los é descrito em detalhes nas seções sobre a dieta KetoFLEX 12/3 (cap. 4) e suplementos (cap. 21).

Além dos nutrientes, queremos ter certeza de otimizar nossos níveis hormonais, uma vez que eles são cruciais para a produção e a manutenção das sinapses. Para muitos de nós, a nutrição e o estilo de vida otimizados levarão a uma produção hormonal otimizada, mas, para outros, será necessário dar suporte à função cerebral atingindo os níveis mais eficazes de tireoide, pregnenolona, estradiol, progesterona, testosterona, DHEA (desidroepiandrosterona, um hormônio do estresse) e cortisol. Fora esses hormônios, parte da pesquisa científica sugere que aumentar o hormônio do crescimento, o que pode ser alcançado com o uso de suplementos chamados secretagogos, ajuda na reconstrução sináptica (algo que ainda não foi comprovado). Um ensaio clínico de 2008[4] que usava hormônio do crescimento como monoterapia não adiou o declínio, mas nenhum dos demais fatores de contribuição potenciais para o declínio cognitivo foi abordado no ensaio, assim a abordagem nunca foi testada como parte de um protocolo direcionado e com multicomponentes.

Finalmente, além dos nutrientes e hormônios, o suporte para nossos 500 trilhões de sinapses é fornecido por fatores neurotróficos como NGF (fator de crescimento nervoso), BDNF (fator neurotrófico derivado do cérebro) e NT-3 (neurotrofina-3). Podemos aumentar alguns deles de várias maneiras, como exercícios (o que melhora o BDNF) ou treinamento cerebral, ou ingerir extrato de fruta integral de café ou 7,8-di-hidroxiflavonas (que podem substituir o BDNF, ativando seu receptor, como descrito por meu colega, o professor Keqiang Ye).[5]

- **Quarto, resolver e prevenir a inflamação.** O amiloide associado à doença de Alzheimer é na verdade parte da resposta inflamatória; como observado anteriormente, trata-se de um mecanismo de proteção, matando patógenos como bactérias e fungos. Assim, enquanto houver inflamação presente, podemos esperar a produção de amiloide e o Alzheimer. Mas o que queremos fazer é *remover a causa* da inflamação, *resolver* a inflamação e em seguida *prevenir* futuras inflamações.

A causa mais comum de inflamação crônica é o intestino permeável (permeabilidade aumentada do intestino delgado a bactérias, fragmentos de bactéria e partículas de comida), que pode ser causado por estresse, açúcar, álcool, alimentos processados, aspirina e anti-inflamatórios relacionados (por exemplo, ibuprofeno), refrigerantes, PPIs (inibidores de bomba de próton, usados para tratar refluxo gástrico ou azia) e outros agentes perniciosos, de modo que queremos saber a quantas anda nosso intestino. Podemos fazer isso com o teste GI Effects da Genova Diagnostics, o Cyrex Array 2, o Vibrant Wellness Gut Zoomer ou outros testes intestinais.

Para muitos com intestino permeável ou disbiose (uma alteração nos micróbios normais em nosso intestino, que pode ocorrer se tomamos antibióticos, por exemplo), há várias maneiras de sanar o problema e trazer os micróbios de volta ao normal. Após eliminar as causas listadas acima (como alimentos processados), alguns gostam de usar caldo de tutano (que você pode comprar pronto ou fazer), enquanto outros preferem *slippery elm* (*Ulmus rubra*), DGL (um derivado de alcaçuz comercializado sem necessidade de receita), ProButyrate, colágeno em pó ou L-glutamina. Depois que o seu intestino se recuperou por algumas semanas, probióticos (de alimentos fermentados como kimchi e chucrute ou em cápsulas) e prebióticos (de alimentos como jícama, alcachofra-girassol, alho-poró cru, banana ou em cápsulas com os probióticos) ajudam a devolver seu microbioma ao ideal. Essa meta é crítica, pois boas bactérias intestinais e outros microrganismos trabalham incansavelmente por sua saúde, auxiliando em sua digestão, prevenindo bactérias e fungos ligados a doenças, dando suporte a um sistema imune saudável, reduzindo a inflamação e ajudando na desintoxicação. Se você tem inflamação, mas não intestino permeável, pode estar com periodontite (infecções ao redor dos dentes) ou gengivite (infecção na gengiva) devido à má saúde bucal, com canal infeccionado, sinusite crônica, infecção por um patógeno crônico como *Borrelia* (doença de

Lyme), síndrome metabólica (resistência à insulina, pressão alta, triglicérides alto e inflamação, muitas vezes acompanhados de obesidade) ou exposição a substâncias inflamatórias da poluição do ar ou toxinas de mofo (micotoxinas).

Uma vez determinada a causa da inflamação, ela deve ser removida, depois a própria inflamação deve ser resolvida com o uso de mediadores pró-resolução especializados (SPM) ou doses elevadas (um a três gramas) de ácidos graxos ômega-3. Depois que a inflamação for resolvida, algo que pode levar várias semanas, previna casos futuros. Há diversos anti-inflamatórios excelentes para isso, como curcumina, óleo de peixe ou óleo de krill (gorduras ômega-3), gengibre e canela (e para quem tem pregnenolona baixa, basta devolvê-la aos níveis normais para uma reação anti-inflamatória). Evite aspirinas e outros medicamentos anti-inflamatórios não esteroides (NSAIDs) sempre que possível, uma vez que provocam intestino permeável, corroem a parede do estômago e podem prejudicar os rins ou o fígado.

- **Quinto, tratar os patógenos crônicos.** Em outras palavras, se você tem uma infecção crônica não diagnosticada, ela provavelmente está contribuindo para o declínio cognitivo, assim é preciso identificá-la e tratá-la (e, de modo similar, qualquer um que começou a melhorar pode esperar um retrocesso quando ocorre uma infecção, como gripe ou infecção urinária). A visão arcaica da infecção é de que a pessoa está infectada — "doente" — ou não infectada — "bem". Porém, como descobrimos, é bem mais complicado que isso, e estudaremos o(s) microbioma(s) que afeta(m) a cognição no cap. 20. Em suma, convivemos no dia a dia com mais de mil espécies diferentes de micróbios! Em nossa boca, intestino grosso, seios nasais; na pele; e, por mais inacreditável que pareça, até no cérebro! O cérebro de pacientes com Alzheimer pode abrigar bactérias, vírus, espiroquetas (bactérias espirais, como as causadoras da doença de Lyme), fungos ou parasitas. É justamente a resposta protetora a isso tudo que causa as alterações conhecidas como doença de Alzheimer, assim devemos atacar esses agentes para que nosso cérebro não produza o amiloide protetor, uma vez que esse mesmo agente de proteção leva à redução de nossas conexões neurais, causadora do declínio cognitivo.

Agora que compreendemos que convivemos diariamente com micróbios — eles são parte de nós, o que empresta todo um novo significado à palavra "eu"! —, está claro que uma saúde otimizada não diz respeito apenas a se livrar dos germes ruins. Na verdade, tem a ver com obter o equilíbrio certo de germes. Os bons germes ajudam a manter os maus à distância (além de trabalhar com você para otimizar seu metabolismo), de modo que você deve ser muito cuidadoso ao tomar antibióticos e eliminar indiscriminadamente tanto as bactérias benéficas como as prejudiciais. Por isso é tão importante ter um microbioma intestinal saudável, e o mesmo vale para sua boca, seus seios nasais e sua pele. Ainda não está claro se há um microbioma normal para o cérebro ou se a realidade é que qualquer organismo no cérebro sempre será anormal — no momento, está sendo pesquisado. Como observado antes, porém, inúmeros patógenos foram identificados no cérebro com Alzheimer, e esses mesmos patógenos estão ausentes da vasta maioria da população saudável, de modo que na doença de Alzheimer ocorre infecção ou uma alteração no microbioma cerebral. Seja como for, precisamos atacar esses fatores que contribuem para a doença, uma vez que, enquanto estiverem presentes, o cérebro continuará a produzir o amiloide na tentativa de combatê-los, e isso contribuirá para o progresso do Alzheimer.

É um pouco surpreendente pensar em agentes infecciosos permanecendo no corpo por anos sem serem reconhecidos; isso é bem diferente de ter uma pneumonia, por exemplo, em que os sintomas aparecem rapidamente. Por outro lado, os agentes associados à doença de Alzheimer travam em essência uma guerra fria com nosso cérebro e nosso corpo, assim os sintomas podem ser mínimos ou ausentes, até que, após talvez uma década ou duas, a pessoa desenvolve o Alzheimer. Esses agentes podem vir da picada do carrapato, como *Borrelia*, *Babesia*, *Bartonella*, *Ehrlichia* ou *Anaplasma*. Os carrapatos são portadores de dezenas de organismos diferentes, então é comum encontrar indivíduos que se trataram da doença de Lyme, mas continuam infectados com algum desses outros organismos, desenvolvendo uma inflamação crônica.

Os vírus também podem viver dentro de nós por décadas, como *Herpes*, e também provocam inflamação e declínio cognitivo. Na verdade, um estudo recente mostrou que pacientes que trataram crises conhecidas de *Herpes* com antivirais como valaciclovir tiveram incidência de demência muito menor.[6] Os vírus da família do *Herpes* que infectam humanos incluem HSV-1 (que normalmente ataca os lábios), HSV-2 (em geral genital), varicela-zóster (causador da catapora e do doloroso prurido do zóster), HHV-6A e HHV-6B (estes podem infeccionar o cérebro por anos), HHV-7, HHV-8, CMV (citomegalovírus, que é global, mas especialmente comum na Ásia) e EBV (vírus Epstein-Barr, associado à mononucleose e a alguns casos de fadiga crônica). Isso não significa que toda pessoa infectada com algum desses vírus do *Herpes* desenvolverá demência; apenas que esses vírus podem ser fonte de inflamação crônica, o que por sua vez eleva o risco de declínio cognitivo.

O cérebro de pacientes com doença de Alzheimer também pode conter bactérias orais, como *P. gingivalis*, *T. denticola* ou *F. nucleatum*, associadas à dentição ruim, ou fungos como *Candida*, uma levedura. Mofos como *Penicillium*, *Aspergillus* e *Stachybotrys* (mofo preto), bem como as toxinas produzidas por eles, também são motivo de preocupação, uma vez que podem colonizar os seios nasais ou o aparelho gastrintestinal.

Assim, a chave para o tratamento dos patógenos envolve três passos:

- Passo 1: Determinar se você tem algum desses patógenos fazendo exames de sangue.
- Passo 2: Dar suporte ao seu sistema imune (detalhes no cap. 20, sobre micróbios).
- Passo 3: Atacar o(s) patógeno(s) identificado(s) (muitas pessoas descobrem ter mais de um) com os antibióticos, antivirais ou antifúngicos apropriados, fazendo isso com medicamentos específicos, tratamentos farmacêuticos ou uma combinação dos dois. Se for necessário tomar antibióticos, lembre-se de que afetam sua flora intestinal, de modo que é importante reabastecer seu microbioma depois, mais uma vez com o uso de probióticos e prebióticos.

- **Sexto, identificar e remover toxinas** — metais como mercúrio, substâncias orgânicas como tolueno e benzeno e biotoxinas como as toxinas do mofo (micotoxinas). Por anos, testamos e procuramos evitar carcinógenos em nossa comida, produtos de saúde e outras coisas aos quais somos expostos e, graças ao teste de Ames, conseguimos em boa medida fazer isso. Mas, e quanto aos dementógenos? Eles não aparecem nos rótulos dos produtos que compramos. Entretanto, muitas substâncias químicas diferentes podem contribuir para o declínio cognitivo, direta ou indiretamente. Na verdade, é relativamente comum que múltiplas substâncias químicas conspirem para comprometer a cognição.

Fabiana, 53 anos, é conhecida por sua inteligência e formação científica. Certo dia, foi jogar baralho com a família, mas não conseguiu se lembrar das regras do jogo. Ela desenvolveu demência progressiva com características típicas de Alzheimer tipo 3 (tóxico): início não amnésico, disfunção executiva (dificuldade de se organizar), discalculia (dificuldade de calcular), ApoE4-negativo (ela era ApoE3/3) e tomografia por emissão de pósitrons (PET scan) para amiloide positiva. O ambiente onde vivia apresentou mofo — a pontuação ERMI (Índice Relativo de Mofo Ambiental: zero para uma residência média e considerado alto se estiver acima de dois) foi muito elevada, em doze — e um teste de micotoxinas em sua urina identificou altos níveis de múltiplas substâncias: ocratoxina A, tricotecenos, gliotoxina e aflatoxinas, indicando que era portadora de toxinas de fungos diferentes, como *Stachybotrys*, *Penicillium* e *Aspergillus*. Após a desintoxicação, começou a melhorar.

Essas toxinas podem ser identificadas pelos exames laboratoriais descritos detalhadamente no cap. 19, sobre dementógenos, que inclui exames para metais, toxinas orgânicas e biotoxinas. Se de fato há toxinas presentes, a desintoxicação é de vital importância e o protocolo dependerá das toxinas encontradas. Dois excelentes livros sobre desintoxicação merecem ser lidos: *The Toxin Solution* [A solução da toxina], do dr. Joseph Pizzorno, particularmente útil para quem está contaminado por toxinas químicas como tolueno ou formaldeído; e *Toxic: Heal Your Body from Mold Toxicity, Lyme Disease, Multiple Chemical Sensitivities, and Chronic Environmental Illness* [Tóxico: Cure o seu corpo de mofo tóxico, doença de Lyme, múltiplas sensibilidades químicas e doenças crônicas causadas pelo ambiente], do dr. Neil Nathan, que é particularmente útil para biotoxinas como as toxinas de mofo que afetaram Fabiana.

- **Por fim, descartar a apneia noturna e otimizar o sono.** Não sei se consigo dizer isso com ênfase suficiente: *qualquer um* com declínio cognitivo ou preocupado com o risco de declínio cognitivo deve checar seu oxigênio à noite. Isso é relativamente fácil de ser feito — o médico pode emprestar um oxímetro ou você pode comprar um, que simplesmente é colocado no dedo durante a noite, ou então você pode fazer um estudo de sono. As duas coisas lhe dirão se seus níveis de oxigênio caem de maneira perigosa enquanto dorme. Em termos ideais, sua saturação de oxigênio noturna deve permanecer na faixa dos 96% a 98%, e se estiver descendo para a casa dos 80% ou despencando para os 70%, fará um desserviço ao cérebro. Nesse caso, isso se deve muitas vezes à apneia do sono, mas não necessariamente precisamos sofrer do problema para ter esses eventos de "dessaturação", assim a chave é saber se o seu oxigênio noturno está em queda. Caso esteja, é um importante fator de contribuição para o declínio cognitivo ou o risco de declínio, e pode ser tratado com facilidade. Tente um aparelho bucal para melhorar a respiração ou experimente um aparelho CPAP (pressão positiva contínua nas vias aéreas); na verdade, muitas pessoas melhoram apenas reduzindo a inflamação e o peso. Não importa a técnica que você escolher, a chave é simplesmente assegurar que sua oxigenação de fato está respondendo. Em outras palavras, quanto a todas essas intervenções no programa, o objetivo é o resultado, não o método — o que funcionar! Uma nota adicional sobre o CPAP — verifique com cuidado se a regulagem do aparelho foi otimizada para sua oxigenação, já que, por exemplo, a pressão de inalação e exalação pode afetar sua eficácia.

Além da apneia do sono e dos eventos de dessaturação noturna, é crucial otimizar os preparativos, os horários e a qualidade do sono, e os detalhes estão incluídos no cap. 14. Além do mais, algumas pessoas têm oxigenação deficiente durante o dia — em especial se vivem em altitude elevada ou sofrem de doença pulmonar —, e isso também contribui para o declínio cognitivo. Isso é facilmente checado com o mesmo oxímetro usado à noite e pode ser tratado com EWOT — exercício com terapia de oxigênio.

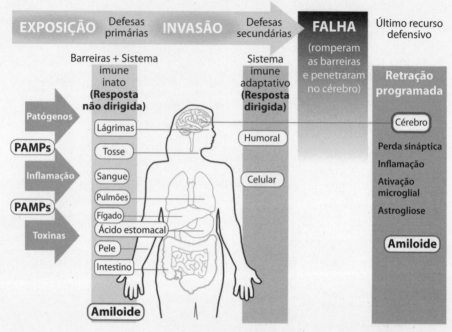

O beta-amiloide associado ao Alzheimer *é parte da resposta inata do sistema imune a numerosos agentes infecciosos e outros processos inflamatórios que rompem nossas barreiras e outras defesas e chegam ao cérebro (PAMP: padrão molecular associado a patógenos).*

Agora podemos ver, com todos os inúmeros potenciais contribuintes para o declínio cognitivo da doença de Alzheimer — resistência à insulina, diversos patógenos e toxinas, falta de suporte nutricional, hormonal e trófico, intestino permeável, apneia do sono, estresse elevado e mais —, por que é tão importante identificar esses vários fatores contribuintes e tratá-los com um protocolo personalizado e dirigido. Dessa maneira, atacamos os fatores que de fato causam nosso declínio cognitivo, em vez de permitir que continuem a degenerar nosso cérebro enquanto tomamos cegamente uma medicação que não altera a causa subjacente do declínio. De fato, futuros ensaios clínicos podem ser mais bem-sucedidos se realizados em combinação com um programa personalizado que trata os mecanismos da doença.

Assim, façamos um resumo da abordagem de tratamento, lembrando que será diferente para cada pessoa, dependendo dos fatores de contribuição que identificarmos:

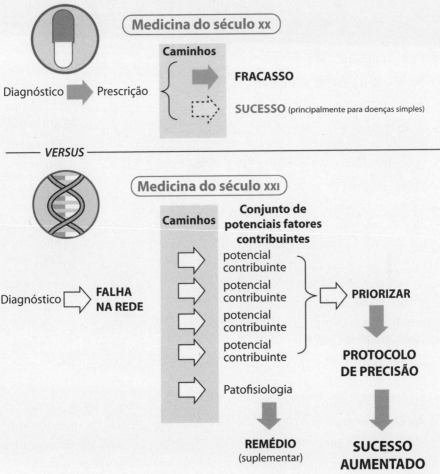

A medicina do século xx *trata a doença com medicações que nada têm a ver com os fatores que contribuem para a raiz do problema e, portanto, se mostrou largamente ineficaz para enfermidades crônicas complexas como o Alzheimer. Por outro lado, a medicina do século XXI é uma medicina de precisão baseada em sistemas em que o diagnóstico identifica uma falha na rede, com base na qual potenciais fatores de contribuição podem ser identificados e tratados.*

- Adquirir sensibilidade à insulina: insulina em jejum < 5,5 microIU/ml, hemoglobina A1c 4,0-5,3%, glicose em jejum 70-90 mg/dL.
- Entrar em cetose (e, a longo prazo, se tornar metabolicamente flexível, capaz de gerar suas próprias cetonas ao queimar gordura), na faixa de 1,0 a 4,0 mM BHB, e incluir um mínimo de doze horas de jejum noturno (mínimo de catorze horas se você é positivo para ApoE4).

- Otimizar nutrientes, hormônios e fatores tróficos, incluindo a oxigenação e o apoio de mitocôndrias e do sistema imune.
- Resolver a inflamação, remover sua(s) fonte(s), curar o intestino, curar periodontite e otimizar o microbioma tanto intestinal como bucal.
- Tratar os patógenos identificados.
- Identificar as toxinas — metais como mercúrio, substâncias orgânicas como tolueno e biotoxinas como tricotecenos —, depois desintoxicar.
- Resolver a apneia do sono, se presente, manter a saturação de oxigênio entre 96% e 98% enquanto dorme (e assegurar que não fique baixa durante o dia) e otimizar a higiene do sono.

Juntas, essas medidas farão a balança pender da sinalização sinapto*clástica* para a sinapto*blástica* e fornecerão os blocos de construção requeridos; esses passos terapêuticos constituem a *remoção*, a *resiliência* e a *reconstrução*.

Estamos agora no meio do primeiro ensaio clínico da história em que são identificadas as *causas* do declínio cognitivo de cada paciente, e em seguida cada fator de contribuição é tratado com um programa médico personalizado, de precisão. Por outro lado, todos os ensaios clínicos anteriores predeterminaram um tratamento, em geral de medicação única, e portanto não trataram os fatores que de fato causam o declínio cognitivo.

Já se vão oito anos desde que o ReCODE foi desenvolvido e o primeiro paciente melhorou sua condição cognitiva. Essa mulher foi incapaz de continuar o programa em quatro ocasiões devido a viagem, infecção viral, por ter ficado sem alguns componentes e ao decidir certa vez que não precisava mais continuar, e em todas as ocasiões o declínio voltou entre dez a catorze dias depois. Sempre que retomou o programa, melhorou outra vez. Oito anos mais tarde, está passando muito bem, continua trabalhando e cognitivamente sã.

Durante esse período, aprendemos muitas lições sobre o que é exigido para otimizar o resultado e onde residem as armadilhas, e essas lições serão discutidas no próximo capítulo.

3. Virando os dogmas do avesso: As lições aprendidas

Certas lições de vida só podem ser aprendidas lutando.
Idowu Koyenikan

Poucas palavras caracterizam a doença de Alzheimer de forma mais acertada do que *luta* — a luta dos pacientes para sobreviver, a luta das famílias para tentar lidar com a doença, a luta dos médicos para tentar tratá-la, a luta dos cientistas para tentar compreendê-la, a luta da sociedade para tentar derrotá-la.

Agora que começamos a compreender os mecanismos envolvidos, os inúmeros fatores que contribuem para a doença e, por fim, como preveni-la e tratá-la com sucesso, ainda lutamos para otimizar a previsão, a prevenção e a reversão do declínio cognitivo. Mas estamos aprendendo. Especialmente com os pacientes que mostram maior evolução, assim como com os que seguem o protocolo, mas obtêm poucos resultados. A cada lição aprendida, somos capazes de acrescentar muito mais gente à lista dos que podem ser ajudados. Então aqui estão algumas lições aprendidas, bem como questões respondidas, nos oito anos de protocolo ReCODE:

- **A maioria dos que desenvolvem declínio cognitivo tem mais de um subtipo de Alzheimer.** Embora por vezes haja pessoas com tipo 1 (inflamatório) ou tipo 2 (atrófico) puros, ou uma versão pura de algum dos outros tipos, a maioria das pessoas tem fatores contribuintes de múltiplos subtipos, embora um seja com frequência dominante e, portanto, o mais importante a ser tratado. Por exemplo, muitos pacientes têm insulina em jejum elevada característica do tipo 1,5, mas também vitamina D baixa característica do tipo 2, e talvez tenham ainda exposição a micotoxina característica do tipo 3. Logo, é relevante tratar esses vários fatores para obter o melhor resultado.

- **O protocolo pode ser difícil no começo para quem está abaixo do peso.** Se você é magro — por exemplo, se o seu IMC é < 18,5 (ver tabela 1) —, talvez tenha alguma dificuldade inicial em produzir cetonas de sua própria gordura, em parte porque não deve ter muito tecido adiposo.[1] Além do mais, talvez você inicialmente perca peso na dieta KetoFLEX 12/3 (como acontece com muitas pessoas), o que pode deixá-lo ainda mais magro e sem energia e até menos afiado mentalmente. Há uma excelente descrição no cap. 7 para ajudá-lo com isso. Você pode aumentar o consumo de gordura, acrescentar amidos resistentes (ver cap. 9) ou gerar cetonas de óleo MCT (até uma colher de sopa três vezes ao dia) ou sais e ésteres de cetona. Acompanhe seus níveis cetônicos e mantenha as cetonas elevadas na faixa de 1,0-4,0 mM BHB (no longo prazo, há algumas vantagens de gerá-las de seu próprio corpo, mas não se preocupe com isso no início). Você também pode liberar sua dieta uma ou duas vezes por semana, acrescentando um pouco de batata-doce ou outro legume rico em amido ou algumas frutas com baixo índice glicêmico, como morango, de modo que não perca peso. Certifique-se de que seu intestino esteja funcionando bem e tome probióticos e prebióticos, bem como enzimas digestivas caso necessário, uma vez que a má absorção dos nutrientes é um problema que pode ocorrer em pessoas muito magras.
- **Cuidado com o diagnóstico de pseudodemência.** A pseudodemência é uma falsa demência, resultante simplesmente da depressão (algumas pessoas parecem sofrer do problema, pois reagem de forma fraca e imprecisa, mas lucidamente quando a depressão vai embora.) Trata-se de um diagnóstico razoavelmente comum e feito para aliviar as preocupações do paciente, mas descobrimos que a depressão (em si muitas vezes associada com a inflamação sistêmica) é na verdade uma precursora comum da demência, em especial do Alzheimer tipo 3 (tóxico).

Um homem de 54 anos se queixou de dificuldade de raciocínio e disse que se sentia como se sua cabeça estivesse "pegando fogo" por dentro. Ele perdeu o emprego e ficou deprimido. Foi avaliado por um neurologista especializado em Alzheimer, que o diagnosticou com pseudodemência devido à depressão, após observar que a ressonância magnética não revelava nenhuma atrofia do cérebro (encolhimento). Ele foi tratado com antidepressivo, que ajudou muito pouco, e nos dois anos seguintes seu declínio cognitivo se agravou. Sua ressonância magnética mais uma vez não mostrou qualquer atrofia, mas seu fluido cerebroespinal revelou anormalidades compatíveis com a doença de Alzheimer. Ele foi tratado com donepezila e memantina, que surtiram pouco efeito. Conforme seu declínio continuava, novas avaliações revelaram que era ApoE4/4 e sofria de grave apneia do sono, e sua ressonância magnética mostrou marcada atrofia cerebral. Sua pontuação MoCA nesse momento era de apenas onze.

O diagnóstico correto e o tratamento apropriado desse paciente foram adiados em pelo menos dois anos devido ao diagnóstico sugerido de "pseudodemência". Além do mais, a atrofia da ressonância magnética só apareceu bem depois do declínio cognitivo, de modo que usar uma ressonância magnética "negativa" como evidência de "pseudodemência" é preocupante.

- **Cuidado com os que lhe dizem "volte daqui a um ano, você ainda não está tão mal".** É relativamente comum a pessoa ouvir que tem déficit cognitivo leve (MCI), que ainda não se trata de Alzheimer, e que como donepezila é na verdade aprovado para demência (Alzheimer, mas não MCI), você deveria voltar dentro de um ano para ver em que pé estão as coisas. Isso certamente é o contrário do que deveria fazer. Se ainda não se submeteu a um programa preventivo e agora entrou em declínio cognitivo, quanto antes iniciar um programa para revertê-lo, melhor. Não sei dizer quantas vezes já ouvi falar de pessoas orientadas a voltar "daqui a um ano" e então, um ano mais tarde, escutarem: "Agora é tarde demais, não existe tratamento para o que você tem".

Kerwin, 55 anos, foi orientado a voltar em um ano porque tinha "apenas déficit cognitivo leve", com a tomografia (PET scan) sugerindo princípio de Alzheimer. Felizmente, ele não perdeu tempo em procurar ajuda e sua avaliação indicou que tinha MCI tipo 3 (tóxico), muito próximo do Alzheimer. Ele se recuperou com a desintoxicação e a melhora se manteve.

- **Quase todo mundo com declínio cognitivo em algum grau tem pelo menos um dos fatores de contribuição mais comuns:** (1) resistência à insulina; (2) exposição a micotoxinas (de mofos como *Penicillium* ou *Aspergillus*) ou exposição a mercúrio; (3) oxigenação reduzida ao dormir (de apneia do sono ou por outras causas); (4) intestino permeável; (5) dentição ruim; (6) infecções crônicas por vírus como *Herpes simplex* ou patógenos transmitidos por carrapato como *Borrelia* ou *Babesia*; (7) deficiências nutricionais como vitamina B_{12} ou vitamina D; (8) doença vascular. Logo, é crucial fazer exames para cada um desses fatores e tratá-los, caso identificados.
- **Não necessariamente é preciso corrigir todos os fatores de declínio cognitivo identificados para obter sucesso.** A primeira paciente que tivemos conseguiu tratar apenas doze entre algumas dúzias de fatores contribuintes para seu transtorno cognitivo, mas ela melhorou e sua condição permaneceu estável nos últimos oito anos. Para cada pessoa há um limiar — alguns precisarão fazer mais, outros, menos — que é preciso transpor para obter melhora, então você precisa otimizar o tratamento até obter resultados e depois continuar a fazer o ajuste fino para conseguir novos progressos.
- **Embora quanto antes o tratamento for iniciado, melhor o resultado (e a prevenção é a melhor coisa), presenciamos avanços claros inclusive em casos de pontuação MoCA zero.** Quanto antes identificado e tratado o declínio cognitivo, mais elevada a probabilidade de melhora completa, e portanto recomendamos que todo mundo faça a prevenção ou procure revertê-lo em estágio inicial. Para quem está em estágios mais avançados, uns melhoram, outros não, e por isso recomendamos que seus filhos adotem medidas preventivas.
- **Embora em geral leve de três a seis meses para a melhora, observamos evolução em apenas quatro dias.** Há alguns fatores que podem ser tratados rapidamente, como exposição a toxinas inaladas, mas, em geral, o paciente precisa "viver o protocolo" por pelo menos

de três a seis meses para ver resultados. Continue otimizando se quiser as melhores respostas.

- **Embora o grupo positivo para ApoE4 (que representa dois terços dos pacientes com Alzheimer) tenha sido o mais difícil de tratar na maioria dos ensaios clínicos, esses pacientes tendem a responder melhor ao ReCODE do que pacientes negativos para ApoE4, embora ambos possam apresentar resposta.** Não está claro por que isso acontece, mas talvez seja porque os portadores do alelo ApoE4 são mais propensos a inflamação, que é reduzida com o protocolo. Por outro lado, os ApoE4 negativo tendem a ter maior contribuição de toxinas (e, nesse caso, muitas vezes presentes como tipo 3), que leva mais tempo para um tratamento bem-sucedido.
- **Assim como no caso de doenças cardiovasculares, há um limiar para a melhora.** O paciente precisa transpor esse limiar para começar a ver avanços. Infelizmente, não existe jeito simples de saber onde fica esse limiar, então o que mais funciona é continuar a tratar os fatores de contribuição do declínio cognitivo até ele cessar, e então as melhoras começam. Quanto mais cedo no processo degenerativo iniciarmos o protocolo, mais fácil alcançar esse limiar.
- **A melhora normalmente ocorre em três fases.** Primeiro, o declínio diminui e depois cessa. Segundo, pequenas melhoras são notadas, como maior engajamento com os entes queridos e menos confusão associada a tarefas simples. Terceiro, melhoras mais significativas são percebidas, como melhor memória, vocabulário, reconhecimento facial e organização. Tudo isso é sustentável contanto que o protocolo seja observado, embora haja alguns reveses com estresse ou infecções (por exemplo, gripe ou infecção urinária) ou falta de sono. Um motivo comum de retrocesso é exposição recente. Por exemplo, quando alguém com Alzheimer tipo 3 (tóxico) é sensível a micotoxinas (produzidas por alguns mofos), um foco de umidade em casa ou no trabalho pode causar nova exposição e, desse modo, levar a uma retomada do declínio.
- **Cuidado com exames laboratoriais ditos dentro dos parâmetros normais.** Esses valores de referência não têm absolutamente nada a ver com a otimização da função — apenas uma em cada vinte pessoas fica fora da faixa "normal". Ela é estatística, não fisiológica, e não necessariamente

significa uma função cerebral otimizada. O ideal é estar na melhor faixa, não apenas na "normal". Por exemplo, a homocisteína, associada a Alzheimer, atrofia cerebral, inflamação e doença cardiovascular, tem valores "normais" até doze micromols por litro, mas, quando passa de seis, está cada vez mais associada à atrofia cerebral. Logo, se você quer fazer todo o possível para prevenir ou reverter o declínio cognitivo, por que manter a homocisteína em doze? Melhor que fique abaixo de sete.

- **É fundamental continuar a otimizar todos os parâmetros — não presuma que o tratamento inicial já está otimizado.** Quando tudo anda bem com nossa bioquímica, nossa cognição vai bem. Lembre-se de que os processos subjacentes que levam ao declínio cognitivo se estendem por anos, assim leva tempo para tratar todos os fatores de contribuição. Para resultados melhores, continue com os ajustes — é um processo em evolução, não uma simples prescrição.

- **Se o declínio continuar, na maioria dos casos algum detalhe escapou ou houve pouco comprometimento.** Se você está seguindo bem as diversas partes de seu programa personalizado, ele atacará os fatores de contribuição subjacentes de seu declínio cognitivo e, em três a seis meses, alguma melhora será observada. Se o declínio insiste em não ceder, normalmente alguma coisa escapou — como infecção crônica, exposição a toxina, intestino permeável ou apneia do sono — ou o programa não está sendo seguido. Admito que esse processo pode ser complicado, então talvez seja melhor dar um passo de cada vez. Por exemplo, se você não entrou na faixa de cetonas ideal de 1,0-4,0, seu foco deveria ser esse. Ver cap. 22, sobre a calibragem, se as coisas continuam a declinar após seis meses no protocolo.

- **O quadro de melhora se mantém exceto em caso de nova exposição ou de falta de comprometimento.** Esse é um ponto importante — com outros tratamentos, até breves melhoras são seguidas de uma volta do declínio. Porém, quando tratamos efetivamente as causas subjacentes do declínio cognitivo, as melhoras se sustentam. O máximo de tempo que alguém já permaneceu no protocolo foi oito anos, e as melhoras se mantiveram, a não ser por quatro breves períodos em que a paciente o descontinuou e notou a volta do declínio cognitivo em uma ou duas semanas, melhorando outra vez após a retomada.

- **Identificar patógenos e toxinas e otimizar a condição imune é fundamental para ter melhores resultados.** Começar pelo básico — dieta KetoFLEX 12/3, exercícios, otimização do sono, redução do estresse e treinamento do cérebro, além de suplementos e ervas (e, em alguns casos, hormônios), conforme indicado — é uma ideia maravilhosa. O que deixamos escapar às vezes, porém, são os micróbios específicos, as toxinas e o auxílio ao sistema imune, então converse com seu médico para tratar também dessas questões.
- **Potencialize sua melhora com otimização contínua.** Continue a otimizar! Muitas pessoas acham que à medida que otimizam mais parâmetros, continuam a ver incrementos em suas habilidades cognitivas. Suas pontuações no treinamento cerebral continuam melhorando e elas ficam cada vez mais atentas em suas interações diárias. Mais adiante, falaremos sobre Marcy, que passou de uma condição em que sua memória era descrita por entes queridos como "desastrosa" a "apenas ruim" e, enfim, "afiada como uma navalha". Assim, lembre-se de que não é como tomar penicilina para uma infecção — algo que fazemos por um tempo e depois paramos. É um processo contínuo de aperfeiçoamento para obter os melhores resultados. Não se preocupe se no começo parecer intimidador. Apenas parta do básico, depois acrescente coisas com o tempo, trabalhando com seu médico ou *health coach*.
- **Como regra geral, pacientes com níveis mais elevados de cetose (BHB = 1,0-4,0 mM) exibem maior melhora cognitiva do que os com níveis mais baixos (em especial BHB < 0,5 mM).** O suporte energético das cetonas para seu cérebro é muito importante, então, se você conseguir entrar em cetose — verifique com um medidor cetônico (Precision Xtra, Keto-Mojo ou Keto Guru) — sem recorrer a óleo MCT ou sais ou ésteres de cetona, é preferível. Porém, se não for possível, melhore seu nível cetônico usando óleo MCT (uma colher de sopa três vezes ao dia, mas comece devagar e aumente aos poucos, para não ter diarreia) ou sais ou ésteres de cetona.

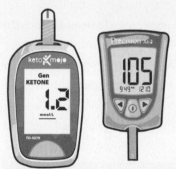

Exemplos de medidores de cetona. *Eles determinam tanto o nível de cetona quanto o de glicose.*

- **Muitos acham que alguma forma de estímulo, como parte do protocolo geral, potencializa a melhora.** Isso pode ser feito com estímulo luminoso (fotobiomodulação) ou magnético (por exemplo, com MeRT ou terapia magnética de ressonância eletrônica), e é claro que o treinamento cerebral representa uma forma distinta de estímulo.
- **O estado e a interação pró-inflamatória de longo prazo associados ao Alzheimer podem exigir "reiniciar a máquina" para uma melhora prolongada.** Isso talvez envolva retreinamento neural dinâmico (ver cap. 16), feedback neural, estímulo polivagal ou outras formas de modulação neuroimune.
- **Após tratar patógenos, toxinas, resistência à insulina, inflamação, intestino permeável, suporte trófico e nutricional e assim por diante, se os danos anteriores ao início do tratamento foram extensos, considere células-tronco.** Atualmente são realizados ensaios clínicos com células-tronco para o Alzheimer. Minha ressalva quanto ao uso de células-tronco como a *única* terapia, sem atacar os fatores que contribuem para a doença, é que isso é similar a tentar reconstruir uma casa enquanto ela está pegando fogo — faz mais sentido apagar o incêndio primeiro e depois reconstruí-la. Porém, acho provável que as células-tronco acabem por desempenhar um papel importante na reversão do declínio cognitivo, especialmente para quem não consegue fazer isso nos estágios iniciais.
- **Por evoluírem durante anos ou mesmo décadas sem serem diagnosticadas, enfermidades neurodegenerativas como Alzheimer e demência com corpos de Lewy podem afetar muitos relacionamentos pessoais antes de qualquer sinal claro de demência.** Às vezes me pergunto quantas brigas domésticas, desavenças políticas, incidentes internacionais, mal-entendidos ou um simples mau humor não seriam na verdade resultantes de sintomas iniciais e processos patológicos associados às doenças neurodegenerativas. Talvez com ainda maior frequência os sintomas estejam associados a processos subjacentes que nunca conduzem a um diagnóstico, mas, mesmo assim, em estágios iniciais afetam o comportamento, o humor ou o desempenho. O exemplo mais bem reconhecido talvez sejam a agressividade e a depressão tão comuns na encefalopatia traumática crônica (como no filme *Um homem entre gigantes*), dano cerebral resultante de traumatismo craniano, mas

isso representa apenas uma pequena fração das mudanças comportamentais associadas à neurodegeneração. Com muita frequência, os médicos ouvem falar de um "comportamento inexplicável" em alguém anos antes de um diagnóstico de demência. Assim, consideremos essa possibilidade em nossos pacientes e entes queridos, em especial agora que a prevenção e a reversão inicial estão prontamente disponíveis.

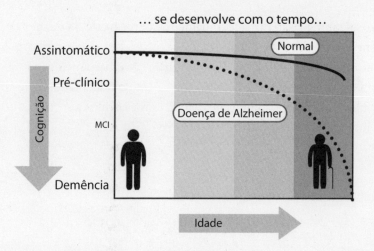

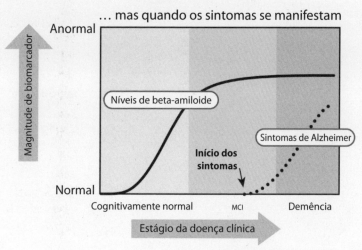

... é em estágio relativamente avançado

Quando o Alzheimer é diagnosticado, a patofisiologia subjacente já se desenvolveu por muitos anos.

Bradley, 85 anos, um professor de temperamento equilibrado, foi um homem de família e cavalheiro durante a vida toda, até que, após cinquenta anos de um casamento amoroso e estável, começou a discutir com a esposa com mais frequência e veemência. Durante uma discussão, bateu nela, comportamento completamente anormal e que nunca manifestara antes. Na consulta, revelou que também começara a notar problemas de memória, e seus exames mostraram que tinha demência com corpo de Lewy em estágio inicial.

Um comercial de televisão diz que o primeiro sobrevivente da doença de Alzheimer está "por aí, em algum lugar" e que se você "doar para nossa organização, faremos isso virar realidade". Bem, a afirmação é bastante enganosa, porque os primeiros sobreviventes já estão aqui, bem documentados, e seus casos foram publicados em periódicos médicos.[2] Nos capítulos a seguir, contarei em detalhes como tanta gente teve sucesso.

Parte Dois

Manual, Seção 1:
Revertendo o declínio cognitivo

com Julie Gregory e a
dra. Aida Lasheen Bredesen

Escuto e esqueço. Vejo e lembro.
Faço e compreendo.
Confúcio

Uma velha piada ilustra o que estamos tentando fazer aqui: um fazendeiro estava preocupado com a queda na produção de leite em sua fazenda, então procurou a universidade local para descobrir se alguém poderia ajudá-lo. A universidade enviou uma equipe liderada por um físico teórico brilhante que coletou dados por duas semanas. A análise dos dados resultou em gigabytes de informações. O físico falou para o fazendeiro: "Calculamos uma solução para o problema. Infelizmente, ela se aplica apenas a uma vaca esférica no vácuo". Claro que vacas de verdade não são esféricas nem vivem no vácuo, de modo que todo o belo trabalho teórico em nada ajudou o fazendeiro. A neurociência vive uma situação parecida: há uma profusão de pesquisas sobre o cérebro com neurônios em placas de Petri, vermes e moscas-da--fruta, mas é extremamente difícil traduzir os resultados em soluções efetivas para doenças humanas como Alzheimer, esclerose lateral amiotrófica e Huntington. Na verdade, praticamente todas as tentativas de traduzir os resultados com animais de laboratório em tratamentos efetivos para doenças neurodegenerativas humanas fracassaram. Assim, é disso que trata esta seção — transformar nossos resultados obtidos ao longo de trinta anos de pesquisa laboratorial em soluções práticas e efetivas para Alzheimer, pré--Alzheimer (déficit cognitivo leve e déficit cognitivo subjetivo) e prevenção, e oferecer detalhes específicos sobre cada aspecto necessário para o sucesso na melhora da cognição.

Como médico e pesquisador, posso lhe *dizer* qual seria o tratamento mais útil, mas, para que você possa *ver* e *lembrar* e, por fim, *fazer* e *compreender*, nada melhor do que alguém que está vivenciando o protocolo todos os dias — que de fato *sentiu* a reversão do declínio cognitivo — conte como são as soluções práticas com base na própria experiência. Logo, nesta seção do livro, trabalhei junto com Julie Gregory e com minha esposa, dra. Aida Lasheen Bredesen. Como Julie, que é ApoE4/4 (homozigoto), reverteu seu declínio cognitivo, ela reuniu uma rica experiência em traduzir a pesquisa em aplicação prática. Suas observações perspicazes proporcionam um nível de vigilância que ela emprega diariamente, e que são compartilhadas de maneira generosa conosco. Julie é fundadora e presidente da ApoE4.Info, uma organização local sem fins lucrativos voltada a portadores de ApoE4. Minha esposa, a dra. Aida Lasheen Bredesen, é uma médica que tem uma abordagem integrada que foi aperfeiçoada em seus primeiros anos, passados em países do Terceiro Mundo, onde as doenças crônicas da civilização ocidental são bem menos comuns. Cada um de nós traz experiências e habilidades que se complementam. Juntos, formamos uma equipe única para lhe oferecer os melhores métodos de prevenção e reversão do declínio cognitivo. Na verdade, não tenho conhecimento de nenhum outro livro que combine a experiência de um neurocientista, uma médica clínica e uma paciente para oferecer as soluções mais eficazes para o declínio cognitivo. Como você vai ver, há muitas soluções práticas, dicas, truques e alternativas, uma combinação que maximiza suas chances de maior sucesso. Assim, minha sincera gratidão a Julie e Aida. E agora, ao trabalho!

4. Potencializando a cognição com KetoFLEX 12/3

*Curar não significa que o problema nunca existiu.
Significa apenas que ele não controla mais sua vida.*
Ditado norte-americano

Nossa meta é o *seu* empoderamento. Se você alguma vez procurou ajuda médica para acompanhar sua neuroproteção, provavelmente foi recebido com uma expressão de perplexidade, um sorrisinho condescendente ou mesmo uma crítica aberta. Um casal me enviou um e-mail contando que ao mostrar um exemplar do meu livro para seu médico, ele zombou e disse de forma seca: "Médicos não têm tempo de ler". *Argh*. Já vi em alguns consultórios uma caneca dizendo: "NÃO CONFUNDA SUA PESQUISA NO GOOGLE COM MEU DIPLOMA DE MEDICINA". Nada mais justo, talvez, mas até o momento nenhum diploma médico trouxe uma solução efetiva para o declínio cognitivo. Pacientes sob risco contam ter escutado do neurologista: "Vamos esperar acontecer" ou "Boa sorte com isso", sem oferecer qualquer esperança. Para milhões sob risco elevado ou já manifestando os primeiros sinais de declínio, é inaceitável, ainda mais quando o Alzheimer se tornou uma das principais causas de morbidez e mortalidade no mundo. Uma imensa quantidade de literatura médica revisada por pares demonstra a eficácia das estratégias que descreveremos. Infelizmente, uma consulta comum de sete minutos é insuficiente para a orientação efetiva do paciente. É bem mais fácil escrever uma receita com um dos dois tipos de medicamentos para Alzheimer aprovados pela Food and Drug Administration (FDA, a agência regulatória americana para alimentos, drogas e medicamentos), que não alteram *em nada* os rumos da doença (ou talvez seja ainda pior — recentemente foi descoberto que o uso desses remédios para Alzheimer na verdade está associado ao declínio mais acelerado, oferecendo apenas alívio temporário).[1] Este é um ponto que vale a pena repetir: usar um medicamento para combater o Alzheimer não detém o declínio — você pode conseguir uma melhora temporária, mas o declínio logo volta —, ao passo que atacando a *causa* do problema — com o programa que descrevemos aqui —, a melhora é *prolongada* (e de fato algumas pessoas continuam melhorando com nosso protocolo há mais de oito anos, provavelmente bem mais do que teriam conseguido em uma casa de repouso). Por isso, você mesmo precisa arregaçar as mangas e passar a cuidar imediatamente de sua saúde cognitiva. Quanto antes começar, mais chances de prevenir o declínio cognitivo do envelhecimento, fortalecendo sua capacidade cognitiva atual ou revertendo sintomas, se já começaram.

O ritmo para adotar essas mudanças sugeridas vai depender de muitos fatores individuais, como sua condição metabólica (em especial a resistência à insulina); sua capacidade de locomoção, sono e manejo do estresse; e os sistemas de apoio que o ajudarão a dar início e manter a mudança. Eles podem ser implementados devagar, ao longo de semanas ou meses, ou todos de uma vez. A transição rápida promove uma recuperação mais rápida, mas a pessoa também deve estar ciente dos possíveis efeitos colaterais resultantes, embora em geral sejam brandos e transitórios, que serão discutidos abaixo, junto com alternativas que podem ajudá-lo a ter sucesso no tratamento.

Críticos dessa abordagem dizem que ela é cara ou complicada demais. Nosso objetivo é torná-la acessível e barata para todos. Sempre que houver oportunidade, compartilharemos alternativas razoáveis para implementar esse estilo de vida e protocolo geral. Sabemos que a patologia que leva ao Alzheimer demora uma década ou mais para o surgimento dos sintomas definitivos, assim é vital intervir o mais cedo possível a fim de mudar o curso de evolução da doença. O primeiro passo é trocar o falso paradigma de que não existe esperança para o Alzheimer por outro mais bem informado. Queremos educá-lo como parte de uma revolução na saúde que deixa o poder em suas mãos, para que você possa proteger sua sanidade mental e usufruir de uma expectativa de vida longa e vibrante.

DANDO OS PRIMEIROS PASSOS

Que tipo de nome maluco é KetoFLEX 12/3 e o que diabos quer dizer? Como explicado em *O fim do Alzheimer*, o termo "keto" se refere a *ketosis*, ou cetose, um processo natural pelo qual nosso fígado produz corpos cetônicos (acetoacetato, beta-hidroxibutirato e acetona), quebrando gorduras, proporcionando um excelente combustível cognitivo e aumentando a produção do fator neurotrófico derivado do cérebro (BDNF) para suporte neuronal e sináptico.[2]

FLEX se refere a duas facetas diferentes da abordagem. Por um lado, promove a *flexibilidade* metabólica, restaurando a capacidade inata de nosso corpo de metabolizar gordura ou glicose como combustível, mantendo, ao mesmo tempo, a sensibilidade à insulina para maximizar o suprimento de combustível para seu cérebro. Por outro, embora a dieta seja pesadamente baseada em vegetais, permite *flexibilidade* para incluir (ou não) produtos animais com base em suas preferências e necessidades únicas. Por fim, 12/3 se refere à quantidade de tempo que você passará em jejum todos os dias — pelo menos doze horas entre o fim do jantar e o início do café da manhã, brunch ou almoço, e pelo menos três horas entre o jantar e a hora de dormir.

Implementado corretamente, isso é mais do que uma dieta; é um *estilo de vida*, com a nutrição sendo um dos diversos componentes-chave. Você combinará nossas recomendações dietéticas com jejuns e exercícios para restabelecer ou manter a saúde *metabólica*. O termo metabólico se refere às inúmeras reações químicas que nos mantêm vivos, incluindo a ingestão do alimento, quebrando-o e gerando energia e componentes celulares. Um metabolismo saudável otimiza a saúde geral e fornece combustível regularmente para o cérebro.

Nosso objetivo é transformar sua relação com a comida, da dependência para uma de nutrição sustentável e saciedade. Você passará menos tempo na cozinha, será menos dependente de refeições frequentes e terá mais tempo para passar ao ar livre, mantendo-se ativo e relacionando-se socialmente de forma significativa. Nossa dieta integral rica em nutrientes, fortemente vegetariana, proporciona uma saciedade que alimentos processados simplesmente são incapazes de fornecer. Você descobrirá que a nutrição ideal para seu cérebro é deliciosa e satisfatória, fazendo desses novos hábitos alimentares e de vida algo prazeroso e fácil de manter.

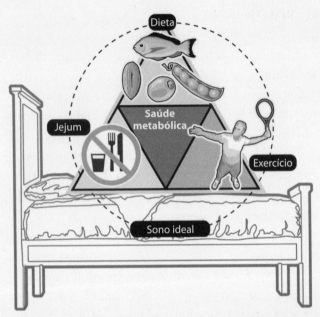

A dieta e o estilo de vida KetoFLEX 12/3 *combinam jejum, exercício e uma dieta rica em vegetais, moderadamente cetogênica e com sono otimizado para formar a base que sustenta a cognição.*

Resumindo, os três componentes do estilo de vida KetoFLEX 12/3 são dieta, jejum e exercício (apoiados por um sono de qualidade, que discutiremos no cap. 14). Quando combinados, eles recuperam o metabolismo e fornecem combustível sustentável e limpo para seu cérebro. Praticar essas três estratégias ao mesmo tempo produz um efeito sinergético que promove recuperação mais rápida do que se empregarmos qualquer uma delas isoladamente. Além do mais, não é preciso tanta restrição de carboidratos, tanto jejum ou se exercitar demais para gerar cetonas. É a combinação dos três componentes que nos leva à otimização da saúde e a escapar das doenças crônicas que grassam em nossa civilização moderna, como demência, síndrome metabólica e hipertensão. Nos próximos capítulos, examinaremos mais a fundo as recomendações de dieta. Abordaremos a importância do jejum quando analisarmos a pirâmide alimentar. (Uma pequena prévia: é a base da pirâmide. Isso mesmo, é tão importante assim!) O exercício será discutido abaixo. Tenha sempre em mente que cada uma dessas estratégias é igualmente importante e, juntas, consistem na abordagem KetoFLEX 12/3.

Essa dieta, ou estilo de vida, concentra-se especificamente nos mecanismos conhecidos por contribuir para o declínio cognitivo. O KetoFLEX 12/3:

- Gera sensibilidade à insulina
- Reduz a inflamação
- Trata a redução do combustível neuronal e a deficiência mitocondrial
- Melhora a circulação e otimiza a pressão arterial
- Fornece a matéria-prima do suporte sináptico
- Protege contra deficiências nutricionais associadas ao declínio cognitivo
- Promove a autofagia celular e a remoção do beta-amiloide
- Promove a desintoxicação
- Protege contra a perda muscular e óssea associada ao declínio cognitivo

O que faz da KetoFLEX 12/3 uma abordagem única é que encorajamos você a usar dados efetivos para ajudá-lo a otimizar sua saúde, de modo a obter uma cognição melhorada (e prolongada). Você não precisa *se perguntar* se está no caminho certo. Pode monitorar e ajustar o efeito de suas escolhas com base nos dados em tempo real, nas avaliações periódicas e nos exames laboratoriais.

Confusão da dieta: Infobesidade!

Georgia, 58 anos, sofria de artrite, colesterol alto, pré-diabetes, hipotireoidismo, obesidade e memória ruim. Sua alimentação era a dieta padrão americana. Sugeri a leitura de alguns livros excelentes sobre nutrição escritos por especialistas, como *Eat to Live* [Coma para viver], do dr. Joel Fuhrman, *Eat Fat, Get Thin* [Coma gordura, fique magro], do dr. Mark Hyman, e *The Plant Paradox* [O paradoxo das plantas], do dr. Steven Gundry. Ela começou a mudar sua dieta. Perdeu 45 quilos, o colesterol voltou ao normal, a artrite desapareceu e o pré-diabetes melhorou. Ela se sentiu cheia de energia e voltou a andar de bicicleta. Sua memória melhorou. Passou a ler vorazmente sobre nutrição e saúde, mas percebeu que livros e artigos diferentes sugeriam dietas muito diversas. Isso a deixou confusa — quem estava certo? Ela me perguntou se havia alguma palavra para descrever uma sobrecarga de informação nutricional, e respondi: "Acho que poderíamos chamar de 'infobesidade'".

Tentaremos evitar a "infobesidade" aqui e, em vez disso, nos concentrar em conselhos úteis, específicos e exequíveis para fortalecer a cognição.

A dieta geralmente é o principal bloco de construção para quem quer prevenir ou remediar o declínio cognitivo. Os conselhos dos especialistas são com frequência muito contraditórios, levando muita gente a ficar confusa quanto à melhor estratégia de dieta. A abordagem KetoFLEX 12/3 elimina a confusão, focando em mecanismos específicos que promovem a neuroproteção e oferecendo um caminho claro para otimizar a cognição e a saúde em geral.

Por que as recomendações dietéticas de neuroproteção variam de forma tão dramática? Há uma imensa lacuna na ciência nutricional no que se refere à cognição, por diversas razões. O maior problema é a ausência de estudos longitudinais bem construídos. Primeiro, ensaios clínicos de longo prazo são caros e poucos investidores estão dispostos a conceder grandes somas de dinheiro sem a oportunidade de ter um retorno do investimento. Segundo, há muitos elementos confundidores, que proporcionam associações potencialmente falsas. Com humanos, vivendo livres — cada um com um genoma (a genética) e epigenoma (a modulação e o controle dinâmicos da leitura de seu DNA, que é afetado pelo ambiente, entre outras influências) diferentes, oferecendo variabilidade desde o princípio —, é praticamente impossível assegurar que todos estejam seguindo a dieta prescrita ou informando o que comeram de maneira fiel nos questionários de frequência alimentar. Outros comportamentos ou estressores podem facilmente ter um efeito confundidor que independe apenas da dieta. Terceiro, grande parte da ciência nutricional aceita está baseada em evidência epidemiológica, o que revela associação, mas não necessariamente causação. Por exemplo, pense nos inúmeros resultados positivos para a saúde associados à dieta mediterrânea pela observação epidemiológica. Alguém poderia dizer que isso é uma *prova* de que os cereais integrais que compõem a dieta são saudáveis. Sem testar especificamente essa afirmação usando um grupo de controle que faça a dieta mediterrânea *sem* os cereais integrais, a alegação não sobrevive ao escrutínio científico. Como sabemos que não são os *outros* componentes da dieta ou do estilo de vida que estão fornecendo os benefícios à saúde? Com a falta de uma prova definitiva de que essa ou aquela dieta ajuda a proteger a cognição, fica difícil ter certeza de que você está no caminho correto.

Esperamos que você perca o receio de estar comendo as coisas erradas ou de já ter causado um dano irreparável a si mesmo. Queremos que faça o melhor que puder daqui para a frente. Compreendemos que nem sempre é possível seguir perfeitamente todos os aspectos da dieta, mas o ajudaremos a identificar alimentos e padrões alimentares que o farão se sentir melhor daqueles que causam um efeito adverso. Com o tempo, você achará mais fácil identificar os alimentos saudáveis e incorporar as diversas mudanças recomendadas aqui porque seu bem-estar e sua aparência terão melhorado muito. É simples assim. Quando usamos o cérebro primeiro, todo o resto acompanha.

Mais importante, os "efeitos colaterais" dessa abordagem de dieta e estilo de vida são praticamente só positivos: maior energia, perda de peso (se for sua meta), pressão arterial reduzida, estabilização da taxa de açúcar, risco diminuído de doença arterial coronariana, humor melhorado, pele mais saudável e reversão da idade biológica, levando à melhora cognitiva e à longevidade.

A CETOSE NUTRICIONAL É INDICADA PARA TODO MUNDO?

Não necessariamente! Essa é a vantagem da medicina personalizada. Para esclarecer, a cetose nutricional se refere a um padrão dietético específico, que usa menos carboidratos e mais gordura para gerar cetonas. Como você deve se lembrar, o objetivo do estilo de vida KetoFLEX 12/3 — jejum, exercício e dieta — é restaurar a flexibilidade metabólica e a capacidade de queimar a glicose e a gordura como combustível em quem se tornou resistente à insulina. É interessante que a pesquisa sugere que todo cérebro com Alzheimer apresenta resistência à insulina e, portanto, necessita urgentemente de combustível, mesmo se os sintomas e marcadores periféricos (corporais) estiverem ausentes.[3] A cetose nutricional pode ser muito útil para quem sofre de resistência à insulina ou manifesta sintomas de declínio cognitivo.

Tenha em mente que, à medida que você se recupera, sua necessidade de gordura na dieta pode mudar com o tempo. Muitos descobrem que conforme o jejum diário se estende e eles se exercitam mais, essas estratégias naturalmente levam à cetose, sem precisar de tanta gordura quanto era exigido no início. Além disso, uma vez curada a resistência à insulina e restabelecida a flexibilidade metabólica, você pode tentar adicionar mais amidos resistentes, mantendo um registro diário dos efeitos em sua cognição. Algumas pessoas descobrem que, assim que a saúde melhora, não precisam mais de níveis de cetose mais elevados. Esse é um programa personalizado. Deixe que seus biomarcadores (glicose em jejum, insulina e hemoglobina A1c, bem como desempenho cognitivo) orientem suas escolhas de dieta. Seu objetivo é conquistar flexibilidade metabólica, sensibilidade à insulina e clareza cognitiva.

E quanto a jovens ou pessoas que entram no programa preocupadas com a prevenção e que já são sensíveis à insulina e metabolicamente saudáveis? Esse grupo talvez não precise focar tanto no aumento da gordura na dieta, mas, antes, em prevenir a resistência à insulina implementando um jejum diário, exercitando-se e, no mais, fazendo uso das opções de alimentos nutritivos em nossa pirâmide. Para esse grupo, será útil simplesmente evitar os alimentos fora da pirâmide — açúcar, carboidratos refinados e óleos não saudáveis.

Como os portadores de ApoE4 apresentam uma redução assintomática moderada na utilização de glicose (mais conhecida como escassez de combustível neuronal) a partir dos vinte anos, é importante medir seus níveis cetônicos.[4] Níveis muitos baixos de beta-hidroxibutirato (BHB), entre 0,4-0,5 mmol/L, podem tratar de maneira eficaz esse déficit.[5] É muito fácil atingir esses níveis mais baixos com as estratégias delineadas no estilo de vida KetoFLEX 12/3. À medida que os portadores de ApoE4 envelhecem, precisam monitorar os sintomas da resistência à insulina de modo mais incisivo e talvez queiram considerar aumentar suas metas de BHB.

Além do mais, pacientes com demência vascular ou cardiopatia conhecida devem priorizar a recuperação de sua resistência à insulina subjacente antes de implementar a cetose nutricional. Ver p. 135 no cap. 8.

CETOSE

Examinemos a cetose mais a fundo. A mera palavra leva medo ao coração de muitos porque é com frequência confundida com *cetoacidose*, uma perigosa complicação associada ao diabetes tipo 1.[6] A cetose é perfeitamente segura. Bebês ficam em cetose na maior parte do tempo, assim como adultos metabolicamente saudáveis durante o sono.[7] As cetonas têm sido usadas como combustível durante grande parte da história humana. Se considerarmos que o fígado só consegue armazenar cerca de cem gramas de glicose a qualquer dado momento, o homem primitivo teria sido incapaz de sobreviver sem essa adaptação fisiológica inata para quebrar a gordura armazenada e usá-la como energia em períodos de escassez de alimento.[8] Só nos tempos modernos as pessoas foram capazes de manter seus estoques de glicogênio cheios, fazendo três refeições diárias, sem mencionar os petiscos, ao mesmo tempo que ficam cada vez mais sedentárias. Nossos ancestrais caçadores-coletores viviam — na verdade, pessoas que habitam certas partes do mundo ainda vivem — um estilo de vida cetogênico. Eram ativos durante o dia, realizando muitas vezes um trabalho fisicamente exigente. Comiam com bem menos frequência, partilhando de alimento integral preparado de maneira tradicional que eles mesmos caçavam e colhiam.[9]

O consumo excessivo de alimentos refinados tem levado a uma transição antinatural para a queima quase exclusiva de glicose como combustível, o que por sua vez levou a uma explosão de resistência à insulina nos Estados Unidos e no mundo todo.[10] Imagine que você tem um filho que ouve música alta e toca bateria constantemente, de modo que você se acostumou a usar protetores de ouvido. Quando seu cônjuge põe uma melodia suave de Brahms, você não escuta — a resistência à insulina é assim. Para muitos com esse problema comum (e para a maioria que não sofre dele até desenvolver declínio cognitivo, diabetes ou doença vascular), os anos de açúcar e insulina elevada fizeram nossas células "abaixar o volume" em resposta à insulina. Isso é particularmente ruim para seu cérebro, pois a insulina funciona como um fator trófico, ou seja, ela aciona precisamente as vias bioquímicas necessárias para os neurônios e suas conexões sobreviverem. Assim, é fácil entender por que diminuir a resposta à insulina é um fator contribuinte tão importante para a doença de Alzheimer — de fato, é por isso que alguns até chamam o Alzheimer de "diabetes tipo 3".[11]

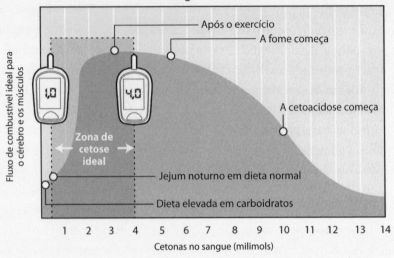

Cetose moderada é a meta da KetoFLEX 12/3: *beta-hidroxibutirato (cetona principal) de 1,0-4,0 mmol/L.*

Por pior que soe tudo isso, os problemas com a resistência à insulina não param por aí! Níveis de insulina elevados também bloqueiam a mobilização da gordura em energia utilizável, causando obesidade.[12] Porém, nem todo mundo que é obeso tem resistência à insulina; assim como alguns têm resistência à insulina sem serem obesos (mas não obstante armazenam gordura em torno dos órgãos internos) e são chamados TOFI (*thin outside, fat inside*: magro por fora, gordo por dentro).[13]

Sintomas e marcadores da resistência à insulina podem incluir:

- Gordura abdominal (visceral)
- Incapacidade de jejuar
- Episódios hipoglicêmicos (baixa taxa de açúcar no sangue)
- IMC > 25 (índice de massa corporal)
- Glicose em jejum > 114
- Insulina em jejum > 5,5
- Hemoglobina A1c > 5,7% (exame que mede a glicose média por dois ou três meses)
- HOMA-IR > 1,4 (https://www.mdcalc.com/homa-ir-homeostatic-model--assessment-insulin-resistance)

Embora a probabilidade de resistência à insulina *no corpo* tenda a aumentar com a idade, cada vez mais jovens também exibem esse problema metabólico.[14] À medida que os marcadores de glicose aumentam e uma perda de sensibilidade à insulina é desenvolvida, a capacidade do cérebro de acessar a glicose que ele necessita diminui.[15]

Na verdade, a resistência à insulina *no cérebro* também aumenta à medida que envelhecemos, levando a uma deficiência de combustível cerebral.[16] Como a probabilidade tanto da resistência à insulina como da deficiência de combustível aumenta com a idade, é difícil separar os dois fatores de risco. Trabalhos anteriores conjecturam que o menor uso de combustível neuronal visto nessa população é uma *consequência* da doença de Alzheimer, não um fator de risco. Eles afirmam que a atrofia cerebral que acompanha a doença simplesmente necessita de menos combustível.[17] A teoria não se sustenta, porém, quando consideramos os que estão sob risco genético mais elevado.

Portadores do gene alelo ApoE4, que é o fator de risco genético mais comum do mal de Alzheimer, exibem redução na utilização de glicose cerebral já a partir da terceira década de vida, em áreas do cérebro similares às dos pacientes de Alzheimer.[18] Esses jovens indivíduos ε4+ não manifestam quaisquer sintomas de declínio cognitivo a despeito de a tomografia com fluordeoxiglicose indicar redução de 5% a 10% nas regiões cerebrais associadas ao processamento e ao aprendizado da memória. O hipometabolismo da glicose cerebral precede o declínio cognitivo décadas antes do aparecimento dos primeiros sintomas. Embora não haja uma prova definitiva de que esse déficit energético *cause* Alzheimer, a escassez crônica e progressiva de combustível alimentar contribui de maneira significativa para o início da doença e oferece uma oportunidade para intervenção.

Mesmo quando nosso cérebro não consegue mais aproveitar efetivamente a glicose, ele é capaz de usar corpos cetônicos para compensar esse déficit. O dr. Stephen Cunnane demonstrou que as cetonas podem de fato compensar esse déficit de combustível neuronal. Além disso, o cérebro usa esses corpos cetônicos *de forma preferencial*. Eles penetram no cérebro em proporção direta à sua concentração no plasma, a despeito da disponibilidade de glicose.[19] Assim, até um nível relativamente baixo de cetonas (0,4-0,5 mM BHB, ou beta-hidroxibutirato) compensa a escassez neuronal de 5% a 10% enfrentada por portadores de ApoE4.[20] Medições de sangue (obtidas com um medidor doméstico) de BHB são com frequência usadas para indicar o grau de cetose. Forneceremos instruções de como monitorar seus níveis. Descobrimos que quantidades mais elevadas (0,5-4,0 mM ou, melhor ainda, 1,0-4,0 mM) são úteis para tratar déficits maiores. Mediante exames e um diário, você descobrirá a melhor medida para seu desempenho neuronal.

As cetonas podem alimentar o cérebro de forma muito eficaz — até cerca de 75% de suas necessidades energéticas —, mas o cérebro ainda precisa de uma pequena quantidade de glicose. Entretanto, isso não significa que você precisa ingerir açúcar! Mesmo sem consumir açúcar, a pequena quantidade de glicose necessária para os 25% finais de seu suporte cerebral pode ser obtida com a produção de glicose no fígado, em um processo chamado gliconeogênese. A dieta rica em plantas recomendada aqui, que inclui carboidratos complexos, mas minimiza carboidratos simples, oferece inúmeras vantagens metabólicas e cognitivas fundamentais, como fibras, prebióticos, anti-inflamatórios, flavanóis e muitos outros fitonutrientes.

As pesquisas sugerem claramente que a cetose pode melhorar a cognição até em indivíduos formalmente diagnosticados com Alzheimer. Um dos estudos de caso mais conhecidos, publicado pela dra. Mary Newport, consiste na melhora documentada de maneira cuidadosa do gene ApoE4 de seu marido usando essa abordagem.[21] Como vemos pela ilustração, com o acréscimo do óleo de coco (que aumenta as cetonas) à dieta, Steve Newport teve uma melhora dramática na função cognitiva, que se manteve estável por dois anos.

Um ensaio clínico randomizado, usando apenas uma bebida suplementar de cetona, demonstrou melhoras cognitivas modestas em não portadores do ApoE4. Vale observar que esse ensaio não implementou nenhuma outra

1 dia antes do óleo de coco

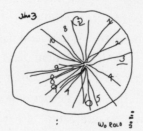
14 dias após o início do óleo de coco

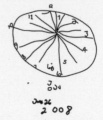
37 dias após o início do óleo de coco

estratégia, como mudança de dieta, e os participantes apenas obtiveram níveis muito baixos de BHB, 0,4mM, após noventa dias.[22] A falta de sucesso entre os portadores de ApoE4, em situação mais desvantajosa, põe em dúvida se esse grupo necessita de níveis de BHB mais elevados e/ou estratégias adicionais para se beneficiar.

Resultados impressionantes foram obtidos com um ensaio clínico em que pacientes com déficit cognitivo leve (um precursor do Alzheimer) fizeram dieta rica em carboidratos (50% de calorias) ou dieta pobre em carboidratos (5% a 10% de calorias) e, após apenas seis semanas, a cognição melhorou somente no grupo pobre em carboidratos, em proporção direta com o grau de cetose. Não só a cognição melhorou no grupo rico em carboidratos, como também ocorreu perda de peso, as medidas da cintura encolheram e a glicose e a insulina em jejum diminuíram — resultados bastante impressionantes para apenas seis semanas!

Diversos estudos de caso recém-publicados com dois pacientes ApoE4 combinaram estratégias adicionais usando uma dieta pobre em carboidratos, jejum e exercícios para resultados ainda mais impressionantes. Ambos foram diagnosticados com Alzheimer e tiveram reversão do declínio cognitivo. Um deles também reverteu o diabetes tipo 2. Esses exemplos são ilustrativos do que presenciamos regularmente em pacientes que seguem a abordagem KetoFLEX 12/3.[23] Como podemos ver por esses exemplos, combinar de maneira sinergética uma dieta pobre em carboidratos com jejum e exercícios — KetoFLEX 12/3 — é fundamental para uma melhora prolongada à medida que a resistência à insulina subjacente é curada.

Esses exemplos revelam todo o potencial para a cognição da sensibilidade à insulina e da cetose. A boa notícia é que os componentes básicos — dieta, exercício, jejum e sono restaurador, ou seja, KetoFLEX 12/3 — auxiliam nesses processos críticos e assim fortalecem a cognição. Eles também proporcionam uma base sólida para as demais partes do protocolo.

Se a cetose é uma resposta adaptativa inata à redução nos níveis de glicose, por que temos de intervir com dietas especiais ou modificações no estilo de vida? Com o tempo, pessoas com resistência à insulina não são mais capazes de passar automaticamente da queima de glicose para o uso de sua própria gordura corporal como combustível.[24] Isso leva a um perigo duplo para o cérebro, que fica privado de *ambas* as fontes de combustível. A meta inicial da abordagem KetoFLEX 12/3 é *mudar* da queima de glicose (primariamente) para a queima de gordura (e das cetonas derivadas da gordura), de modo a fornecer combustível sustentável para o cérebro. Isso pode ser alcançado aplicando três estratégias ao mesmo tempo: exercício, jejum e o padrão dietético KetoFLEX 12/3, apoiados pelo sono de qualidade. Nossa abordagem é um *estilo de vida*, não só uma *dieta*; o ideal é implementar as três mudanças ao mesmo tempo. Sabemos que não é possível para todo mundo, assim forneceremos algumas estratégias e alternativas úteis à medida que prosseguirmos.

PLANO DE AÇÃO

- Se você apresenta sintomas ou corre risco de declínio cognitivo, a abordagem KetoFLEX 12/3 lhe permitirá promover a flexibilidade metabólica, melhorar a cognição e se proteger do declínio.
- A meta inicial é passar da queima de glicose para a queima principalmente de gordura e atingir um nível moderado de cetose.
- O objetivo é curar a resistência à insulina, gerar flexibilidade metabólica e restabelecer ou auxiliar uma cognição saudável.

5. Apagando o incêndio

Tenho apagado fogo com gasolina.
David Bowie

Dizer o que você *não pode* comer talvez pareça um modo estranho de introduzir uma dieta, mas, nesse caso, é realmente importante. Se você continua a consumir os alimentos "proibidos" enquanto incorpora parte dos nossos alimentos recomendados, pode criar um ambiente altamente inflamatório para seu corpo, *o exato oposto do que queremos fazer*. Apagar o incêndio é o primeiro passo para a cura.

APENAS DIGA NÃO

Carboidratos simples

Numa equivocada tentativa de reduzir o risco de doenças coronárias, em 1976 os Estados Unidos adotaram formalmente as recomendações dietéticas de redução da gordura, com instruções para aumentar a ingestão de carboidrato. No início de 1980, os fabricantes de alimentos haviam encontrado uma maneira de lucrar com essas novas diretrizes dietéticas criando versões baixas

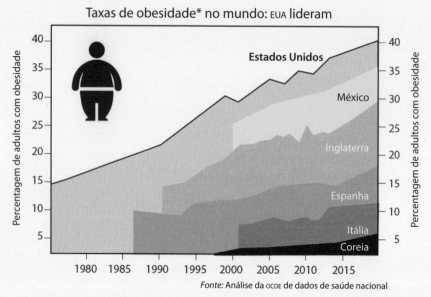

Fonte: Análise da OCDE de dados de saúde nacional

* Obesidade definida como índice de massa corporal (IMC) acima de 30.

As taxas de obesidade deram um salto após a adoção das diretrizes dietéticas de redução da gordura, no fim dos anos 1970.

em gordura para praticamente qualquer produto imaginável. Os consumidores ficaram empolgados em ter versões "saudáveis" de seus alimentos proibidos. Os produtos resultantes eram altamente processados e com frequência carregados de açúcar.[1] A taxa de obesidade nos Estados Unidos mais do que *quadruplicou* desde a adoção das diretrizes dietéticas de baixa gordura.[2] Mais de um terço de todos os adultos americanos hoje (80 milhões) são obesos. Um terço sofre de sobrepeso, segundo as estatísticas oficiais. Pior ainda, a taxa de obesidade grave (em geral mais de 45 quilos de sobrepeso) também quadruplicou nesse mesmo período.[3] Tristemente, uma em cada cinco crianças em idade escolar (seis a dezenove anos) hoje também sofre de obesidade.[4]

Toda pessoa obesa enfrenta risco mais alto de diabetes. Carboidratos simples, como açúcar, amido e alimentos processados, exigem produção elevada de insulina — mais do que nossos corpos foram projetados para gerar. Níveis de insulina cronicamente elevados como esses fazem as células gritarem: "Chega, abaixe o volume!", acabando por criar resistência aos efeitos desse hormônio. Isso significa que não só suas células não lidarão bem com açúcar (e o uso reduzido de glicose em partes do cérebro é característico do Alzheimer), como também não aproveitarão o efeito de sobrevivência da insulina no cérebro — isso mesmo, ela é um fator trófico maravilhoso para suas células cerebrais, ou seja, a insulina as mantém vivas. Assim, não admira que o desligamento da resposta à insulina seja um fator de contribuição importante para o processo neurodegenerativo do Alzheimer — de fato, a resistência à insulina no cérebro está presente em quase todos os casos da doença.

A conclusão é inequívoca: o ser humano não foi feito para ingerir a quantidade de açúcar e amido que é consumida atualmente, do mesmo modo como não foi feito para bater os braços e voar — por isso quebramos a cara se tentamos uma coisa ou outra (com açúcar e amido a queda apenas leva mais tempo e inclui hipertensão, colesterol alto, diabetes, cardiopatia, AVC, envelhecimento prematuro, artrite e demência).

Felizmente, podemos observar a aproximação sorrateira desse processo medindo a insulina em jejum e a hemoglobina A1c, que é simplesmente uma hemoglobina (que leva oxigênio aos tecidos) com uma molécula de açúcar ligada a ela, como uma rêmora presa a um tubarão. Se a sua hemoglobina A1c está acima de 5,7%, você já é pré-diabético. Uma A1c normal fica entre 4,0 e 5,6, mas recomendamos mantê-la em 5,3 ou abaixo disso para os melhores resultados. A faixa do pré-diabetes se situa entre 5,7 e 6,4 e a diabetes plenamente desenvolvida começa em 6,5, com níveis sucessivamente mais elevados indicando diabetes menos controlada. Mesmo antes de a hemoglobina A1c subir, sua insulina em jejum pode aumentar e, quando ela ultrapassa cinco (medidos em mIU/L), significa que suas ilhotas (células) pancreáticas já estão fazendo hora extra para manter a glicose sob controle. É importante monitorar seus valores para compreender onde você se situa nesse espectro. A boa notícia é que há muito que pode ser feito a respeito, e a recuperação da sensibilidade à insulina o ajudará não só com a cognição, mas também com a gordura, e talvez ajude até a retardar o envelhecimento.

Até pouco tempo atrás — em 1976 — apenas 5 milhões de americanos eram diabéticos. Hoje, há mais de 100 milhões com diabetes ou pré-diabetes![5] Esse crescimento dramático revela por que hoje tanta gente corre risco elevado de Alzheimer. Com o diabetes vem a inflamação — o açúcar se liga não só a sua hemoglobina, mas também a muitas outras proteínas (as moléculas de açúcar na verdade passam a *ser parte* das proteínas), alterando tanto a forma como

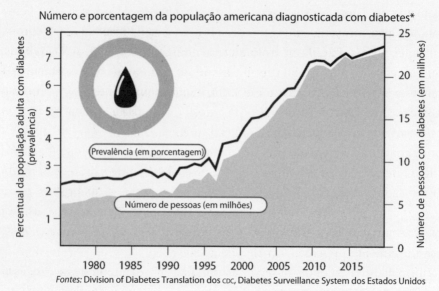

Fontes: Division of Diabetes Translation dos CDC, Diabetes Surveillance System dos Estados Unidos

* Em 2019, havia um adicional de 7,2 milhões de pessoas com diabetes não diagnosticado.

As taxas de diabetes aumentaram marcadamente a partir de 1976.

a função delas. Consequentemente, seu sistema imune, sempre alerta para proteínas que parecem estranhas, produz uma resposta inflamatória, contribuindo ainda mais para o risco de Alzheimer.

A boa notícia é que podemos corrigir o problema, e quanto antes melhor: o abrandamento da resistência e a volta da sensibilidade à insulina podem ser conquistados com a substituição de carboidratos simples, açúcar e alimentos processados por vegetais nutritivos e ricos em fibra e gorduras saudáveis (fazendo ao mesmo tempo jejum e exercícios) para permitir que seu corpo produza um combustível cerebral mais eficiente e efetivo.

Eis o que você vai fazer. Elimine carboidratos simples — açúcar, doces, cookies, muffins, bolos, pães, massas, bolachas, batata-inglesa, cereais, refrigerantes (diet ou não, uma vez que os adoçantes artificiais desequilibram sua flora intestinal), sucos de frutas, álcool, alimentos processados e qualquer coisa com xarope de milho e elevado teor de frutose. Conforme você limita sua ingestão de carboidratos simples, ficará surpreso em descobrir que seu desejo por coisas doces sumirá razoavelmente rápido.

Cereal-killers

A abordagem KetoFLEX 12/3 inclui a eliminação dos cereais (com algumas exceções discutidas no cap. 9). Devido a suas conhecidas propriedades inflamatórias, recomendamos que sejam evitados por quem quer otimizar a saúde cognitiva.[6]

Comecemos pelo *glúten* (que pode ser quebrado em glutenina e gliadina), a principal proteína que funciona como uma cola para muitos cereais, incluindo trigo, centeio e cevada. Ao longo dos séculos, a hibridização do trigo deixou o glúten cada vez mais prejudicial para a saúde humana, conforme maiores quantidades eram acrescentadas na tentativa de melhorar a textura e a capacidade de crescimento da planta.[7] Embora o glúten seja visto em geral como o principal vilão, a *gliadina*, uma proteína menor dentro do glúten, tem ainda mais culpa no cartório. Hoje, há mais de duzentas variedades de gliadina, com a glia-α9 sendo o gatilho de destruição intestinal mais potente manifestado na doença celíaca. Essa proteína de gliadina costumava ser muito rara, mas hoje está presente na maioria das variedades de trigo.[8] Além disso, o trigo moderno foi projetado para ter quantidade cada vez maior de uma lectina que ocorre de forma natural (a lectina é uma proteína que se prende a carboidratos e infelizmente causa inflamação), chamada *aglutinina de germe de trigo* (WGA, na sigla em inglês), que ajuda a afastar insetos e resulta numa colheita mais resistente e sustentável.[9] Como no caso da WGA, o atual cultivo de trigo foi criado para ter níveis mais altos de *fitatos* inflamatórios, também conhecidos por ajudar a afastar insetos e terem maior conteúdo de fibra. Fitatos são com frequência mencionados como "antinutrientes", pois prejudicam nossa capacidade de absorver minerais.[10]

O agronegócio produziu um trigo mais resistente e lucrativo sem levar em consideração seu impacto na saúde humana. Como essa hibridização ocorreu antes da chegada dos organismos geneticamente modificados (OGMs), grande parte da produção do trigo conseguiu evitar o rótulo negativo, a despeito de adulteração muito similar.[11] Essas mudanças combinadas têm levado a um aumento dramático da doença celíaca e da sensibilidade não celíaca.[12] Os efeitos patológicos do glúten estão bem estabelecidos para quem sofre de doença celíaca, assim a maioria das pessoas que não sofre do problema presume que pode comer glúten com impunidade (e existe algo mais gostoso do que um pão quentinho?). Entretanto, infelizmente, a sensibilidade a glúten não celíaca

(NCGS, na sigla em inglês) afeta muitos de nós e pode causar inflamação generalizada similar.[13] Os sintomas incluem distúrbios gastrintestinais (inchaço, dor abdominal, diarreia etc.), fadiga, dor nos ossos e articulações, artrite, osteoporose, transtorno dos aparelhos hepático e biliar, anemia, ansiedade, depressão, neuropatia periférica, enxaqueca, ataques epilépticos, infertilidade, aftas recorrentes e pruridos.[14]

Em alguém suscetível (que pode ser qualquer um!), a gliadina inflama o intestino e o deixa permeável, possibilitando que toxinas, fragmentos de comida e pedaços de bactérias e outros micróbios invadam a corrente sanguínea.[15] A ingestão de glúten aumenta a expressão da *zonulina*, uma proteína que modula a permeabilidade das junções apertadas (que funcionam como um velcro entre as células e seu intestino) no aparelho gastrintestinal, e a permeabilidade aumentada leva a uma série de enfermidades crônicas.[16] Pessoas com gene ApoE4 apresentam permeabilidade da barreira sangue-cérebro aumentada, o que pode deixá-las mais suscetíveis à exposição do glúten.[17]

As implicações do glúten para a saúde vão além do trigo, incluindo muitos outros cereais e até laticínios. Alguns desses alimentos são contaminados por glúten, contêm proteínas de gliadina, manifestam reatividade cruzada ou mimetizam de perto as proteínas de gliadina. Para quem exibe sintomas de sensibilidade a glúten não celíaca, os alimentos a evitar incluem arroz, milho, aveia, painço, amaranto, triguilho, trigo-sarraceno, quinoa e laticínios.[18] Tenha em mente que muitos cereais livres de glúten também são geneticamente modificados, alterando a utilização dos pesticidas. Alguns cereais foram projetados para tolerar mais herbicidas (de modo que as ervas daninhas possam ser borrifadas mais prodigamente com o tóxico glifosato), enquanto outros produzem seus próprios pesticidas, rendendo uma colheita mais resistente com consequências nocivas para a saúde que só agora começamos a compreender por completo.[19] Para piorar, o glifosato também é usado como dessecante, facilitando a hora da colheita. Pense nas implicações. Uma substância química considerada um provável carcinógeno humano pela Organização Mundial da Saúde (OMS), que foi objeto de inúmeras ações judiciais nos Estados Unidos, com sentenças ultrapassando 2 bilhões de dólares, é borrifada não uma, mas *duas vezes*, dobrando nossa exposição. Além do mais, os cereais livres de glúten contêm toxinas, incluindo o arsênico. E são conhecidos por seu elevado teor de *lectinas* inflamatórias, outro antinutriente.

Os cereais também podem ter um forte efeito na glicose sanguínea. Tradicionalmente, os fazendeiros alimentam seus animais com cereais para engordá-los antes de ir ao mercado. O mesmo vale para humanos, a se inferir pelo aumento na prevalência de obesidade e diabetes desde que a orientação oficial da pirâmide alimentar encorajou o consumo pesado de cereais. Por coincidência, tais diretrizes coincidiram com o excedente na produção e nos estoques de cereais devido ao subsídio do governo aos fazendeiros.[20]

Considere fazer um teste empírico de três semanas, eliminando completamente cereais de sua dieta. Fique atento aos possíveis efeitos colaterais da privação durante esse período pelas características similares aos opioides do glúten. Eles podem envolver o agravamento de sintomas gastrintestinais, como a dor. Os sintomas duram em geral cerca de uma semana, seguidos de uma melhora dramática com a abstinência continuada de glúten, cereais em geral e laticínios.[21] Muitos pacientes relatam marcada melhora dos sintomas nesse breve período de tempo e decidem não reintroduzir os cereais inflamatórios.

Se quiser corroboração adicional, faça um exame de sangue pelos Cyrex Laboratories. Primeiro, recomendamos usar o Array 2, com os exames de permeabilidade intestinal. Se der positivo, meça sua sensibilidade a glúten com o Array 3X. Se houver sintomas de declínio cognitivo, seria bom usar o teste LINX do Alzheimer, projetado especificamente para os fatores contribuintes do declínio cognitivo, como beta-amiloide e outras substâncias de reações cruzadas, ou o Array 20, com exames para a permeabilidade da barreira sangue-cérebro.[22] Qualquer médico licenciado pelo sistema de saúde pode se inscrever para pedir exames dos Cyrex Laboratories.

Segundo a abordagem KETOFLEX 12/3 para a comida integral, alimentos *processados* "livres de glúten" não são uma boa ideia. Por quê? Porque vêm cheios de substâncias químicas e com frequência não são muito melhores do que as coisas que pretendem substituir. Em vez de comida processada livre de glúten, experimente suas alternativas favoritas usando ingredientes introduzidos na pirâmide alimentar do cérebro, no cap. 6. Eliminar os cereais talvez seja um obstáculo para muitos porque a ciência parece dividida. Por um lado, temos a evidência epidemiológica de que o padrão alimentar mediterrâneo, que inclui cereais integrais, é saudável.[23] Por outro, não devemos nos esquecer de que a dieta mediterrânea nunca foi testada contra uma versão própria livre de cereais, assim o efeito deles na dieta é desconhecido. As várias dietas das

Zonas Azuis, lugares onde as pessoas vivem particularmente mais tempo e com mais saúde, também incluem alguns cereais integrais, contribuindo ainda mais para a ideia de que exercem um efeito positivo.[24] Vale a pena notar, porém, que os cereais integrais usados nessas regiões são muito diferentes do que passa por "integral" nos Estados Unidos. Em geral, são cereais herdados sem engenharia (não CGM) e livres de glifosato (o elemento tóxico no Roundup). As variedades de trigo apresentam teor de glúten muito mais baixo, índice glicêmico mais baixo e são preparadas de maneiras que a tornam mais seguras para consumo.[25] A dieta de Okinawa, uma Zona Azul, leva bem menos arroz do que muitos outros países asiáticos, usando batata-doce no lugar. Além do mais, a tradição *hara hachi bu* de Okinawa significa que a pessoa para de comer quando se sente 80% satisfeita, levando a uma ingestão calórica geral inferior, o que protege ainda mais contra a resistência à insulina.[26]

Laticínios

Também recomendamos abstinência dos laticínios convencionais por muitos motivos, que cobriremos de maneira mais profunda no cap. 11. Como mencionei acima, isso é particularmente importante para pessoas com sensibilidade ao glúten. Muitas vezes os danos dos cereais com glúten (e outros) podem comprometer a capacidade de digerir a lactose presente. Além do mais, o sistema imune muitas vezes tem reações cruzadas com as proteínas de caseína nos laticínios porque são tão similares às proteínas de gliadina no glúten. Esse conceito às vezes é referido como mimetismo molecular e leva à mesma resposta inflamatória.[27]

Entendemos que cada um tem seu próprio ritmo. Algumas pessoas talvez não estejam preparadas para adotar completamente um plano nutricional KetoFLEX 12/3. Preferem entrar no programa cortando os alimentos em estágios: primeiro o açúcar, depois carboidratos simples (alimentos processados), depois cereais, depois laticínios. Não há modo certo ou errado, mas quem adota a dieta completa tem oportunidade de se recuperar mais rapidamente. *Advertência*: se você continua a abusar dos alimentos nessa categoria, não incorpore quantidades mais elevadas de gorduras à dieta, uma vez que a combinação pode gerar uma inflamação perigosa e impedir a cura.

PLANO DE AÇÃO

- Eliminar todo o açúcar e os carboidratos simples.
- Eliminar todos os cereais (com as exceções observadas no cap. 9).
- Eliminar todos os laticínios convencionais.

RISCOS

Abstinência de glúten (ver p. 91).

6. Cabeça bem nutrida: A pirâmide alimentar do cérebro

> *Lembre-se do que disse o camundongo dorminhoco.*
> *Alimente sua cabeça, alimente sua cabeça.*
> Grace Slick, na música "White Rabbit"

O cérebro humano é um prodígio da evolução, triplicando de tamanho desde que nossos primeiros ancestrais hominídeos surgiram há mais de 5 milhões de anos, com a maior parte dessa expansão ocorrendo nos últimos 2 milhões de anos. Por grande parte da história, o cérebro de nossos ancestrais foi aproximadamente do tamanho do de um chimpanzé moderno, como evidenciado pela descoberta de Lucy, membro de uma espécie antiga de hominídeo (*Australopithecus afarensis*) que viveu entre 3 milhões e 4 milhões de anos atrás.[1] A partir desse período, o volume do cérebro humano evoluiu de 450 cc para 1500 cc, como no homem de Cro-Magnon, da espécie *Homo sapiens*, que viveu há 30 mil anos.

Nosso cérebro evoluído é enorme em relação ao corpo. Cerca de 500 trilhões (500 000 000 000 000) de sinapses no cérebro agem como conectores dos neurônios, mediando a comunicação. A atividade incessante exige uma fonte de combustível constante e confiável. Embora o cérebro compreenda apenas 2% da massa corporal total, ele utiliza cerca de 20% do suprimento total de energia necessário para todo o corpo humano.[2] É vital assegurar um suprimento de energia regular com nutrição de alta qualidade que otimize a flexibilidade metabólica.

É interessante que o cérebro humano moderno seja cerca de 10% *menor* do que em seu pico evolucionário, com 1350 cc, em média. A antropologia data o início desse encolhimento em cerca de 10 mil anos atrás, quando nossos ancestrais trocaram o estilo de vida caçador-coletor pelo agrícola. Existe uma hipótese de que a alimentação pesadamente agrícola levou à carência de diversidade alimentar, resultando nas deficiências nutricionais que se perpetuam até hoje.[3]

Com a extraordinária abundância de vegetais saudáveis e comestíveis disponível, como nos tornamos tão dependentes dos cereais produzidos pela agricultura? As diretrizes oficiais, com sua pirâmide alimentar, focaram na sugestão de alimentos baratos, "nutritivos", fortificados com vitaminas para promover a saúde.

A ideia de uma pirâmide alimentar foi introduzida em 1974 na Suécia, e a primeira pirâmide alimentar americana apareceu em 1992. É um conceito útil, uma vez que nos orienta a comer mais alimentos saudáveis, retratados na base, e nos adverte a manter distância dos alimentos menos saudáveis, no topo.

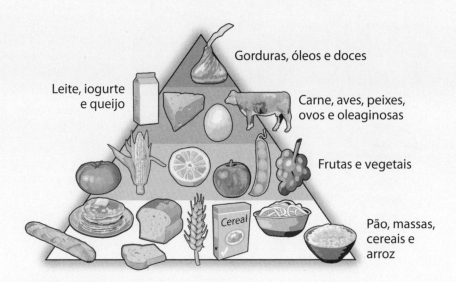

A pirâmide alimentar original recomendava pão, massas, cereais e arroz como as principais comidas a serem consumidas — a base da pirâmide.

Agora que compreendemos bem mais do que no século passado sobre o que efetivamente provoca o declínio cognitivo, podemos montar a pirâmide alimentar do cérebro, otimizada para a função cerebral e a prevenção do declínio cognitivo. Comecemos examinando a pirâmide original, que recomendava que a base — a maior parte da nossa dieta — fosse composta de "pão, cereais, arroz e massas" — entre "seis e onze porções diárias". Por outro lado, as gorduras e os óleos ficavam no topo — "usar com moderação". Como se descobriu, é uma boa receita para nos levar a obesidade, resistência à insulina, diabetes, hipertensão e declínio cognitivo — exatamente as coisas de que tanta gente sofre atualmente.

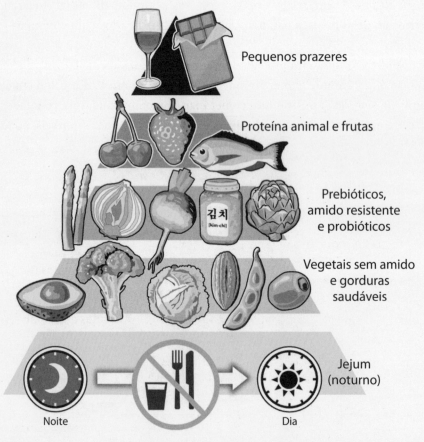

A pirâmide alimentar do cérebro põe na base os alimentos e as práticas fortalecedoras da cognição, como o jejum, as gorduras saudáveis e os vegetais sem amido.

Vejamos por que uma nova versão auxilia tanto na cognição e qual o aspecto da pirâmide alimentar do cérebro.

Numa tentativa de atender às necessidades nutricionais de nosso cérebro metabolicamente exigente, a pirâmide alimentar cerebral tem de virar de cabeça para baixo a versão tradicional do Departamento de Agricultura dos Estados Unidos. Isso porque seu foco está na otimização da saúde cognitiva e geral, não em encorajar o uso de alimentos que beneficiem as políticas do governo e a economia.[4] A orientação passada aos americanos, e na verdade a boa parte do mundo, por muito tempo estava baseada em considerações de ordem política e financeira. Até a Associação Americana de Cardiologia tradicionalmente põe seu logo de "coração checado" em alimentos altamente processados e com adição de açúcar porque os fabricantes pagaram pela certificação e seus produtos alimentícios atendem aos critérios por serem tão pobres em gordura.[5] Os biscoitos recheados com baixo teor de gordura foram alardeados como "bons para o coração", enquanto frutas e vegetais frescos ficaram inicialmente excluídos, levando o consumidor a crer que os alimentos processados eram a opção mais saudável.[6] Devido a resultados científicos inquestionáveis e a um maior escrutínio público, as orientações da Associação Americana de Cardiologia evoluíram e hoje incluem alguns produtos frescos e até admitem algumas gorduras saudáveis, como oleaginosas e abacates.[7]

Outro aspecto a ser considerado é o fato de que os cereais integrais ficaram disponíveis apenas nos últimos 10 mil anos. Antes disso, nossos ancestrais humanos, todos eles portadores do ApoE4, alimentaram-se de outras plantas que não cereais por milhões de anos.[8] É importante captar o enorme abismo que separa nosso estilo de vida moderno de nosso genoma ainda primitivo. A evolução genética humana ocorre muito devagar, a despeito das condições extremas impostas sobre nossa biologia primitiva pelo ambiente moderno. Por exemplo, o gene ApoE4 surgiu em cena por volta de 7 milhões de anos atrás e aproximadamente 25% da população ainda é portadora dele. O alelo ApoE3 (variante), hoje o mais comum, só surgiu mais recentemente — 220 mil anos atrás —, enquanto o gene ApoE2 apareceu há apenas 80 mil anos. Os evolucionistas não sabem exatamente o que precipitou esse aparecimento evolucionário do ApoE3 e ApoE2, mas alguns propuseram o advento do fogo e a capacidade de ingerir carne como fatores que contribuíram.[9]

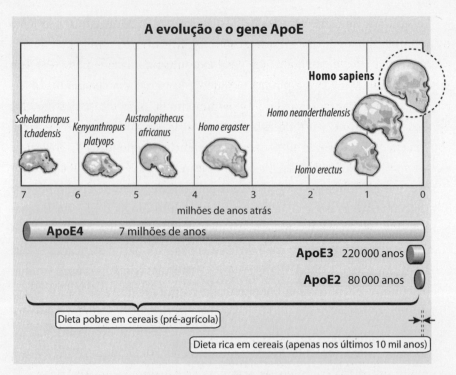

O ApoE4 foi o alelo ApoE original dos hominídeos. *ApoE3 e ApoE2 apareceram apenas bem mais recentemente na evolução.*

Como caçadores-coletores, é provável que nossos ancestrais tenham se alimentado de plantas silvestres (entre uma caçada e outra) e assim tinham uma dieta extraordinariamente rica em fibras. Quando essa fibra é quebrada, ela fermenta no intestino, gerando a cetona beta-hidroxibutirato (BHB), que possivelmente servia como combustível para o cérebro.[10] É provável que a união da escassez de alimento com um estilo de vida ativo, combinada a uma dieta extraordinariamente rica em fibras e na ocasional proteína gordurosa animal, levasse a um estado natural de cetose na maior parte do tempo. O gene ApoE4 é raro em populações com exposição à agricultura, sugerindo que o consumo de uma dieta elevada em cereais pode ter funcionado como uma seleção contra esse genótipo.[11] Uma volta à dieta pré-agricultura, *rica em plantas que não cereais*, poderia fornecer um caminho dietético alternativo para prevenir doenças, e também representa uma estratégia para sanar a distância crescente entre nossos genes ancestrais e o mundo moderno.

Nossa biologia relativamente primitiva hoje está exposta a um ambiente muito distinto do mundo em que evoluímos. Só entre os últimos cinquenta a cem anos, presenciamos uma escalada exponencial dos efeitos tóxicos em nosso ambiente moderno. Consumimos um excesso de falsos alimentos hiper-palatáveis compostos de carboidratos simples e cereais e óleos geneticamente modificados, carregados de substâncias químicas comestíveis. Até os produtos "saudáveis" que ingerimos passaram por hibridização para ter o conteúdo de açúcar mais elevado possível e foram muitas vezes borrifados com pesticidas tóxicos. Os animais que comemos são alimentados com comida inflamatória antinatural, recebem hormônios que promovem crescimento rápido e são criados em condições tóxicas que exigem doses elevadas de antibióticos. Levamos uma vida sedentária na maior parte do tempo, sentados em nossos carros, mesas de escritório e sofás. Somos submetidos à exposição constante de campos eletromagnéticos, wi-fi e a luz azul artificial que nos estimula a negligenciar nossos *ritmos circadianos* naturais (o relógio interno que coordena nossos ciclos de sono/vigília). Respiramos um ar tóxico resultante da indústria e do transporte. Os gramados em nossas cidades são cheios de substâncias químicas perigosas. Passamos um repelente de insetos prejudicial em nossa pele. Usamos protetor solar com substâncias químicas e deixamos de absorver a vitamina D que nosso corpo necessita. A água que bebemos é cheia de resíduos das substâncias químicas utilizadas em nossa vida cotidiana. Até a roupa de cama é carregada com um tóxico retardante de chamas. Não interagimos mais com solos saudáveis capazes de fortalecer nosso microbioma. Em vez disso, higienizamos as mãos frequentemente como medida profilática. A lista de agressões contra nosso antigo genoma é longa e está crescendo. Inúmeras estratégias que recomendamos são tentativas de curar e corrigir os danos causados por este mundo que criamos, não uma tentativa de copiar o homem primitivo.

Então oferecemos a pirâmide alimentar do cérebro como um guia. Reconhecemos haver muitas controvérsias e incógnitas e permanecemos abertos ao refinamento contínuo à medida que a nova ciência emerge. Encorajamos o leitor a usar essa informação para aprender sobre os alimentos não só como "remédio", mas também como uma deliciosa oportunidade para a exploração, a experimentação e a nutrição! Ajustes simples em nossas escolhas alimentares podem oferecer profunda recuperação. Quanto às demais pirâmides alimentares, encorajamos o leitor a se servir generosamente da base da pirâmide e com mais parcimônia à medida que se aproxima do topo. Subiremos a pirâmide lentamente para discutir cada nível.

O ritmo de adoção dessas mudanças depende de inúmeros fatores individuais, como sua condição metabólica (em especial a sensibilidade à insulina); sua capacidade de locomoção e de lidar com o estresse; seus hábitos de sono; e seus sistemas de suporte que o ajudarão a iniciar e a manter a mudança. As modificações podem ser implementadas devagar, ao longo de semanas ou meses, ou todas de uma vez. Uma transição rápida permite promover a recuperação mais rapidamente, mas você também deve ficar ciente dos possíveis efeitos colaterais, em geral leves e passageiros, que discutiremos no cap. 7, com alternativas simples para ajudá-lo a ter sucesso.

7. Pirâmide, nível 1: Casa limpa

O jejum é o maior remédio — nosso médico interior.
Paracelso

Se não devemos comer à noite, por que a geladeira tem luz?
Woodrow Paige

Discutiremos primeiro o jejum, antes de passar às recomendações de alimentos específicos. *Ele é importante a esse ponto.* Os números 12/3 do estilo de vida KetoFLEX referem-se a *quantas horas* você deve jejuar (pelo menos doze) e *quando* deve fazê-lo (pelo menos três horas antes de se deitar). O jejum não só é parte da história evolutiva da humanidade, uma adaptação à escassez de alimento, como também foi incorporado a todas as principais religiões desde o princípio, tanto pela clareza de espírito como pelos inúmeros benefícios que oferece à saúde.

Esses benefícios são numerosos por meio de uma variedade de mecanismos de cura. Para a nossa abordagem, o mais importante é que o jejum promove a restauração da sensibilidade à insulina, o que leva à melhora da cognição. Em nossa era moderna, o acesso incessante a alimentos refinados, adoçados, processados e carregados de química conduz tanto à resistência à insulina como à inflexibilidade metabólica, pela qual a fonte de combustível fica limitada à glicose, impossibilitando a utilização das gorduras ou das cetonas que derivam delas. A resistência à insulina tem papel central na epidemia de doenças crônicas, incluindo o Alzheimer. O jejum é o momento de restabelecer a sensibilidade à insulina, que ajuda a pôr um fim ao ciclo de ansiedade com a comida e permite ao corpo usar a gordura como combustível. Conquistar a capacidade de queimar gordura, ficando resistente à insulina, e com flexibilidade metabólica para usar glicose ou cetonas como combustível é essencial para inúmeros elementos curativos. O jejum também leva a uma diminuição da inflamação e potencializa a função mitocondrial, aumentando a longevidade. Além do mais, reduz o risco de cardiopatia, câncer e doenças autoimunes.[1]

O jejum, em especial de doze horas ou mais, gera a *autofagia*, um processo de cura evolucionário pelo qual suas células "limpam a casa" e reciclam componentes como aminoácidos e mitocôndrias. Componentes celulares danificados e usados como as mitocôndrias são engolidos, têm partes aproveitadas e são utilizados para produzir novos componentes celulares.[2] A autofagia também incrementa a produção energética de nossas mitocôndrias, as organelas que constituem a bateria celular. Mitocôndrias saudáveis são de vital importância na prevenção e recuperação da neurodegeneração.[3] Outros meios de promover a autofagia incluem a cetose nutricional, exercícios, restrição proteica e um sono restaurador. Mesmo depois de interromper o jejum com a cetose nutricional, a autofagia prossegue no nível neuronal.[4]

Usamos o sono para otimizar um período natural de jejum toda noite. Como nesse período precisamos de quantidade mínima de energia e o sono é um momento de desintoxicação e reparos, não de digestão, evite comer pelo menos três horas antes de se deitar. Demora no mínimo doze horas para esvaziarmos os suprimentos de glicogênio (a glicose armazenada), após o que começamos a queimar gordura. Alguns afirmam que leva muito mais tempo para o glicogênio armazenado se esgotar (o que talvez seja verdade), mas, no contexto de as metas KetoFLEX 12/3 terem sido atingidas, acreditamos que estamos estimulando a autofagia por meio de múltiplos mecanismos que convergem para oferecer benefícios todas as noites o *quanto antes*. Isso pode ser alcançado de diferentes maneiras. Uns jantam cedo, outros jantam tarde, e há os que nem jantam. Ou é mais fácil para uns do que para outros passar sem o café da manhã. Sua casa, seu trabalho e sua vida social, junto com seu ritmo circadiano único, ajudarão a determinar o melhor período de jejum para você.

Objetivos de jejum da KetoFLEX 12/3

- **Entre em jejum pelo menos três a quatro horas antes de ir para a cama.** O sono é um período importante de desintoxicação e reparos. Conforme o dia passa, o corpo necessita de menos alimento para obter energia e deve entrar em um estado de queima de gordura. Dormir, em especial respeitando seu ritmo circadiano único, também é uma oportunidade de acrescentar horas ao tempo total de jejum.
- **Jejue por pelo menos doze horas entre o fim do jantar e o início do café da manhã.** Portadores do ApoE4 talvez queiram estender o jejum para dezesseis horas ou mais. Durante esse período, você pode tomar chá verde ou café puro, já que isso não interrompe o jejum. Quem tem resistência à insulina e tenta estender o jejum, pode inicialmente adicionar óleo MCT ou de coco ao chá ou café pela manhã. Essas gorduras fornecem energia, interrompendo tecnicamente o jejum, e, portanto, impedindo potencialmente a autofagia, mas elas ajudam a atingir a cetose nutricional, que pode por fim sanar os problemas metabólicos subjacentes, possibilitando-lhe jejuar pelo período de tempo prescrito.
- **A melhor forma de quebrar o jejum é uma bebida detox,** como água à temperatura ambiente com sumo de limão ou fatias de gengibre ou chás como cardo-mariano, erva-cidreira, gengibre ou dente-de-leão.
- **Como já foi explicado, jejuar é particularmente difícil no começo para quem sofre de resistência à insulina.** Você deve se lembrar de que quando seu corpo é usado para queimar glicose como combustível regularmente, ele tem dificuldade em passar a queimar gordura. Quando adaptado à mudança, você conseguirá passar períodos mais longos sem sentir fome.

Dependendo da gravidade de sua resistência à insulina, a transição para as metas de jejum KetoFLEX 12/3 podem levar semanas ou até meses. Seguindo nossas diretrizes, você deve ser capaz de estender a duração de seu jejum um pouco mais a cada dia até ter atingido sua meta. Muitos pacientes descobriram que, à medida que adotam o estilo de vida KetoFLEX 12/3, gravitam naturalmente em torno de fazer não mais que uma ou duas refeições por dia. Isso é uma marca de sucesso, contanto que você mantenha um peso saudável e se sinta forte. Na verdade, quando estamos sensíveis à insulina, um longo jejum diário se torna um estilo de vida e te liberta das muitas horas passadas fazendo compras, cozinhando, comendo e limpando. A maioria dos que chegaram a esse estágio relata ainda uma sensação de energia e clareza cognitiva muito mais acentuada.

Dicas para jejuar por mais horas

- **Aprenda a distinguir entre a fome e a hipoglicemia (baixa concentração de açúcar no sangue), que pode ser perigosa.** A hipoglicemia leva a sintomas como tontura, confusão, fala arrastada, visão turva, fome, irritabilidade, tremores, ansiedade e transpiração, e pode acordá-lo no meio da noite.[5] Se você não tem certeza sobre o que está sentindo (presumindo que os sintomas sejam moderados), faça um exame de sangue com as instruções fornecidas no cap. 18, p. 257. No diabetes, uma medição abaixo de 70 mg/dL é considerada hipoglicêmica. Vale observar que pessoas com sensibilidade à insulina podem sentir níveis glicêmicos muito mais baixos *sem* sintomas.
- **Se a sua glicemia está abaixo de 70 mg/dL e os sintomas são severos, ingira imediatamente alguma fonte de açúcar de ação rápida, como suco de fruta.** Talvez pareça contraproducente para nossos objetivos, mas é necessário para tratar a hipoglicemia imediata. Conforme você adotar as recomendações nutricionais da KetoFLEX 12/3, substituindo açúcares e carboidratos refinados por vegetais ricos em fibra e sem amido e por gorduras saudáveis, os episódios hipoglicêmicos não irão mais ocorrer. *Nota:* Diabéticos devem se consultar com seu médico antes de iniciar o programa, instruindo-se sobre como reduzir a medicação à medida que se recuperam, para evitar um episódio hipoglicêmico.
- **Se sua glicemia está dentro dos valores normais e você apenas está com fome, coma gorduras saudáveis, como oleaginosas, sementes ou fatias de abacate, para encorajar a cetose.** Tente estender seu jejum diariamente por mais cinco a quinze minutos, até chegar à meta recomendada.

- **Considere o uso de um suplemento cetônico como óleo MCT (triglicérides de cadeia média), de coco ou de fontes exógenas (isto é, de fora do corpo) de cetonas, como sais ou ésteres de cetona, para acelerar a cetose.** (Veja outras possibilidades no cap. 21.) Assim que a sensibilidade à insulina for restabelecida e você adotar o estilo de vida KetoFLEX 12/3, passará a produzir corpos cetônicos de maneira endógena (ou seja, dentro do corpo), queimando sua própria gordura e, com o tempo, provavelmente não necessitará de cetonas exógenas. O ideal é que a suplementação seja transicional e de curto prazo.

Os que quebram o jejum mais para o final do dia muitas vezes têm dificuldade de achar um horário para tomar seus suplementos matinais sem interferir na autofagia. A quantidade muito baixa de calorias dos suplementos é pouco preocupante e exerce efeitos mínimos na autofagia. Alguns, como resveratrol e curcumina, irão até incrementá-la.[6] Não deixe de ingerir suplementos que ajudam a diluir gorduras (como vitaminas D, E e K, e curcumina) com óleo de peixe ou de fígado de bacalhau, se você necessita repor vitamina A devido a uma conversão ruim de betacaroteno para retinol.

PERDA DE PESO EXCESSIVA

Percebemos que alguns pacientes têm dificuldade de manter o peso, o que pode ser contraproducente. Embora o índice de massa corporal seja uma medição grosseira, levando em conta apenas a altura e o peso, há bastante margem para personalização com base em sua estrutura corporal e composição muscular. Recomendamos manter um IMC mínimo de 18,5 para mulheres e dezenove para homens abaixo dos 65 anos, e mais elevado para quem está na faixa acima. Se o seu peso cair abaixo disso, você tem mais risco de sarcopenia (perda da massa muscular) e osteopenia (perda óssea), ambas associadas ao envelhecimento e *ligadas ao MAIOR risco de declínio cognitivo*. (Falaremos mais sobre isso no cap. 13.) Por ora, compreenda que você deve ajustar suas estratégias se o seu peso abaixar demais. Eis algumas dicas úteis.

Estratégias para ganhar peso

- **Considere reduzir o jejum.** Continue tentando se abster de comer algumas horas antes de dormir, mas sinta-se livre para comer pela manhã seguindo a pirâmide alimentar KetoFLEX 12/3.
- **Use mais gorduras saudáveis!**
    - Acrescente uma ou duas colheres de sopa extras de azeite de oliva extravirgem, rico em polifenóis, a suas saladas e vegetais. É um modo simples de ganhar umas calorias extras.
    - Adicione mais alguns punhados de oleaginosas ao seu cardápio. Elas são extraordinariamente saudáveis e deliciosas. Coma à vontade. Macadâmia e noz-pecã, em especial, ajudam no ganho de peso.
    - Adicione manteiga *ghee*, óleo de coco ou óleo MCT a seu café. É um modo simples de aumentar as calorias e induzir a cetose. As cetonas exógenas de seu óleo de coco e MCT podem ser particularmente úteis para quem tenta ganhar peso, já que ter gordura corporal reduzida impede a produção de cetonas endógenas.
    - Se você tem sintomas gastrintestinais, considere o uso de enzimas digestivas. Mas veja as precauções para isso no cap. 8.
- **Certifique-se de obter proteína suficiente em sua dieta** (reveja as sugestões no cap. 10). Seu corpo não consegue sintetizar ou armazenar a proteína que necessita para as funções corporais essenciais. Você deve incluí-la em sua dieta ou seu corpo pode canibalizar seus músculos — o que não é nada bom! Enquanto cura seu sistema digestivo e se recupera de exposições tóxicas, você pode necessitar de proteína adicional. Igualmente importante é o ácido estomacal adequado para assegurar a digestão apropriada de proteína.
- **Seja forte.** Concentre-se em construir músculos e ossos fortes. Dedique parte de seu programa de exercícios a treino de força e musculação.
- **Não se esqueça dos amidos resistentes.** Acrescente uma pequena quantidade de legumes cozidos e resfriados, raízes ou tubérculos em toda refeição. Usando azeite de oliva extravirgem ou *ghee* para um toque de sabor, você enfraquece qualquer resposta glicêmica e adiciona calorias extras. Você também pode descontinuar o ciclo cetônico uma ou duas vezes por dia, com batata-doce, por exemplo, para evitar mais perda de peso.

- **Participe do planejamento e preparo da comida.** Procure receitas que ofereçam maneiras inovadoras de fazer seus pratos favoritos estimularem seu apetite. Se você cozinha para alguém com Alzheimer, envolva a pessoa no planejamento e no preparo. Ver, tocar e cheirar a comida promove a secreção de nossas enzimas digestivas e prepara nosso corpo para comer.
- **Relaxe na hora da refeição.** Desligue a TV e o celular. Deixe o trabalho de lado. Faça da hora de comer um ritual nutritivo e relaxante. Aprecie a comida lentamente. Ao repetir o prato, demore-se um pouco mais. Você merece!

PLANO DE AÇÃO

- Entre em jejum pelo menos três horas antes de dormir e por um total de no mínimo doze horas.
- Portadores do ApoE4 talvez queiram tentar estender seu jejum para mais de dezesseis horas.

RISCOS

- Hipoglicemia
- Hipotensão
- Perda de peso excessiva
- Gripe cetogênica. À medida que você amplia seu jejum e diminui os carboidratos simples, tende a começar a produzir corpos cetônicos. Parabéns! Essa é uma das metas da abordagem KetoFLEX 12/3. Mas alguns pacientes informam sintomas transitórios, apelidados de gripe cetogênica. A desidratação (e subsequente perda mineral) está por trás da maioria desses efeitos colaterais passageiros. Também à medida que amplia o jejum, seu corpo queima o glicogênio extra (a glicose armazenada) em seu fígado e músculos. A quebra do glicogênio libera bastante água. Conforme sua ingestão de carboidratos e seu suprimento de glicogênio diminuem, seus rins começam a se livrar desse excesso

de água por meio da urina, levando à desidratação.[7] Se você eliminou a comida processada da dieta, sua ingestão de sal caiu de forma dramática. É especialmente importante, ao fazer a transição e por todo o período que praticar o estilo de vida KetoFLEX 12/3, permanecer hidratado e suplementar a dieta com sal marinho,* para reabastecer os minerais perdidos. A transição em geral baixa a pressão, mesmo com a adição de sal marinho. Um pequeno subgrupo pode ser suscetível à elevação da pressão arterial com a adição de sal. Monitore sua pressão para ver como você responde.

Possíveis sintomas da gripe cetogênica

- Dores de cabeça
- Dificuldade de concentração — "confusão mental"
- Fadiga
- Náusea
- Mau hálito
- Câimbras nas pernas
- Taquicardia
- Tontura (hipotensão)
- Desempenho físico piorado

TOXINA NA GORDURA Algumas toxinas, incluindo poluentes orgânicos persistentes, ficam armazenadas na gordura animal, incluindo dos humanos. Quando queimamos gordura, sofremos uma nova exposição transitória a nossas próprias toxinas armazenadas, o que pode levar a sintomas que se sobrepõem aos da gripe cetogênica. Como o estilo de vida KetoFLEX 12/3 estimula a queima de gordura, é muito importante promover os meios de suporte de desintoxicação, especialmente durante o período inicial da adaptação cetogênica e enquanto você está perdendo peso demais. A fim de promover a produção de glutationa, que ajuda no detox, priorize vegetais crucíferos,

---

* Se optar por sal sem iodo, não deixe de obter a quantidade adequada de iodo em sua dieta de fontes como peixe e plantas marinhas.

alho, cogumelos, espinafre, aspargo, abacate, quiabo e fígado. Suplementos de curcumina, N-acetilcisteína, ácido alfalipoico, selênio, zinco e cardo-mariano também ajudam na desintoxicação.[8] Permanecer bem hidratado com água fresca e ingerir quantidades generosas de fibras vegetais também promovem o detox.[9] Transpirar com exercícios ou sauna também pode ajudar nesse período.[10]

8. Pirâmide, nível 2: Sirva-se à vontade

Uma coisa boa em excesso pode ser maravilhoso.
Mae West

VEGETAIS

Pegue o que quiser nas gôndolas de frutas, verduras e legumes do mercado ou, de preferência, recorra à sua horta ou à feira local. Vegetais sem amido estão entre os alimentos que são essencialmente ilimitados no plano de dieta KetoFLEX 12/3. Consuma à vontade vegetais de todas as cores do arco-íris. Selecione os de pigmentação mais profunda e vibrante que puder encontrar. Descubra novas variedades silvestres de verduras e ervas aromáticas. Esqueça a alface-americana e opte por variedades arroxeadas e avermelhadas, como o radicchio roxo, que é uma estrela dos antioxidantes, e a alface roxa, rica em antocianinas, um tipo de flavonoide neuroprotetor.[1] Dê asas à imaginação! Desafie-se a conhecer algo novo sempre que for às compras. Experimente couve-rábano, alcachofra, aipo-rábano, quiabo e jícama! Compre produtos orgânicos, locais e sazonais sempre que possível. Em qualquer refeição, seu prato deve ficar coberto na maior parte por uma ampla variedade de vegetais crus e levemente cozidos (o preparo aumenta a biodisponibilidade de alguns nutrientes), temperados de maneira generosa com azeite extravirgem para aumentar a biodisponibilidade dos fitonutrientes e antioxidantes.[2]

Dê preferência a legumes sem amido. O índice glicêmico é uma escala que fornece uma classificação relativa baseada no efeito nos níveis de glicemia. Esses legumes sem amido terão uma classificação abaixo de 35 (açúcar puro é o padrão, com 100). Outro termo útil é carboidratos líquidos, que fornece os carboidratos menos a fibra, em gramas. Em geral, alimentos com baixo índice glicêmico ou carboidratos líquidos têm menor impacto na glicose sanguínea.[3] Combinar qualquer vegetal com gorduras saudáveis, como azeite extravirgem rico em polifenóis, também reduz o impacto glicêmico. Para ajudá-lo a escolher os vegetais com menor chance de afetar seu controle glicêmico, veja a tabela a seguir.

Vegetais

Vegetais	Raízes, talos e folhas (f)	Crucíferos (c)	Frutas, legumes e fungos	Ervas e especiarias
Aipo* ♦	Acelga (C)*	Acelga (F)*	Abacate*	Açafrão*
Alcachofra*	Agrião (C)	Agrião (F)*	Abóbora-bolota*** x	Alecrim*
Alcachofra-girassol* (tupinambo)	Alface*: americana (roxa, verde, mimosa), lisa, salada verde, romana (roxa, verde)	Alface*: americana (roxa, verde, mimosa), lisa, salada verde, romana (roxa, verde)	Abóbora espaguete* x	Canela*
Alho*	Beldroega*	Brócolis ramoso	Abobrinha* ♦ x	Cebolinha*
Alho-poró*	Chicórias*: endívia, escarola, crespa, radicchio	Couve-de-bruxelas*	Abobrinha amarela* x	Coentro*
Aspargo**	Couve *kale* (C)* ♦	Couve-flor*	Azeitona*	Cominho*
Beterraba*** ♦ (cozida)	Couve-manteiga (C)*	Couve-galega (F)*	Berinjela* x	Coriandro*
Beterraba** ♦ (crua)	Espinafre* ♦	Couve *kale* (F)* ♦	Cogumelos*: paris, cantarelo, shimeji-preto, porcini, portobello, reishi, shiitake	Erva-cidreira*
Broto de bambu*	Folha de beterraba*	Couve-manteiga (F)*	Ervilha* x: verde, torta	Estigma de açafrão*
Cebola*	Folha de dente-de-leão (C)*	Couve-rábano*	Moranga*** x	Estragão*

Vegetais	Raízes, talos e folhas (f)	Cruciferos (c)	Frutas, legumes e fungos	Ervas e especiarias
Cebolinha*	Folha de mostarda (C)*	Folha de mostarda (F)*	Pepino* x	Gengibre*
Cenoura*** (cozida)	Folha de nabo (C)*	Folha de nabo (F)*	Pimentões* x	Hortelã*
Cenoura** (crua)	Rúcula (C)*	Grelo*	Quiabo*	Lavanda*
Chalota*		Rabanete*	Tomate* ♦ x	Louro*
Funcho*		Rábano*	Tomate verde* x	Maca*
Jícama*		Radicchio (F)*	Vagem (feijão-verde)* x	Manjericão*
Palmito*		Rábano*		Manjerona*
Raiz de aipo** (aipo-rábano)		Repolhos (F)*: *bok choy*, chinês, napa, lombardo, roxo, verde		Orégano*
Vegetais marinhos*		Rúcula (F)*		Pimenta-do--reino*
				Salsinha*
				Sálvia*
				Sementes/folhas de endro*
				Tomilho*
				Wasabi*

LEGENDA
Folhas (F)
Cruciferos (C)
Índice glicêmico: Baixo* Intermediário** Alto***
Orgânico certificado pelo Departamento de Agricultura Americano ♦
Alto teor de lectinas x

VEGETAIS COLORIDOS são ricos em carotenoides (betacaroteno, licopeno, luteína e zeaxantina) e flavonoides, moléculas anti-inflamatórias e neuroprotetoras poderosas.[4] Procure o arco-íris. Em geral, quanto mais profunda for a pigmentação, maiores os benefícios à saúde. Verduras escuras, repolho roxo, cebola roxa, cenoura (melhor se ingerida crua, pois o cozimento aumenta o efeito glicêmico), berinjela, tomate (em especial cozido, que aumenta o conteúdo de licopeno) e pimentão vermelho, amarelo e laranja são apenas alguns exemplos.

VERDURAS empregam múltiplos mecanismos neuroprotetores. Idosos saudáveis que gostam de comer diariamente folhas verdes têm taxa de declínio cognitivo menos elevada se comparados aos que comem poucas verduras ou nenhuma.[5] As verduras são ricas em ácido fólico, um termo que vem de "folha". Quando combinado à B_{12} e à B_6, o ácido fólico reduz a homocisteína (um derivado da proteína) no sangue, que, se elevada, contribui para a inflamação. A homocisteína alta está correlacionada ao declínio cognitivo, a danos à substância branca, à atrofia cerebral, a emaranhados neurofibrilares e à demência.[6]

FOLHAS ESCURAS, incluindo rúcula, coentro, alface lisa, salada verde, manjericão, folhas de beterraba, alface roxa e acelga, além de ruibarbo e beterraba, são as fontes mais elevadas de nitratos na dieta.[7] Sim, a rúcula é o novo Viagra! (Agora você está prestando atenção?) Os nitratos da planta se convertem em óxido nítrico, um potente vasodilatador, promovendo assim a saúde vascular, relaxando naturalmente os vasos sanguíneos, diminuindo a pressão arterial e aumentando o fluxo de sangue pelo corpo, beneficiando em especial o coração e o cérebro.[8] Outras folhas incluem couve *kale*, espinafre, mostarda, couve-manteiga, alface-romana roxa, dente-de-leão, agrião, rapini, chicória e funcho. Aproveite toda refeição como uma oportunidade para incluir verduras frescas ou levemente salteadas, ricas em nutrientes.

CRUCÍFEROS estão entre os vegetais de maior potência e densidade nutricional. O enxofre dos vegetais crucíferos deixa o sabor um pouco amargo, mas é responsável por muitos benefícios à saúde. Ele é necessário na síntese da glutationa, o principal antioxidante, para a desintoxicação hepática e para a produção de diversos aminoácidos que fornecem o componente estrutural de inúmeros tecidos e hormônios.[9] Os vegetais crucíferos são de enorme ajuda por seu efeito detox. As aliáceas (cebola, chalota, alho, alho-poró) e o gênero *brassica* (repolho, brócolis, couve-flor, couve-de-bruxelas, *bok choy*) ajudam na desintoxicação, protegem contra os danos da oxidação e melhoram a metabolização da glicose.[10] Quando os crucíferos são cortados e mastigados, seus compostos únicos de enxofre são convertidos e liberados. Se for levá-los ao fogão, aguarde de dez a 45 minutos após picar para permitir a liberação de uma enzima sensível ao calor, a mirosinase, que se converte nos saudáveis compostos de enxofre.[11] As melhores formas de consumir crucíferos são por branqueamento, cozinhando levemente no vapor ou salteados em fogo médio para preservar parte da textura crocante.[12] A adição de sementes de mostarda ou algum outro crucífero cru, como brotos de brócolis, pode render os mesmos benefícios, sem a espera.[13]

O brócolis ativa o caminho da Nrf2.[14] A Nrf2 é uma poderosa proteína em nossas células que funciona como "reguladora mestra" da resposta desintoxicante e antioxidante do corpo. A Nrf2 é como um termostato no interior da célula que sente o nível de estresse oxidante e de outros estressores e ativa mecanismos de proteção. A ativação da Nrf2 é uma poderosa estratégia de combate às toxinas e aos *danos oxidativos* associados ao Alzheimer.[15] (Danos oxidativos são os efeitos dos radicais livres e estão relacionados a substâncias químicas prejudiciais.) Ao ingerir broto de brócolis (consumir até três ou quatro dias após a compra), temos acesso à forma mais potente de ativador cerebral. Você pode cultivá-lo em casa (se comprar, que seja orgânico, com sementes certificadamente livres de patógenos, já que todo tipo de broto está sujeito a contaminação.) Uma alternativa são os suplementos de sulforafano.

ABACATE, AZEITONA E TOMATE são as deliciosas joias mediterrâneas de toda salada. Tecnicamente são frutas, e assim como no caso dos outros vegetais nós encorajamos seu consumo generoso. Há uma sobreposição considerável entre a categorização das frutas e dos demais alimentos vegetais quando consideramos todas as partes comestíveis das plantas: folhas, caules, raízes, tubérculos, oleaginosas, sementes e flores com sementes. Abacates, azeitonas e tomates são flores com sementes, conhecidos em termos botânicos como *fruto*. Da perspectiva culinária, porém, são com frequência usados para compor o cardápio de saladas, devido a seu sabor.

O abacate é um dos alimentos mais saudáveis que existem. Essa fruta tem uma das gorduras mais benéficas (monoinsaturadas) e é quase livre de açúcar. O abacate não induz picos de glicose e pode nos ajudar a entrar em cetose. É rico em potássio, magnésio e vitaminas C e E, e sua gordura ajuda na absorção de vitaminas solúveis em gordura (A, D, E e K).[16] Também é rico em fibra solúvel e dá suporte à saúde metabólica, bem como à quantidade de partículas LDL pequenas e densas e lipoproteína de baixa densidade.[17] O abacate pode ser adicionado com facilidade a qualquer refeição e nem precisa ser orgânico, devido à casca grossa que o protege.

A azeitona tem teor de carboidrato baixo e de gorduras benéficas (monossaturadas) elevado, com perfil de fitonutrientes rico, e desse modo representa um acréscimo saudável a qualquer salada, mas também pode ser consumida à parte.[18] Ela possui ação antioxidante, anti-inflamatória, antiaterogênica, anticâncer, antimicrobiana e antiviral, além de ter efeito na redução da glicose e dos lipídios.[19] Como é naturalmente amarga, a azeitona é curada em salmoura, contribuindo para o sabor salgado. Antes disso, as azeitonas precisam ser fermentadas. O processo de fermentação as torna naturalmente ricas em lactobacilos, uma bactéria boa para a flora intestinal, contribuindo ainda mais para suas características saudáveis.[20]

Tomates são parte integrante da dieta mediterrânea, conhecidos por suas propriedades saudáveis.[21] Eles são ricos em *carotenoides* (pigmentos vegetais responsáveis pelo matiz vermelho, amarelo e laranja brilhante de muitas frutas e legumes), em especial licopeno, que protege contra câncer, cardiopatia, estresse oxidativo e doenças oculares.[22] Adultos mais velhos, com dieta rica em carotenoides combinados a ômega-3, revelaram melhor desempenho cognitivo e maior eficiência da rede cerebral.[23] Como os carotenoides são solúveis em gordura, consuma-os junto com a gordura da sua dieta para potencializar a quantidade de polifenóis e carotenoides neuroprotetores.[24] Um simples molho refogado pode ser um modo delicioso de conseguir exatamente isso! A maioria dos pratos mediterrânicos é composta de molho de tomate, alho, cebola e pimentão cozidos em azeite de oliva. Um estudo recente mostrou que uma única porção de molho inibe de forma poderosa os marcadores inflamatórios.[25] Vale notar que na região do Mediterrâneo os tomates são em geral consumidos sem casca e sem sementes, reduzindo o conteúdo de lectina. Tomates em lata são feitos na pressão, o que também reduz as lectinas. Escolha os certificadamente orgânicos, de preferência descascados e sem sementes.

ERVAS E ESPECIARIAS são parte integrante do preparo de alimentos frescos e integrais. Elas com frequência contêm muito mais antioxidantes e *polifenóis* do que os vegetais tradicionais.[26] (Polifenóis são os compostos vegetais que protegem contra danos celulares.) As ervas e especiarias também possuem propriedades antivirais e antimicrobianas reconhecidas.[27] Salsinha, manjericão, coentro, alecrim, sálvia, tomilho, orégano, funcho, coriandro, cominho e hortelã podem ser adicionados facilmente a qualquer refeição, mesmo em marinadas e azeites, para acentuar não só o sabor, como os benefícios à saúde. Muitas ervas e especiarias comuns, como açafrão (estigmas ou em pó), canela, gengibre, ginseng, sálvia, alho, pimenta-do-reino e páprica revelaram exercer qualidades neuroprotetoras que podem ajudar na prevenção e até no tratamento da doença de Alzheimer.[28]

- O **AÇAFRÃO** é a estrela do corredor das especiarias. É um ingrediente fundamental do curry, usado como tempero e remédio na Índia há milhares de anos. Tanto o açafrão em pó como sua raiz ralada podem ser utilizados na cozinha para dar um sabor pungente, com toques que lembram gengibre, mostarda ou rábano (cuidado que às vezes o açafrão em pó vem contaminado com chumbo, então é melhor comprar de fonte confiável). A curcumina é o ingrediente ativo do açafrão e possui não só efeitos anti-inflamatórios como também de aglutinação dos beta--amiloides. Embora nossa absorção da curcumina seja ruim, combiná-la com a pimenta-do-reino aumenta sua biodisponibilidade em 2000%.[29] Além disso, o curry indiano contém elementos que também aumentam a biodisponibilidade da curcumina: a gordura do leite de coco (açafrão em pó é solúvel em gordura), alimentos contendo quercetina (como cebola) e o processo de aquecimento. Muitos estudos foram realizados para demonstrar a eficácia da curcumina em tratar demência por meio de diversos mecanismos, mas um dos mais empolgantes foi um pequeno ensaio clínico randomizado, duplo cego, controlado por placebo feito na Universidade da Califórina em Los Angeles (UCLA). Os participantes, entre cinquenta e noventa anos, com problemas leves de memória, mas sem diagnóstico de Alzheimer, foram selecionados aleatoriamente para ingerir por dezoito meses noventa miligramas de curcumina ou um placebo. A função da memória dos que receberam a curcumina subiu 28% no decorrer do estudo. Seus sintomas depressivos diminuíram, assim como o nível de beta-amiloide e tau no cérebro.[30]
- O **ESTIGMA DE AÇAFRÃO**, de longe a especiaria mais preciosa encontrada em mercados e mercearias de luxo, pode ser facilmente identificado por seus longos filamentos vermelhos, embora às vezes seja consumido em pó. Quando usado para cozinhar, o sabor é terroso e adocicado, não muito diferente do mel, além de colorir a comida com um rico tom dourado.[31] O estigma do açafrão foi recém-testado em pacientes com Alzheimer em um pequeno ensaio clínico, com resultados impressionantes.[32]

- Os **CHÁS** com frequência são compostos de ervas secas, algumas das quais revelaram proteger contra o Alzheimer. A epigalocatequina-3-galato (EGCG), um flavonoide encontrado no chá verde, penetra na barreira sangue-cérebro e é o principal componente anti-inflamatório desse tipo de chá. Certifique-se de manter a temperatura da água abaixo dos 75°C para preservar os benefícios à saúde. Ele pode ser consumido usando a técnica *cold brew*, mas apenas se preparado em menos de duas horas. Se possível, compre folhas para fazer o chá (a serem usadas com um infusor), já que agora algumas empresas têm acrescentado plástico aos sachês, que, combinado à água aquecida, libera partículas plásticas na bebida. O chá *matcha* tem a concentração mais elevada de EGCG, 137% maior do que o chá verde. Assegure-se de comprar *matcha* orgânico de origem japonesa (não chinês), evitando a contaminação de metais pesados. No preparo do *matcha*, tanto faz se a água for quente ou fria, já que não é necessário infusão.

PLANO DE AÇÃO

- Coma diariamente *pelo menos* de seis a nove xícaras de vegetais profundamente pigmentados, orgânicos, sazonais, locais, sem amido, aumentando gradualmente a quantidade.
- Inclua verduras, em especial as que produzem óxido nítrico.
- Inclua vegetais crucíferos, prestando atenção no preparo para maximizar os benefícios à saúde.
- Motive-se a sempre levar para casa um vegetal novo (ou uma nova variedade de um conhecido) toda vez que for às compras, para expandir seu repertório.
- Inclua ervas frescas, especiarias e chás.

RISCOS

INTERFERÊNCIA NA VARFARINA Se você toma medicação com varfarina, seu médico deve aprovar e monitorar qualquer alteração na ingestão de alimentos ricos em vitamina K, como verduras e legumes (e frutas também). A varfarina funciona como um anticoagulante ao interferir na vitamina K e, portanto, aumentar a vitamina K pode diminuir sua eficácia.

PESTICIDAS/HERBICIDAS Glifosato e outros herbicidas e pesticidas muito difundidos são tratados no cap. 19. Além do mais, outros pesticidas conhecidos por serem prejudiciais à saúde humana que foram proibidos em outros países, mas ainda são usados nos Estados Unidos, incluem o paraquat (ligado à doença de Parkinson e a problemas renais e pulmonares), o 1,3-dicloropropeno (classificado como provável carcinógeno humano pela Agência de Proteção Ambiental) e a atrazina (um disruptor endócrino, que desregula o sistema imune e é um possível carcinógeno, com efeitos sobre a reprodução e o desenvolvimento).[33]

A lista anual do Environmental Working Group com os Doze Sujos e os Quinze Limpos pode ajudá-lo a priorizar frutas e legumes permitidos ao comprar orgânicos. A escolha de produtos orgânicos pode ser particularmente importante para portadores de ApoE4. A pesquisa mostra que esse grupo corre risco significativamente maior de declínio cognitivo com altos níveis de pesticidas tóxicos no sangue.[34] Embora o DDT e o DDE tenham sido proibidos há anos nos Estados Unidos e no Canadá, um pouco da contaminação herdada permanece até hoje. A evidência indica que o solo pode continuar tóxico por mais de quinze anos, enquanto ambientes aquáticos revelam contaminação por mais de 150 anos.[35]

Os níveis podem ser bem mais elevados em produtos de países onde o uso segue sendo permitido até hoje ou nos quais a proibição é mais recente. Esses pesticidas tóxicos se acumulam na gordura corporal e 80% dos americanos saudáveis ainda exibem níveis demonstráveis deles no sangue.[36] Comprar alimentos orgânicos certificados é o caminho mais seguro para garantir que você esteja sofrendo uma exposição mínima.

Os **ORGANISMOS GENETICAMENTE MODIFICADOS (OGM)** se infiltraram em nossa cadeia alimentar. O raciocínio por trás deles era criar plantas que pudessem tolerar mais herbicidas e produzir seus próprios pesticidas. A engenharia dessas características trouxe benefícios econômicos, mas também levou a uma maior exposição ao herbicida glifosato (conhecido comercialmente como Roundup) e a uma série de malefícios para a saúde.[37] Evite qualquer produto de OGMs (e os animais que se alimentam deles), o que inclui a maior parte da soja, do milho, da canola, dos laticínios, do açúcar, do trigo e da abobrinha. O rótulo ORGÂNICO CERTIFICADO PELO DEPARTAMENTO DE AGRICULTURA DOS ESTADOS UNIDOS significa que o produto não deve conter OGM. O rótulo PROJETO NÃO OGM VERIFICADO fornece teste de resíduo a 0,9% em múltiplos níveis de produção.

BPA/BPS O bisfenol A e o bisfenol S são primos químicos comumente encontrados em plásticos, revestimento de comidas e bebidas enlatadas, recibos de máquinas de cartões e outros produtos de consumo. O BPA é conhecido por causar danos ao cérebro e ambas as substâncias são disruptores endócrinos. Procure o rótulo LIVRE DE BPA em plásticos ou produtos enlatados. Se não houver, olhe embaixo e procure o número de reciclagem. Evite o sete. Fique atento, pois mesmo LIVRE DE BPA pode conter BPS. Para evitar ambas as substâncias químicas, opte pelas embalagens Tetra Pak (compostas de 75% de papelão). Elas são rotuladas com a designação FSC, de Forest Stewardship Council [Conselho de Administração Florestal]. Isso é particularmente importante no caso do tomate enlatado, uma vez que sua acidez pode causar lixiviação adicional dessas substâncias químicas tóxicas. Mais um motivo para evitar alimentos industrializados e cozinhar com ingredientes frescos sempre que possível.

METAIS PESADOS Os metais pesados são uma preocupação em quaisquer produtos vegetais de países em desenvolvimento ou de países industrializados conhecidos por serem altamente poluídos, como China e Índia. Com muita frequência, nesses lugares, a água residual da irrigação ou dos subprodutos da mineração e fundição contribuem para a contaminação do solo com metais pesados.[38] Tenha em vista que um terço de todos os legumes e metade de todas as frutas são importados, então não temos como saber se esses produtos orgânicos são seguros.[39] Eles são submetidos a inspeções e testes no local, mas é impossível saber com que frequência isso é feito.[40] Por esse motivo, recomendamos comprar apenas orgânicos certificados pelo Departamento de Agricultura americano.

LECTINAS As lectinas são proteínas que se ligam a açúcares e podem causar inflamação no sistema digestivo comprometendo a integridade intestinal (intestino permeável), bem como levar a enfermidades autoimunes sistêmicas e disseminadas. Os alimentos com alto teor de lectinas incluem cereais, pseudocereais, leguminosas, alguns legumes (em especial solanáceas como tomate, batata, berinjela, *goji berries*, pimentões e pimenta), oleaginosas (em particular castanha-de-caju) e sementes. Preparar leguminosas na pressão, deixando de molho antes, fazer a brotação de castanhas ou sementes, descascar e remover as sementes dos vegetais ricos em lectina, em especial as solanáceas, reduz a quantidade da substância. Entretanto, esses métodos podem não bastar para as inúmeras pessoas suscetíveis a seus efeitos inflamatórios. Elas podem necessitar de um programa para ajudar a identificar e eliminar a causa de sua inflamação e a subsequente cura intestinal antes da reintrodução (ver cap. 9). *The Plant Paradox*, escrito pelo dr. Steven Gundry, pode ser útil para quem busca explorar mais o assunto.

FODMAPs Especialmente ao aumentar as aliáceas (sobretudo cebola e alho), outros vegetais crucíferos ou leguminosas, qualquer um fica vulnerável a inchaço e gases. Ver a seção FODMAP no cap. 9 para mais informação sobre como tratar o problema. Muitas vezes, a única intervenção necessária pode ser apenas reduzir a quantidade desses alimentos até o intestino ter oportunidade de otimização.

GOITROGÊNICOS Historicamente, o bócio (tireoide aumentada) ocorria em resposta à falta de iodo no solo (antes da introdução do sal iodado). Grandes quantidades de vegetais crucíferos (bem como muitos outros alimentos, medicações e substâncias químicas) inibem a absorção do iodo pela glândula tireoide, reduzindo sua produção hormonal. Os vegetais crucíferos devem ser consumidos pelo menos minimamente cozidos, uma vez que o cozimento reduz o efeito goitrogênico, que estimula o bócio. A tireoidite de Hashimoto é em geral causada por uma resposta autoimune. Mas se a deficiência de iodo é um problema, você deveria considerar fontes de alimento para substituí-lo (sal marinho, algas e outros vegetais marinhos, peixe e ovos) e evitar grandes quantidades (acima de meio quilo) de crucíferos crus até seus níveis de iodo ficarem adequados. Paradoxalmente, o excesso de iodo também pode causar tireoidite de Hashimoto, o que é um problema, em especial, com o consumo de comida processada e/ou de restaurantes, que utilizam quantidades copiosas de sal iodado.

OXALATOS Alimentos com teor elevado de *oxalatos*, compostos causadores de pedras e inflamação renais quando ingeridos em grandes quantidades por indivíduos geneticamente suscetíveis (ou qualquer um com saúde intestinal prejudicada), incluem noz-pecã, amêndoa, espinafre, ruibarbo, beterraba, folhas de beterraba e chocolate. Como verduras encolhem com o preparo, é fácil consumi-las em excesso. Fique alerta para urina com cheiro forte, infecções urinárias frequentes, pedras nos rins ou mesmo dores semelhantes à fibromialgia e a sintomas neurológicos. Seu médico pode checar seus níveis de oxalato urinário para confirmar. A redução dos alimentos carregados de oxalatos costuma corrigir o problema. O cozimento, fermentação e brotação reduz os oxalatos. À medida que seu intestino se recupera, você pode aumentar gradualmente seu consumo.

INTOLERÂNCIA À HISTAMINA Algumas pessoas, principalmente com intestino permeável ou tomando certos medicamentos (como metformina), são sensíveis à histamina, um neurotransmissor que em geral protege nossos sistemas imune, digestivo e nervoso. Se você é intolerante, pode desenvolver sintomas semelhantes a alergias ou enxaquecas após ingerir alimentos ricos em histamina, como espinafre, abacate, solanáceas, comidas fermentadas, caldo de tutano ou chá. Ver cap. 9 para mais informações.

GORDURAS SAUDÁVEIS

Com o estilo de vida KetoFLEX 12/3, consuma à vontade gorduras saudáveis. Além de saciar, elas têm tamanha densidade calórica que dificilmente abusamos delas. Entendo que aumentar a gordura seja de início assustador para muita gente, considerando as recomendações feitas durante décadas e repetidas até hoje por muitos na classe médica e presentes em todas as diretrizes alimentares oficiais. Esse modo de pensar está mudando pouco a pouco com base no reexame das evidências que levaram a essas recomendações mal fundamentadas.[41]

Mais importante, gorduras saudáveis ajudam a promover a criação de corpos cetônicos para compensar o déficit de combustível neural que precede e acompanha o Alzheimer. Ao combinar gorduras saudáveis a uma dieta sobretudo vegetariana, rica em antioxidantes, de pouco carboidrato, além de jejum e exercício, podemos gerar cetonas com mais facilidade do que apenas com dieta.

A dieta rica em gorduras saudáveis otimiza os marcadores de glicose de maneira mais efetiva do que uma com muito carboidrato. Meta-análise recente (uma revisão de múltiplos estudos) de mais de cem artigos revelou que a substituição dos carboidratos por gordura insaturada melhorava de forma significativa os marcadores de glicose. Apenas reduzir os carboidratos e a gordura saturada não bastava. Só quando as duas coisas eram substituídas por alimentos com elevado teor de gordura insaturada — óleos vegetais saudáveis como azeite, abacate, peixes gordos, oleaginosas e sementes — a melhora significativa da glicose foi demonstrada. Para cada 5% de aumento energético em gordura monoinsaturada ou polinsaturada, a A1c melhorou em 0,1%. Pode não parecer muito, mas os autores estimam que uma redução de 0,1% na A1c diminuiria a incidência do diabetes tipo 2 em 22% e das doenças cardiovasculares em quase 7%.[42]

Diversos estudos mostram que, em uma dieta mediterrânea, as gorduras são o componente responsável pela melhora cognitiva, mesmo entre portadores de ApoE4. Um estudo dessa dieta comparando uma versão rica em gorduras (azeite e oleaginosas) com uma com poucas gorduras indicou cognição melhorada no primeiro grupo.[43] Essa tendência vigorou até entre portadores do ApoE4.[44] Em outro estudo recente, 180 idosos participaram de um ensaio clínico em que todos fizeram uma dieta mediterrânea por um ano. Metade também recebeu a suplementação de trinta gramas (duas colheres de sopa) de azeite de oliva extravirgem (EVOO). O grupo que recebeu a maior quantidade de gordura na dieta demonstrou melhora significativa na cognição.[45]

O cérebro é composto de 60% a 70% de gordura. A gordura serve de suporte para neurônios, membranas mitocondriais, bainhas da mielina (isolamento da condução nervosa) e outras estruturas. A qualidade da gordura consumida contribui para a sua funcionalidade.[46]

Há quatro tipos principais de gordura. (A maioria dos alimentos contém uma mistura delas, mas em geral uma gordura predomina.)

1. Ácidos graxos monoinsaturados (MUFAs): abacate, azeitona, azeite, oleaginosas e sementes
2. Ácidos graxos polinsaturados (PUFAs)
   - Ômega-3:
     - Ácido eicosapentaenoico (EPA) e ácido docosa-hexaenoico (DHA): algas, krill e peixes gordos de águas frias
     - Ácido alfalinolênico (ALA): nozes, linhaça, sementes de chia, óleo de perilla, sementes de cânhamo e soja
   - Ômega-6: oleaginosas, sementes e óleos de oleaginosas e sementes

3. Ácidos graxos saturados (SFA): gorduras animais, incluindo carne e laticínios; coco; e óleo MCT
4. Gorduras trans:* margarina, gorduras hidrogenadas e outros produtos duráveis (cookies, bolos, bolachas, chips, pipocas de micro-ondas) e alimentos fritos (batata frita, donuts e a maioria das frituras de restaurante)

* Os fabricantes podem alegar no rótulo que seu produto é 0% de gordura trans mesmo incluindo mais de 0,5 grama por porção. As múltiplas porções se somam!

Gorduras trans, produtos industriais hidrogenados e óleos de semente são os únicos vilões incontestáveis aqui. Priorize o uso de gorduras monoinsaturadas vegetais, ômega-3 e saturadas. Essas gorduras, sob as circunstâncias certas (dependendo de métodos de processamento, origem vegetal, se baixas em carboidratos, com elevado conteúdo de fibras e uma boa proporção de ômega-6 para ômega-3), podem compor uma parte (caloricamente) substancial de sua dieta, levando ao perfil metabólico saudável.

Quanto mais saturada a gordura, mais estável e menos propensa a oxidação e rancidez. Entretanto, sugerimos uma quantidade limitada de gordura animal, em parte porque as toxinas ficam armazenadas e se acumulam nela.[47] Por esse motivo, produtos animais de origem natural ou orgânica são *sempre* preferíveis.[48] Portadores de ApoE4 tendem à hiperabsorção de gordura, resultando em colesterol elevado. Por via das dúvidas, recomendamos limitar os ácidos graxos saturados e priorizar MUFAs e PUFAs, como azeite, oleaginosas, sementes, abacate e peixes gordos.

Ômega-3 e ômega-6 são PUFAs essenciais, ou seja, nós devemos obtê-los através de nossa dieta, uma vez que não são sintetizados pelo corpo. Por serem polinsaturados, são mais propensos a oxidação e rancidez, que promovem inflamação, em especial em estruturas com muita gordura, como nosso cérebro.[49] Ômega-3 é anti-inflamatório e o ômega-6, pró-inflamatório. Nossa dieta industrializada insalubre, com óleos vegetais, cereais e animais alimentados com cereais, direcionou nosso consumo para o ômega-6. Nossa proporção ancestral de ômega-6 para ômega-3 era mais próxima de 1:1, enquanto o consumidor da dieta padrão americana (SAD) atual muitas vezes apresenta a elevada proporção de 25:1.[50] Alcançar a proporção ancestral de 1:1 é quase impossível em nossa era moderna e não se preocupe muito em tentar conseguir isso com uma dieta de alimentos integrais. Sugerimos a meta de 4:1 ou inferior, sem ficar abaixo de 0,5:1, uma vez que proporções tão baixas estão associadas a hemorragia, devido ao afinamento excessivo do sangue. Se você tem tendência a sangramento ou histórico familiar de AVC (em especial homens homozigóticos ApoE4), veja a advertência na p. 191 no cap. 12.

Para estimular um perfil mais anti-inflamatório, sugerimos eliminar todos os óleos vegetais ômega-6 insalubres e aumentar as gorduras ômega-3 saudáveis.

Evite gorduras processadas com calor ou por extração química. Opte sempre por óleos prensados a frio. Compre produtos acondicionados em potes de vidro, uma vez que o óleo pode fazer o plástico lixiviar, levando à exposição tóxica, que é cumulativa.[51] Para óleos insaturados como azeite de oliva extravirgem, óleo de alga ou de abacate, é preferível vidro escuro.

Gorduras saudáveis

Azeite de oliva extravirgem (elevado em polifenóis, data de colheita conhecida, prensagem a frio)	Coco e óleo de coco ♦♥ (não refinado, prensagem a frio, virgem ou extravirgem, sem processamento químico)
Abacate e óleo de abacate	Óleo MCT ♥
Oleaginosas	Óleo de palma (dendê) ♥ (não refinado, virgem, certificado como sustentável)
Sementes	Manteiga de cacau
Óleo de nozes	Peixes gordos ♥
Óleo de macadâmia	Gema de ovo ♥ (de criação orgânica)
Óleo de gergelim	Ghee ♥ (de criação orgânica)
Óleo de perilla	Manteiga (D) ♥ (de criação orgânica)
Algas ou óleo de alga	Banha ♥ (de criação orgânica)

LEGENDA
Certificado orgânico pelo Departamento de Agricultura dos Estados Unidos ♦
Laticínio inflamatório (D)
Elevado teor de ácidos graxos saturados ♥

Azeite extravirgem: Uma excelente opção para a saúde do cérebro

Ao escolher as gorduras da sua dieta, priorize o azeite de oliva extravirgem fresco e rico em polifenóis, um componente essencial do azeite que contribui para as propriedades protetoras do coração e dos nervos. Há inúmeros mecanismos pelos quais o azeite de oliva extravirgem confere benefícios à saúde: promoção da autofagia, incremento dos marcadores metabólicos, redução da neuroinflamação, melhora da integridade sináptica, redução de beta-amiloide e tau e aumento no fator neurotrófico derivado do cérebro.[52] O azeite extravirgem também melhora os perfis lipídicos, promovendo o efluxo (eliminação) de colesterol, melhorando a funcionalidade do HDL (colesterol "bom") e reduzindo a oxidação por LDL (colesterol "ruim"). O objetivo é promover tanto a saúde cerebral como a cardíaca.[53]

Procure o azeite mais fresco possível e com contagem de polifenóis mais elevada que seu paladar permitir. O teor elevado de polifenóis confere um amargor ao azeite que leva certo tempo para aprendermos a apreciar, mas o esforço vale a pena. O site Ultra Premium Extra Virgin Olive Oil o ajudará a encontrar o azeite mais fresco e de maior qualidade, com data de colheita conhecida e a química detalhada, muitas vezes pelo mesmo preço das marcas encontradas no mercado, que muitas vezes são misturados com óleos mais baratos.[54] O azeite extravirgem deve ser usado principalmente como tempero (servido à temperatura ambiente). Fica maravilhoso quando combinado a vinagres de baixo teor glicêmico ou frutas cítricas para fazer molhos de saladas. Cozinhar com azeite causa alguma degradação do conteúdo de polifenóis e vitamina E.[55] Se optar por fazer isso, assegure-se de usar uma variedade de azeite rica em polifenóis e mantenha o fogo baixo, minimizando os efeitos prejudiciais do aquecimento.

Cozinhando com gorduras

Para uso culinário, opte por óleos com ponto de fumaça elevado, ou seja, que não produzam fumaça (associada à deterioração do óleo) a temperaturas elevadas. A temperatura do fogo médio na cozinha gira em torno de 177°C. Boas opções para preparo incluem óleo de abacate (ponto de fumaça 261°C), *ghee* (252°C), óleo de gergelim (210°C), óleo de coco (177°C) e manteiga (177°C). O ponto de fumaça do azeite de oliva extravirgem está entre 160°C e 210°C, com o maior número refletindo conteúdo de polifenóis mais elevado. Você pode aperfeiçoar as qualidades saudáveis do azeite acrescentando ervas como alecrim.[56]

Oleaginosas e sementes: Usinas de nutrição

Quem come oleaginosas vive mais.[57] Elas protegem tanto o coração como os nervos, ajudam a cetose e são excelente fonte de gordura saudável, proteína, vitaminas, minerais e fibras.[58] Oleaginosas e sementes são melhores se consumidas frescas, orgânicas e cruas, deixadas de molho ou em brotação, uma vez que esses métodos reduzem lectinas, fitatos e inibidores de enzimas, que prejudicam a digestão e a absorção de nutrientes.[59] Oleaginosas e sementes podem ser consumidas cruas, substituindo laticínios, levemente salteadas ou assadas. Se você prefere o sabor de oleaginosas e sementes assadas, melhor desidratá-las ou assá-las a baixas temperaturas, entre 77°C-104°C, com o tipo de oleaginosa ou semente determinando a temperatura e o tempo. Ao prepará-las no forno, vire de tempos em tempos para assar por igual. Todas têm proporções variadas de diferentes tipos de gorduras: MUFAs (ácidos graxos monoinsaturados), PUFAs (ácidos graxos polinsaturados) e SFAs (ácidos graxos saturados). PUFAs são particularmente suscetíveis a oxidação e rancidez quando aquecidos a temperaturas elevadas. Você pode experimentar misturar as oleaginosas e sementes com várias especiarias — páprica, cominho, curry e sal marinho são boas opções — antes de levar ao forno. Pode também saltear lascas de amêndoa em fogo baixo com sal marinho, alho e alecrim como acompanhamento crocante para uma salada, ou misturar nozes cruas com uma pequena quantidade de stevia e canela para adoçar e misturar com iogurte ou kefir. (Leite de oleaginosas são um excelente substituto para laticínios — ver cap. 11.)

Quando não puder preparar as oleaginosas e as sementes, opte por assá--las a seco (sem adição de óleos) como a segunda melhor alternativa (embora inclua temperaturas muito elevadas, o que degrada algumas — não todas — das propriedades saudáveis).[60] Oleaginosas assadas com óleos prejudiciais à saúde (listados na p. 130) não são recomendadas. Armazenar quantidades maiores de oleaginosas e sementes no freezer e quantidades menores na geladeira ajuda a preservar o frescor.

Noz, macadâmia, pistache, noz-pecã, castanha, amêndoa, avelã, pinoli, semente de gergelim ou gergelim preto, semente de cominho-preto, linhaça ou semente de cânhamo são excelentes opções. Castanha-de-caju, semente de abóbora, girassol e chia, embora boas opções, podem ser problemáticas para pessoas sensíveis a lectinas. (Deixar de molho e em brotação são dicas úteis.) O consumo de castanha-do-pará, uma excelente fonte de selênio, deve ser controlado, uma vez que tem 68-91 microgramas de selênio por castanha; cinco castanhas excedem a quantidade máxima recomendada para adultos (quatrocentos microgramas) e pode trazer efeitos colaterais tóxicos.[61]

As nozes estão associadas à saúde cerebral e cognitiva devido a seu elevado conteúdo de ácidos graxos ômega-3, mas devem ser consumidas cruas e mantidas protegidas do calor, uma vez que PUFAs se oxidam com facilidade.[62]

- Descobriu-se que avelãs exercem um efeito neuroprotetor e são particularmente úteis para proteger contra a atrofia cerebral.[63] Além do mais, devido a sua rica composição de MUFAs, descobriu-se que reduzem o LDL e o colesterol total.[64] Elas têm alta quantidade de fitatos (antinutrientes), e portanto o consumo deve ser limitado.
- A macadâmia exerce um efeito positivo nos perfis lipídicos. Seu conteúdo de MUFAs é mais elevado do que em qualquer outra oleaginosa, além de ter pouco carboidrato e lectina.[65]
- A noz-pecã, excelente por sua alta proporção de gorduras saudáveis para carboidratos e proteínas, melhora a HOMA-IR (avaliação de modelo homeostático para resistência à insulina, uma medida da resistência à insulina) e reduz o risco de doença cardiometabólica.[66]
- A amêndoa — com alta quantidade de proteína, MUFAs e antioxidantes — mostrou-se neuroprotetora, melhora o controle glicêmico e os perfis lipídicos e reduz o estresse oxidativo.[67] A casca marrom contém a maior concentração de antioxidantes, bem como de lectinas.[68] (Se você tem sensibilidade, pode consumir amêndoas descascadas.) Nos

Estados Unidos, as amêndoas são pasteurizadas por lei, mesmo quando recebem o rótulo de cruas. Vendedores que comercializam pequenas quantidades podem fornecer amêndoas cruas de verdade.

- A linhaça, também rica em ácidos graxos ômega-3, beneficia a saúde coronária e geral.[69] O ômega-3 vegetal da linhaça é chamado de ácido alfalinolênico (ALA). A semente de linhaça é a fonte mais rica de lignanas, um tipo de polifenol que ajuda a balancear os hormônios. É também excelente fonte de antioxidantes e fibra. A linhaça deve ser consumida crua e recém-moída, ou deixada de molho na água durante a noite ou brotada para tornar seus conteúdos ricos em nutrientes mais biodisponíveis e digestíveis.[70] A semente de linhaça fica rançosa facilmente, então moa pequenas quantidades por vez e ponha na geladeira, com o resto das sementes integrais sendo alocadas no freezer.

Oleaginosas e sementes oferecem um modo saudável de aumentar a gordura na dieta e promover a cetose. São caloricamente densas, o que pode ser útil se você quiser ganhar peso. Do mesmo modo, se acha que está ganhando peso com a dieta KetoFLEX 12/3, pode reduzir o consumo.

AMANTES DE CAFÉ, ALEGRAI-VOS!

O grão que moemos na verdade é a semente do fruto, proporcionando-nos uma bebida robusta e aromática originada na Etiópia, que é apreciada desde o século XV. Diversos estudos revelaram que nossa adorada xícara matinal está fortemente associada a boa saúde e longevidade.[71] Descobriu-se também que o café fornece benefícios neuroprotetores e está associado a menor risco de declínio cognitivo. Seu efeito estimulante aumenta o alerta e o desempenho cognitivo e previne o declínio da memória no cérebro idoso ou com Alzheimer.[72] Os polifenóis e compostos bioativos do café exercem esses efeitos saudáveis, com quase qualquer método de preparo oferecendo benefícios, mesmo nos produtos descafeinados. Os efeitos benéficos do café incluem a capacidade de aumentar o AMP cíclico (um mensageiro celular crucial para a memória), gerar sensibilidade à insulina e estimular resposta antioxidante. O café regula o sistema Nrf2, ativando mecanismos protetores no interior das células.[73] Os compostos bioativos exercem um efeito anti-inflamatório e bactericida, oferecendo proteção contra diabetes e alguns cânceres.[74] Os fenilindanos, compostos formados no processo de fervura, também inibem a formação de beta-amiloides e emaranhados tau.[75]

Quem está preocupado com a interferência de sua xícara matinal na cetose já pode relaxar! Pesquisadores descobriram que o café na verdade aumenta as cetonas plasmáticas.[76] Quando em jejum, desfrute de seu café preto com adoçantes aprovados em pequena quantidade, conforme necessário. Pessoas resistentes à insulina e com dificuldade de jejuar talvez queiram considerar a adição de uma pequena quantidade de MCT ao café até se recuperarem e começarem a gerar as próprias cetonas endógenas. Além disso, melhor comprar café orgânico, livre de mofo, em especial se você está tratando Alzheimer tipo 3 (tóxico).

Embora o café traga muitos benefícios, precisamos ter cautela. É comprovado que beber mais de um litro por dia eleva os níveis de homocisteína em 20%.[77] A homocisteína elevada está associada à atrofia cerebral e à cognição diminuída.[78] Consuma com moderação e nunca após o meio-dia, sobretudo se a sua metabolização do café é lenta. Café em excesso ou consumido mais tarde no dia pode afetar os ritmos circadianos e a qualidade do sono. Tenha em mente que a acidez da bebida pode exacerbar a queimação no estômago (doença do refluxo gastroesofágico, ou GERD). Além disso, quem enfrenta estresse crônico, acompanhado de cortisol elevado, talvez tenha de evitar cafeína até as causas subjacentes serem tratadas.

Exemplos de gorduras prejudiciais

- Óleo de soja
- Óleo de milho
- Óleo de canola
- Óleo de amendoim
- Óleo de girassol
- Óleo de cártamo
- Óleo de algodão
- Óleo de palmiste
- Gorduras trans

A lista não é exaustiva. De modo geral, evite óleos de sementes, cereais, favas ou quaisquer óleos vegetais que sejam polinsaturados, tenham ômega-6, sejam extraídos por calor ou quimicamente, OGM ou refinados.

PLANO DE AÇÃO

- Aumente a gordura saudável (aumentando o consumo de vegetais) para curar a resistência à insulina conforme gera cetonas para alimentar o cérebro.
- Priorize azeite extravirgem rico em polifenóis, abacate, oleaginosas e sementes.
- Lembre-se de evitar alimentos altamente glicêmicos e inflamatórios junto com a gordura da dieta.
- Fique atento: durante o processo curativo, sua necessidade de gordura na dieta pode diminuir com o tempo.

RISCOS

PERTURBAÇÕES GASTRINTESTINAIS Talvez ajude ajustar seu consumo de gordura ou, no caso de oleaginosas e sementes, seu consumo de gordura e lectina, aumentando devagar. O ajuste pode ser mais difícil para pessoas com a função da vesícula biliar comprometida. Se o aumento da gordura na dieta causar dor na parte superior direita do abdômen, consulte um médico para descartar doença da vesícula biliar. A vesícula biliar é o local de armazenamento da bile, que quebra a gordura. Pessoas sem vesícula biliar costumam tolerar uma dieta rica em gordura sem problemas, mas alguns talvez ainda necessitem aumentar devagar. Quem desenvolve complicações gastrintestinais (incluindo diarreia) pode considerar o uso de enzimas digestivas com lipase, bile de boi ou ervas amargas. Ver cap. 9 para mais informações.

PERDA DE PESO Muitas pessoas que aumentam a gordura na dieta perdem peso porque ela sacia tanto que, sem perceber, passam a consumir poucas calorias. (Ver **RISCOS** no cap. 7.)

GANHO DE PESO Alguns ganham peso quando aumentam a gordura da dieta. Essas pessoas talvez precisem ampliar seu período de jejum e aumentar o exercício. Talvez estejam consumindo mais carboidratos do que imaginam, contribuindo para a resistência à insulina persistente. O uso de um monitor alimentar como Cronometer pode revelar fontes ocultas de energia, como açúcares e cereais. Sensibilidades alimentares não diagnosticadas também contribuem para o ganho de peso pela inflamação. (Ver cap. 9 sobre como conduzir uma dieta de eliminação.)

MOFO DE OLEAGINOSOS E SEMENTES É importante verificar se as oleaginosas ou sementes não estão rançosas ou emboloradas. A castanha-do-pará, rica em selênio, muitas vezes contém mofo.[79] Evite amendoim (e principalmente manteiga de amendoim), que é uma leguminosa e está associado à contaminação por mofo e consequente inflamação.[80]

LIPÍDIOS ELEVADOS Algumas pessoas que aumentam a gordura da dieta (em especial a gordura saturada) podem ter mais colesterol total e colesterol de lipoproteína de baixa densidade (LDL-C) em seus painéis lipídicos. Isso é particularmente verdadeiro para portadores de ApoE4, que hiperabsorvem gordura, como está bem documentado.[81] Deve ser motivo de preocupação? Depende de muitos outros fatores corroborantes que examinaremos. Nossas recomendações dietéticas também levam a alterações favoráveis como marcadores de glicose diminuídos, incluindo insulina em jejum e hemoglobina A1c (HgbA1c), colesterol da lipoproteína de alta densidade (HDL-C) aumentado e triglicérides (TGs) diminuídos, fatores que contribuem para um risco geral reduzido de cardiopatia.

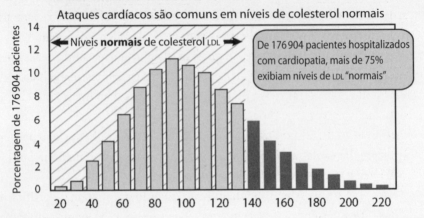

A maioria dos infartos do miocárdio ocorre a despeito dos níveis normais de colesterol LDL.
Um indicador mais efetivo é a proporção de triglicérides para colesterol HDL (TG/HDL).

A hipótese lipídica — a ideia de que diminuir o nível de colesterol leva a uma redução no risco de sofrer novo evento de doença arterial coronariana — passou por um reexame nos últimos anos e ainda não foi comprovada, a despeito de servir de orientação para as diretrizes alimentares do governo.[82] De fato, quando examinamos o colesterol de pessoas hospitalizadas com doença arterial coronariana, vemos que a maioria tem níveis normais de colesterol.[83]

Examinar só o colesterol sem dúvida não resolve nada, mas observar as proporções que compõem o colesterol total oferece muito mais informação e ajuda a determinar o verdadeiro risco.[84] O colesterol total é obtido somando o LDL-C, o HDL-C e 20% dos triglicérides. Quando consideramos a proporção de triglicérides para HDL-C, o padrão de risco fica muito mais claro.[85] Não é desejável uma proporção de triglicérides para HDL-C maior do que 2:1. Menos de 1:1 é ideal.

Quando analisamos os marcadores de glicose usando os níveis de hemoglobina A1c, vemos que à medida que a A1c sobe, a probabilidade de um evento coronário também sobe numa relação linear.[86] Hemoglobina A1c é a forma abreviada de hemoglobina glicada (que contém a adição de uma molécula de açúcar) e reflete seu açúcar sanguíneo em jejum ao longo de aproximadamente três meses. Pessoas com os níveis mais baixos de A1c têm menor risco de

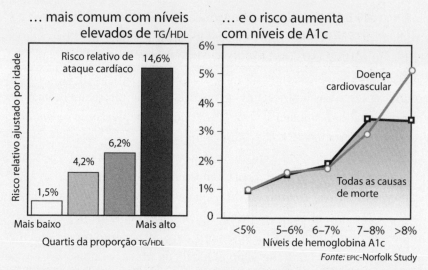

Com o aumento da hemoglobina A1c, seu risco de doença cardiovascular também aumenta.

doença cardíaca. Compreender o "colesterol" elevado dentro desse contexto mais amplo pode ajudá-lo a monitorar melhor seu risco de cardiopatia.

Há marcadores adicionais que você pode acompanhar para monitorar seu risco com precisão ainda maior. Eles incluem o LDL oxidado (Ox-LDL, meta < 60 U/L) e outros exames de tamanho de partícula de lipídio como o de LDL (LDL-P, meta < 1200 nmol/L) e LDL pequeno denso (sdLDL, meta < 28 mg/dL), todos bastante ligados à hemoglobina A1c. Além do mais, se você tem forte histórico familiar ou outros fatores de risco, talvez deva considerar uma tomografia cardíaca de baixa radiação, que é um exame de imagem da calcificação da artéria coronária, que custa entre cem e quatrocentos dólares, dependendo de onde você mora. Homens acima dos quarenta anos e mulheres acima dos cinquenta devem fazer os exames de imagem preventivos. Se descobrir que tem doença arterial coronariana ativa, procure um cardiologista ou lipidologista que adote uma abordagem de baixos carboidratos para ajudá-lo a proteger sua saúde cerebral.

Quando o colesterol total sobe para mais de 200 mg/dL, muitos médicos rapidamente prescrevem estatinas sem reunir essa informação adicional para ajudar a avaliar o risco efetivo. As estatinas podem aumentar a probabilidade de declínio cognitivo.[87] Por esse motivo, quando as estatinas são necessárias, como no caso da hipercolesteremia familiar, é importante trabalhar com seu cardiologista. Uma abordagem pode ser identificar a dose mais baixa de uma estatina hidrofílica (ao contrário da lipofílica), combinada a ezetimibe para atingir sua meta LDL-P enquanto ainda protege a síntese de colesterol no cérebro. Se sentir declínio cognitivo com estatina, monitore um biomarcador esterol chamado desmosterol. Nível baixo indica depleção de colesterol no cérebro e isso está ligado ao declínio cognitivo.[88]

Vamos falar sobre ácidos graxos saturados (SFA), uma vez que pertencem à nossa lista de gorduras saudáveis. O consumo de SFA é controverso e talvez falsamente difamado como fator de risco de doença coronária, uma vez que raras vezes se leva em consideração o meio social em que os SFA são consumidos. Um trio de hábitos alimentares particularmente prejudicial inclui gordura saturada, carboidratos simples e falta de fibras, como observado pelo dr. Mark Hyman em *Eat Fat, Get Thin*. Entretanto, comer hambúrguer, fritas e refrigerante é muito diferente de consumir um pedaço pequeno de carne bovina de pasto natural acompanhado de uma enorme salada com uma variedade de vegetais de alta densidade nutricional. A vasta maioria dos estudos implicando os SFA tanto na cardiopatia como no Alzheimer deixou de levar em consideração a qualidade dos SFA e o contexto em que são consumidos.

Isso posto, é incontroverso que os SFA elevam o colesterol em algumas pessoas, incluindo portadores de ApoE4.[89] Logo, por um excesso de cautela, encorajamos essa população a minimizar os SFA e a priorizar MUFAs e PUFAs — azeite de oliva extravirgem ricos em polifenóis, abacate, peixes gordos, oleaginosas e sementes —, que demonstraram *combater* a cardiopatia.

O papel do colesterol no Alzheimer ainda é pouco compreendido. Há evidências mistas demonstrando que o colesterol elevado (sem exame de proporções) na meia-idade pode estar associado à doença, mas quantidades mais elevadas parecem ser neuroprotetoras à medida que envelhecemos.[90] Recomendamos ênfase na redução de marcadores inflamatórios e glicêmicos, ao mesmo tempo mantendo um perfil lipídico saudável.

DEMÊNCIA VASCULAR OU CARDIOPATIA Pacientes com demência vascular ou cardiopatia conhecida devem priorizar a recuperação de sua resistência à insulina subjacente antes de passar à cetose nutricional. Recomendamos o uso de sais ou ésteres de cetona durante esse período para ajudar a levar energia ao cérebro. *É muito importante eliminar açúcares e carboidratos refinados ao*

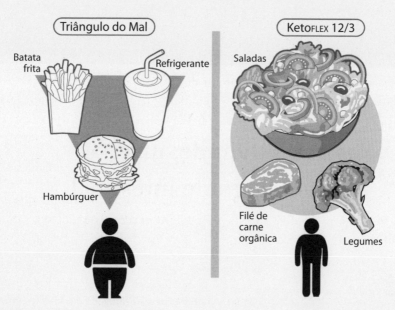

O Triângulo do Mal. *A combinação entre gordura saturada, carboidratos simples e falta de fibras é perigosa.*

mesmo tempo que aumentamos as gorduras saudáveis, principalmente azeite extravirgem rico em polifenóis, abacate, peixes gordos, oleaginosas e sementes. As pessoas nesse grupo definitivamente devem contar com a ajuda de um médico, de preferência um cardiologista, especializado no uso de uma abordagem baixa em carboidratos.

Além do mais, considere o uso do aparelho iHeart para medir a rigidez arterial e se certificar de que sua saúde vascular está melhorando com a adoção do estilo de vida KetoFLEX 12/3. Os resultados do iHeart se correlacionam de perto com o sistema SphygmoCor, o padrão-ouro da medição de batimentos por velocidade de onda (PWV). PWV ruim é um fator de risco significativo de doença cardiovascular e demência futuras.[91] (Ver também cap. 18.)

9. Pirâmide, nível 3: Um upgrade intestinal

A intuição íntima muitas vezes vem do conhecimento universal.
Debasish Mridha

A saúde do intestino é o alicerce de todo programa de saúde e representa uma oportunidade importante para a intervenção terapêutica no declínio cognitivo. O cérebro e o intestino estão conectados de forma intrincada e bidirecional. Atualmente, há uma explosão de literatura científica que explora a manipulação do microbioma intestinal para a neuroproteção.[1] O microbioma intestinal fornece a base para o funcionamento saudável de nossos sistemas nutricional, imune, hormonal e neurológico. Como observamos repetidamente, a incompatibilidade entre os limites de nosso design genético e os estressores do mundo moderno emerge como uma das principais causas de muitas de nossas doenças crônicas. Vidas estressadas, sedentárias, excessivamente higienizadas e dietas pródigas em açúcar mas carentes de nutrientes e fibras, além de antibióticos, herbicidas, pesticidas e outras exposições químicas, têm sido algo devastador para a integridade do intestino e do microbioma. A explosão de doenças crônicas como obesidade e diabetes e de doenças autoimunes e neurológicas pode ter causas em comum com a disfunção do microbioma intestinal.[2]

Se você sofre de um problema subjacente como intestino permeável, disbiose (desequilíbrio microbiano no aparelho gastrintestinal), síndrome de supercrescimento bacteriano (SIBO, um problema que ocorre quando bactérias que normalmente crescem em outras partes do intestino passam a crescer no intestino delgado), síndrome do intestino irritável (IBS, que se manifesta como dor abdominal acompanhada de diarreia, constipação ou ambas) ou *H. pylori* (uma infecção comum associada a úlceras pépticas), você pode necessitar de intervenções adicionais para ajudar a otimizar seu programa de saúde e nutricional. Nunca é demais lembrar como esses transtornos gastrintestinais são comuns e quantas pessoas permanecem sem diagnóstico nem tratamento.

A boa notícia é que podemos curar nossa saúde gastrintestinal observando com atenção os sintomas que desenvolvemos como resultado do que e como comemos. Prestando atenção cuidadosa nos sintomas iniciais, somos capazes de fazer correções e curar nosso intestino. Na verdade, a otimização da digestão lhe permitirá evitar (e curar) por completo alergias e sensibilidades alimentares. Para muitos, explorar a causa dos problemas gastrintestinais subjacentes é fundamental. Eis alguns pontos a considerar:

Alergias ou sensibilidades (intolerâncias) alimentares

- Qualquer verdadeira alergia alimentar deve ser revelada por exames formais com um alergologista. Alergias alimentares podem ser um problema grave e representar um risco de vida e, em geral, ocorrem mais perto da hora da ingestão. Os sintomas incluem formigamento ou coceira na boca; coceira na pele, com urticária ou eczema; inchaço nos lábios, rosto, língua ou garganta ou dificuldade de respirar; dor abdominal, náusea, diarreia ou vômitos; tontura, vertigem ou desmaios.
- As sensibilidades alimentares em geral ocorrem após a ingestão, são menos graves e muitas vezes limitadas a sintomas gastrintestinais, como gases, inchaço e constipação e/ou diarreia, mas podem incluir urticária, acne, artrite, dores no corpo todo, dores de cabeça, fadiga, alterações de humor, irritabilidade e "confusão mental".
- Alergias e sensibilidades alimentares comuns, além de cereais (em especial trigo) e laticínios, são ovos (em geral a clara, não a gema), amendoim, soja, oleaginosas arbóreas, frutos do mar, solanáceas (como berinjela, tomate, pimentão, pimenta e batata) e múltiplos ingredientes e substâncias químicas usados nos alimentos processados.

- A melhor maneira de identificar uma sensibilidade alimentar é fazer um teste de eliminação. Tire da dieta a maioria dos gatilhos comuns: cereais (sobretudo trigo), laticínios, milho, soja, ovo, solanáceas, açúcar e comidas processadas por três semanas. Açúcar está incluído nessa lista, já que é com frequência o culpado pela inflamação. Se você se sentir melhor após o teste de eliminação, reintroduza um alimento por vez, a começar por: ovos; solanáceas aprovadas; produtos orgânicos certificados, de preferência soja fermentada; e pequenas quantidades de laticínios A2 (opcional). Consuma o alimento da vez duas vezes ao dia por dois dias, depois o evite no terceiro dia. No dia 4, reintroduza o próximo alimento. Mantenha um diário com suas reações. Identificar uma sensibilidade alimentar pode ser muito gratificante à medida que ocorre a recuperação. Depois que o intestino da pessoa fica curado, alguns descobrem que ocasionalmente, em pequenas doses, conseguem tolerar até o alimento responsável pelo problema. (Testes de sensibilidade alimentar como Cyrex, Zoomer, Alletess, Meridian Valley Lab, MRT, Alcat e muitos outros podem ajudar a identificar os alérgenos.)

CAUSAS COMUNS (MUITAS VEZES CUMULATIVAS) DE DISFUNÇÃO GASTRINTESTINAL

Além de identificar alergias e sensibilidades alimentares e eliminá-las, há muitos outros fatores que podem impactar a saúde gastrintestinal e causar inflamação no revestimento intestinal, desequilíbrios gastrintestinais e atrasos no esvaziamento gástrico. Eles incluem:

- Antibióticos
- Anti-inflamatórios: aspirina, ibuprofeno e naproxeno sódico
- Inibidores de bomba de próton, ou PPIs
- Antagonistas do receptor H2
- Hidróxido de alumínio em antiácidos
- Medicamentos anticolinérgicos: anti-histamínicos, antidepressivos tricíclicos, barbitúricos, relaxantes musculares e benzodiazepinas
- Álcool

- Açúcar em excesso, em especial xarope de milho com alto teor de frutose, como o utilizado em refrigerantes e cafés especiais
- Adoçantes artificiais
- Glifosato
- Estresse
- Ácido estomacal inadequado

Um importante fator de contribuição para muitos problemas gastrintestinais é a falta de ácido estomacal adequado. Com o avançar da idade, a maioria sofre uma diminuição no ácido clorídrico, e alguns podem ter isso junto com estresse crônico ou hipotireoidismo. Como agravante, há o uso comum de PPIs e outros antiácidos para tratar azia ou doença do refluxo gastroesofágico (GERD), em que o ácido estomacal volta para o esôfago. Paradoxalmente, a falta de ácido estomacal pode contribuir para a GERD, uma vez que a disponibilidade é insuficiente para digerir a comida. As estratégias dietéticas e de estilo de vida abrangidas no KetoFLEX 12/3 podem ajudar a tratar a GERD, embora talvez você queira considerar as medidas adicionais descritas abaixo.

Estratégias de estilo de vida para tratar a GERD

- Reduza a gordura abdominal e evite roupas apertadas na cintura.
- Evite gatilhos como cafeína, álcool, nicotina, chocolate, frutas cítricas, alimentos à base de tomate, comidas picantes, frituras, glúten, laticínios e alimentos processados.
- Coma menos e fazendo refeições mais frequentes durante o período de recuperação.
- Certifique-se de ter ácido estomacal adequado para ajudar na digestão da comida.
- Evite estresse quando estiver comendo.
- Mastigue bem e devagar.
- Pare de comer três horas antes de se deitar.
- Eleve um pouco a cabeceira da cama (de quinze a vinte centímetros).

Descontinuando remédios para azia (PPIs)

Vale notar que, a longo prazo, o uso de PPIs está associado a maior risco de demência, depressão, câncer colorretal, pneumonia e fraturas de quadril; deficiências de B_{12}, vitamina C, ferro, cálcio, magnésio e zinco; e desequilíbrios no microbioma intestinal.[3] A produção adequada de ácido estomacal é importante para o trabalho de muitas enzimas digestivas essenciais, em especial a pepsina, para a digestão das proteínas. O ácido estomacal também é importante para matar bactérias, vírus, parasitas e leveduras a que somos expostos em nossas dietas.

Descontinuar os PPIs muitas vezes é difícil. Algumas estratégias adotadas pelos pacientes incluem: baixar a dosagem devagar e aumentar temporariamente o uso de famotidina; consumir enzimas digestivas, DGL livre de açúcar (de alcaçuz), aloé, L-glutamina, zinco-carnosina, magnésio e probióticos. Supervisão médica pode ser útil, especialmente se o tratamento para supercrescimento de *H. pylori*, bactérias ou leveduras contribui para seu GERD.

Estratégias para otimizar a digestão

Há estratégias específicas que podemos usar para auxiliar a digestão conforme fazemos a transição para a nova dieta com mais vegetais, gorduras, amidos resistentes, fibras prebióticas e alimentos ricos em probióticos.

- A digestão começa com o preparo da comida. Tente envolver no processo de preparo todos que irão comer. Sentir o cheiro da comida enquanto cozinhamos libera enzimas pancreáticas que ajudam na digestão.[4]
- Na história humana, comer sempre foi associado à conexão social. Quando fazemos refeições com entes queridos, nosso sistema nervoso parassimpático é acionado para relaxar, permitindo que o corpo digira a comida da melhor maneira, potencializando a nutrição.[5] Se fizer a refeição sozinho, desligue a TV ou o computador e deixe o trabalho de lado. Esse é um momento sagrado de relaxamento e nutrição.
- Mastigue com calma. O primeiro passo da digestão é mastigar da maneira correta, o que libera diversas enzimas, incluindo amilase, para quebrar carboidratos, e lipase, para as gorduras.[6] Tente minimizar o excesso de líquidos durante a refeição de modo a não diluir suas enzimas digestivas

naturais. Evite bebidas geladas para manter sua temperatura corporal natural e otimizar a digestão.
- Considere uma reposição de ácido para ajudar na digestão (a menos que você sofra de úlceras ou esofagite). Uma colher de sopa de vinagre de sidra de maçã orgânica em um copo d'água pequeno antes ou depois da refeição ou suplementar com betaína HCl com pesina são métodos que ajudam. (Para betaína HCl, comece com quinhentos a 650 miligramas para uma refeição que inclua de quinze a vinte gramas de proteína, depois aumente para um comprimido a cada dois dias, até sentir desconforto. Use a quantidade máxima de comprimidos sem causar desconforto, mas nunca acima de cinco.) Se a reposição de ácido agravar os sintomas, experimente tomar ½ colher de sopa de bicarbonato de sódio diluído em um copo d'água pequeno.
- Melhore sua digestão acrescentando ervas amargas (camomila, cardo-de--leite, dente-de-leão, hidraste, bardana, genciana), vegetais amargos ou especiarias (gengibre, canela, cardamomo) ou usando frutas com enzimas digestivas naturais, como limão, abacate, mamão verde, manga verde ou kiwi não maduro. Caldo de tutano, amidos resistentes e alimentos prebióticos e probióticos adicionados à dieta melhorarão sua saúde e a absorção gastrintestinais e trarão um equilíbrio favorável ao seu microbioma. Suplementos específicos como bromelina (feita de abacaxi), papaína (feita de mamão) ou DGL livre de açúcar (do alcaçuz) podem ajudar.
- Evacuar, ou "número 2", pode ser o aspecto mais importante da digestão propriamente dita. Aumentar a ingestão da comida apreciada por seu intestino deixa as fezes maiores, facilitando a eliminação e a remoção das toxinas. A evacuação auxilia seu microbioma, melhora seu controle da glicose (com as fibras) e seu perfil lipídico, reduz seu risco de câncer colorretal, ajuda a baixar seus níveis de estrogênio, precavendo contra câncer uterino e mamário, e de modo geral melhora sua sensação de bem-estar.[7]
- Considera-se constipação se você tem menos de três evacuações por semana ou dificuldade de eliminar as fezes. O ideal é ir ao banheiro pelo menos uma vez por dia. Uma dieta com excesso de alimentos processados, açúcar, glúten, laticínios e carne pode causar constipação. Exercícios, hidratação e aumento de vegetais (em especial fibra prebiótica e amidos resistentes) ajudam. Sugestões de suplementos: fibra de psyllium orgânico, linhaça, fibra de acácia, raiz de konjac em pó, probióticos ou citrato de magnésio.

CALDO DE TUTANO PARA AJUDAR A CURAR INTESTINO PERMEÁVEL

O caldo de tutano é uma comida ancestral que contém *glutamina*, aminoácido que ajuda a selar o intestino permeável ou a permeabilidade intestinal aumentada. A glutamina, um dos diversos aminoácidos no caldo de tutano, e o mais abundante no corpo, é o combustível preferido das células encontradas no revestimento do seu sistema digestivo. Essas células, chamadas enterócitos, formam uma barreira unicelular espessa e são participantes dinâmicas que estão envolvidas ativamente na configuração intestinal através da modulação do sistema imune. Muitos fatores, incluindo antígenos alimentares, estresse e toxinas, podem afetar a integridade dessa barreira crítica. A glutamina presente no caldo de tutano nutre esses enterócitos e sustenta as junções apertadas entre eles, diminuindo a permeabilidade intestinal.[8]

Apesar das qualidades salutares do caldo de tutano, recomendamos minimizar a ingestão a algumas porções por semana, por vários motivos. Primeiro, em especial se o animal pastava em uma área com poluentes industriais, os ossos podem soltar metais pesados no caldo. Segundo, o caldo de tutano é uma proteína, sujeita às restrições da proteína animal discutidas no cap. 10. Além do mais, alguns estudiosos expressam preocupação de que a glutamina do caldo de tutano escape da barreira intestinal e penetre uma barreira sangue-cérebro comprometida, afetando desse modo de maneira negativa os neurotransmissores cerebrais. Isso é muito mais provável de ocorrer com o excesso de glutamina encontrado em alimentos processados, como glutamato monossódico (MSG), e poderia apresentar uma carga cumulativa.

De fato, a glutamina é o bloco de construção tanto do glutamato, que tem um papel de excitação no cérebro, como do ácido gama-aminobutírico (GABA), que desempenha um papel calmante. Em um cérebro saudável, ambos os neurotransmissores trabalham de forma homeostática, balanceando-se mutuamente. Porém, pode ocorrer um desequilíbrio, como excesso de glutamato. Os sintomas podem incluir ansiedade, depressão, agitação e incapacidade de se concentrar, dores de cabeça, insônia, fadiga e sensibilidade aumentada à dor. Se você tem algum desses sintomas após tomar o caldo de tutano, interrompa o uso e se concentre nas outras maneiras de curar seu intestino discutidas nesta seção. Mais importante, reduza alimentos processados ricos em glutamato, incluindo shoyo, proteína de soja, molho de peixe, vinho, cerveja, carnes curadas e quaisquer comidas com glutamato monossódico. Laticínios e trigo, cujo uso é evitado ou minimizado em nossa Pirâmide Alimentar do Cérebro, também têm alto teor de glutamina. Retome o caldo de tutano apenas depois de uma recuperação significativa ter sido obtida.

Outro potencial problema com o caldo de tutano envolve seu conteúdo de histamina. A histamina é um neurotransmissor que protege nossos sistemas imune, digestivo e nervoso, alertando a resposta do nosso corpo a potenciais ameaças. Sintomas de reação a histamina incluem dores de cabeça, coceira, inchaço, ansiedade, problemas gastrintestinais e urticária. A intolerância à histamina ocorre com mais frequência em um intestino permeável, levando a um beco sem saída com essa estratégia.[9] Identifique e elimine outros alimentos com muita histamina e ao mesmo tempo utilize as estratégias delineadas nesta seção para curar seu intestino. Alimentos ricos em histaminas (muitas vezes devido ao envelhecimento do produto) incluem carnes e peixes defumados, comidas fermentadas, vinagre, álcool, alimentos azedados, frutas secas e sobras. Espinafre, abacate, frutas cítricas, solanáceas, oleaginosos, chocolate, chá preto e chá verde também são naturalmente ricos em histaminas. Experimente outra vez uma pequena quantidade de caldo de tutano após uma recuperação significativa. Alguns acham útil suplementação com DAO, uma enzima naturalmente presente no intestino que metaboliza histamina.

> É simples fazer esse caldo de tutano nutritivo para o intestino. Junte cerca de 1,5 quilo de ossos de animais criados 100% em pasto. Tanto faz se forem sobras de refeições ou ossos comprados no açougue. Em uma panela, cubra com cerca de quatro litros de água e cozinhe em fogo baixo ou na pressão. Não deixe de cobrir os ossos com água. Acrescente duas colheres de sopa de vinagre, sal a gosto, cebola, salsinha e alho, e ponha para cozinhar, depois abaixe o fogo e deixe cozinhando lentamente o dia inteiro ou leve à panela de pressão por cerca de noventa minutos. Mantenha em fogo baixo e não deixe ferver, pois isso pode quebrar o colágeno e desnaturar (alterar a estrutura) a proteína. Um bom caldo, quando esfriar, ficará gelatinoso, rico em colágeno e proteína. Quem controla os ácidos graxos saturados pode remover a camada superior de gordura. De resto, coe e desfrute. O caldo de tutano pode ser congelado e utilizado como base para sopas ou ensopados, condimentar vegetais ou ser tomado puro. Se você não dispõe de muito tempo, a Kettle & Fire oferece caldo de tutano produzido 100% de animais de pasto.

Se você sofre de algum problema gastrintestinal subjacente, vá devagar com o protocolo, priorizando a recuperação intestinal. Você pode precisar recorrer à medicina funcional para identificar e tratar seus problemas (ver cap. 18). Muitos pacientes com disfunção gastrintestinal crônica se pegam em infindáveis ciclos de testes e prescrições sem nunca tratar as verdadeiras causas.

À medida que sua saúde gastrintestinal melhora, haverá uma resposta aprimorada às mudanças significativas que você está implementando. As bactérias saudáveis em seu microbioma comemorarão a melhora da digestão, da absorção de nutrientes e da desintoxicação, levando a sistemas imune e neurológico otimizados. Quem quiser explorar mais a fundo o papel da saúde intestinal na cognição, pode ler *Brain Maker: The Power of Gut Microbes to Heal and Protect Your Brain for Life* [Fazedor de cérebro: O poder dos micróbios do estômago para curar e proteger seu cérebro ao longo da vida], do dr. David Perlmutter.

ALIMENTOS QUE AJUDAM O INTESTINO

Uma combinação de *fibras prebióticas*, parte delas consumidas como amido resistente, aliada a *alimentos probióticos* constitui a fórmula ancestral necessária para a digestão gastrintestinal otimizada. Uma ampla variedade de alimentos vegetais ricos em fibras, em especial com variação sazonal, fornece os componentes básicos dessa fórmula vencedora. Os carboidratos vegetais são uma combinação de amido, açúcar e fibra, que variam em tipo e conteúdo segundo a casca, a polpa e as sementes de cada planta. O ser humano não possui enzimas para digerir fibras. Quando digeridas (fermentadas) pelo microbioma intestinal, as fibras são chamadas de prebióticas. Há muitas variedades de fibras prebióticas, incluindo um tipo de amido chamado amido resistente. O amido resistente suporta a digestão e atua mais como uma fibra. Algumas fibras não são digeridas pelos humanos ou pelos micróbios intestinais, mas auxiliam na evacuação, potencializando a desintoxicação, reduzindo a glicose, melhorando o perfil lipídico e proporcionando volume para a evacuação.

Prebióticos

Os prebióticos são vitais para a saúde do intestino. Eles oferecem suporte nutricional para as bactérias intestinais saudáveis que devemos cultivar. O ser humano não é capaz de digerir fibras prebióticas. Elas são digeridas no cólon por bactérias benéficas para ajudar seu crescimento. Por sua vez, os subprodutos delas reforçam a saúde intestinal. As fibras prebióticas não são completamente quebradas e absorvidas no intestino delgado, mas antes transformadas em ácidos graxos de cadeia curta, como butirato, por bactérias no intestino grosso. Esses ácidos graxos resultantes podem contribuir para a produção de cetona para tratar os déficits de combustível neuronal e auxiliar a criação de uma parede intestinal e um microbioma saudáveis.[10]

Alimentos ricos em fibras prebióticas incluem plantas, raízes e tubérculos fibrosos, muitos deles também resistentes a amidos. Embora o preparo deixe alguns desses alimentos mais palatáveis, também destrói parte das fibras prebióticas, assim cozinhe o mínimo possível para maior impacto. Quase todos os alimentos ricos em fibras prebióticas listados abaixo têm baixo impacto glicêmico.

Fibras prebióticas	
Alho*	Alcachofra-girassol* (tupinambo)
Aspargo*	Algas marinhas*
Banana verde*	Alho-poró*
Coração de alcachofra*	Caqui***
Folhas de dente-de-leão*	Cebola*
Linhaça*	Cogumelo*
Raiz de bardana*	Jícama*
Raiz de chicória*	Raiz de konjac*

LEGENDA
Índice glicêmico: Baixo* Intermediário** Alto***

COGUMELOS estão entre os alimentos prebióticos de destaque para a saúde cerebral. Um estudo recente mostra que a ingestão de mais de duas porções (trezentos gramas) de cogumelos cozidos por semana pode reduzir o risco de déficit cognitivo leve (MCI), o precursor típico do Alzheimer,[11] em 50%. Esses humildes fungos contêm glutationa e outro poderoso antioxidante chamado ergotioneína. O porcini, encontrado na maioria dos mercados, possui esses compostos em maior quantidade.[12] Cogumelos também são ricos em vitamina B e beta-D-glucano. O beta-D-glucano é importante para o sistema imune inato (a parte primitiva de nosso sistema imune, que funciona como uma equipe de primeiros socorros), que se acredita que desempenhe um papel na reversão do declínio cognitivo.[13] Efeitos potencializadores do sistema imune estão presentes em quase todo tipo de cogumelo, incluindo paris, portobello, shiitake, reishi, cantarelo, shimeji-preto e muitos outros. Aprecie-os cru em saladas ou levemente salteados. São deliciosos quando preparados com alho e cebola ou acrescentados a outros vegetais.

Os cogumelos também contêm compostos bioativos que podem ajudar a proteger contra o Alzheimer. Um estudo com onze tipos de cogumelos, alguns já usados para fins medicinais, revelou que, ao elevar a produção do fator de crescimento nervoso (NGF), aumentavam a massa cinzenta. Os cogumelos estudados incluíam juba-de-leão e *Cordyceps*. Dependendo de onde você mora, os cogumelos juba-de-leão e *Cordyceps* podem ser difíceis de encontrar, mas ambos são misturados a cafés saborosos produzidos pela Four Sigmatic e podem ser encontrados na forma de suplemento.

As **ALIÁCEAS** são outra importante classe de prebióticos, incluindo cebola, alho e alho-poró, chalota, cebolinha e mais. Como cogumelos e vegetais crucíferos, elas contribuem para a regulação da glutationa, que, além de suas propriedades antioxidantes, é às vezes chamada de principal substância detox do corpo.[14]

Prebióticos também são encontrados na forma de suplementos, incluindo cascas de psyllium, fibra de acácia, inulina, fruto-oligossacarídeos (FOS) e galacto-oligossacarídeos (GOS). Recomendamos começar devagar com alimentos ricos em fibras prebióticas para prevenir distúrbio gastrintestinal. Isso é especialmente indicado no caso dos suplementos, que são muito concentrados.

Amido resistente

Pronto para uma reviravolta nesta história? Após a eliminação dos carboidratos feculentos, vamos *recomendar* uma categoria especial deles: os amidos resistentes. Eles se comportam de forma diferente de outros carboidratos feculentos e têm muitas propriedades benéficas à saúde. Amidos resistentes suportam a digestão, agindo desse modo mais como fibras. A digestão adiada significa também que você não está absorvendo por completo calorias como açúcar, do mesmo modo que com muitos outros carboidratos e cereais.[15] Por ser um tipo de fibra prebiótica, o amido resistente também contribui para a produção de butirato no intestino grosso, que por sua vez pode ajudar no suporte intestinal e no suprimento de combustível cerebral.[16]

Durante boa parte da história humana, nossos ancestrais ingeriam grandes quantidades de amido resistente, pois sua alimentação não era processada industrialmente nem quebrada por aquecimento; era consumida na forma integral.[17] O alto grau de digestibilidade do alimento trazido pelo processamento leva a um controle pobre da glicose, saúde intestinal ruim e ganho de peso. Culturas que ainda se alimentam de comida integral, rica em amido resistente, têm indivíduos magros.[18] Um exemplo excelente vem dos moradores de Kitava, uma ilha em Papua-Nova Guiné, com alta prevalência de portadores do ApoE4. Essa população tradicionalmente extraía a maior parte de suas calorias do amido resistente, na forma de inhame, batata-doce e taro (além de coco e peixes), e a pesquisa revelou que eles eram mais saudáveis e livres de doenças crônicas que infestam a civilização ocidental.[19]

Acredita-se que o amido resistente confira inúmeros benefícios à saúde.

- Maior saciedade[20]
- Aumento da sensibilidade à insulina[21]
- Lipídios melhorados[22]
- Queima de gordura potencializada[23]
- Digestão melhorada[24]

> **PROCEDA COM CAUTELA**
>
> A despeito de alegações contrárias, amidos resistentes ainda podem ter um efeito negativo em seus níveis de glicemia. Comece com pequenas quantidades e faça a checagem pós-prandial, uma e duas horas após as refeições, para saber o efeito que tiveram em você. (Ver p. 257 no cap. 18.) Tenha em mente que o efeito glicêmico é altamente individualizado e pode até mudar de um dia para o outro, dependendo do seu nível de estresse, sono, ambiente hormonal, saúde intestinal e muitos outros fatores. Cuidado para não sabotar sua capacidade de combater a resistência à insulina, restabelecer a flexibilidade metabólica e gerar cetonas... *tudo por uma batata-doce.* O equilíbrio é fundamental com amidos resistentes. Precisamos do suficiente para trazer benefícios à saúde, mas não demais para não prejudicar a cura metabólica.
>
> Pacientes de Alzheimer tipo 3 (tóxico), causado por exposição a micotoxinas (mofo) ou outras toxinas, pode precisar evitar amido resistente até terem atingido um certo nível de recuperação. Dietas com pouca amilose são muito eficazes para essas condições, que devem evitar de modo estrito raízes, leguminosas, cereais e pseudocereais.
>
> Como sempre, preste atenção no seu intestino. Pessoas com problemas gastrintestinais subjacentes talvez não consigam tolerar amidos resistentes no começo (nem alimentos prebióticos e probióticos), em especial se tiverem lectinas elevadas. A melhor forma de consumi-los é integral, com outros carboidratos vegetais, proteínas e gorduras. Mais um motivo para começar devagar, experimentar diferentes tipos e se preparar para adiar esse passo até o intestino ter se recuperado um pouco mais.

Codificamos os vários amidos resistentes de modo a alertá-lo para o fato de que esse tipo de amido, não importa o que digam, pode ter um efeito negativo na glicemia. Recomendamos aumentar seu conteúdo e atenuar o efeito na glicose sanguínea cozinhando os amidos resistentes que devem ser consumidos cozidos (batata e outras raízes, leguminosas e arroz), esperando esfriar antes de comer. Algumas pessoas ainda assim não conseguem tolerar esses alimentos mais glicêmicos, nem mesmo quando previamente cozidos e esfriados. Você pode testar de forma fácil sua glicemia pós-prandial para descobrir o efeito que determinado alimento tem em você. (Ver p. 257 no cap. 18.) Saiba também que altos níveis de lectinas podem ser um problema com alguns desses amidos resistentes, incluindo leguminosas, oleaginosas (em especial castanha-de-caju) e sementes.

Amido resistente

Leguminosas** (feijões e lentilhas)	Inhame***
Castanha**	Batata-doce***
Pistache*	Batata*** x (colorida)
Caju* x	Banana verde* (crua)
Mandioca** (tapioca)	Banana-da-terra verde* (crua)
Taro***	Manga verde** (crua)
Nabo**	Mamão verde**
Pastinaca***	Caqui***
Rutabaga***	Teff*** x
Jícama*	Trigo-sarraceno** x
Yucca**	Sorgo***
Junça**	Painço**

LEGENDA
Índice glicêmico: Baixo* Intermediário** Alto***
Elevada em lectinas x

LEGUMINOSAS Embora não sejam um alimento ancestral, são excelente fonte de amido resistente e particularmente úteis para vegetarianos e veganos atenderem às suas necessidades de proteínas e minerais. Além do mais, como seu conteúdo de fibra e amido resistente é mais elevado do que na maioria dos cereais, elas não contribuem tanto para os altos níveis de glicose.

Mas as leguminosas podem ser problemáticas porque contêm lectinas, fitatos e inibidores enzimáticos, que contribuem para a inflamação e prejudicam a digestão e a absorção de nutrientes. Aqui estão os métodos de preparo e cozimento para *reduzir* esses efeitos:

- Deixe o feijão (ou outro grão) de molho de um dia para o outro (ou de preferência por 48 horas).
- Adicione ao feijão de molho 1/6 de uma colher de sopa de bicarbonato de sódio para cada litro de água.
- Troque a água três ou mais vezes ao longo do dia enquanto ele estiver de molho (não esquecendo de repor o bicarbonato).
- Lave bem antes de cozinhar.
- Cozinhe em fogo baixo (um dia inteiro é melhor).
- Remova a espuma durante o cozimento.
- Você também pode usar uma panela de pressão.
- Durante o preparo, acrescente um pedaço de uns dez centímetros de kombu, um tipo de alga.
- Adicione temperos conforme cozinha, como funcho, alho, cominho, açafrão em pó, gengibre, cravo e canela.

Todas essas técnicas deixarão o feijão mais digerível e menos propenso a produzir gases e ajudarão a aumentar a absorção dos nutrientes. Se você está sem tempo, feijões em lata são uma opção razoável, uma vez que já são preparados na pressão e têm baixas lectinas. Certifique-se de comprar feijão em lata livre de BPA/BPS.

TUBÉRCULOS Batata, batata-doce, inhame e outros tubérculos são raízes ou caules engrossados compostos sobretudo de amido, em parte resistente à digestão. Nossos ancestrais se alimentaram deles por milênios, em especial depois que o fogo ajudou a deixá-los mais digestíveis. Isso permitiu a absorção de mais nutrientes, mas diminuiu a quantidade de amido resistente. Esfriar ajuda a recuperar em parte esse amido. Vegetais profundamente pigmentados, como batata vermelha, roxa, laranja e amarela, bem como batata-doce, inhame e taro, têm maior valor nutricional. A batata-doce, por exemplo, tem muito betacaroteno (um precursor da vitamina A), mas possui quatro vezes mais açúcar que a batata-inglesa. Adicionar óleos saudáveis pode ajudar a atenuar o efeito glicêmico.

Pessoas com sensibilidade a solanáceas talvez precisem evitar batatas. (A batata-doce e o inhame não pertencem à família das solanáceas.) Evite qualquer batata que tenha a casca verde. É um fungo e pode ser removido. Pessoas sensíveis a solanáceas ainda estariam melhor se escolhessem opções mais saudáveis da Pirâmide Alimentar do Cérebro KetoFLEX 12/3, mas tubérculos podem ocasionalmente ser considerados.

NÃO É PARA TODO MUNDO!

Eis alguns "truques" para indivíduos com sensibilidade à insulina, metabolicamente flexíveis e fisicamente ativos que precisam de calorias extras.

Cereais sem glúten e pseudocereais incluem teff, trigo-sarraceno, sorgo e painço e aparecem na lista de amidos resistentes, na p. 149. Arroz, aveia e pipoca são opções adicionais. A consideração mais importante é seu potencial glicêmico e a necessidade de monitorar a resposta a esses carboidratos. Além do mais, o conteúdo de lectina pode ser elevado demais para que qualquer um desses grãos seja considerado, em especial se houver algum problema autoimune ou gastrintestinal presente. Ao contrário de leguminosas, é difícil reduzir o nível de lectinas dos cereais. Embora não sejam ancestrais, esses alimentos possuem alguns benefícios modestos como amidos resistentes e nutrientes.

- O arroz é um alimento essencial para mais da metade da população mundial, com 90% do consumo ocorrendo na Ásia. Os tipos de arroz marrom, preto e selvagem possuem valores nutricionais mais elevados e mais fibras do que o arroz branco. Mas o branco tem um conteúdo de lectinas menor, graças à remoção da casca, embora tenha um efeito glicêmico mais elevado. O arroz japonês é cozido e resfriado naturalmente, o que aumenta o valor de amido resistente. Podemos acrescentar óleos saudáveis para ajudar a atenuar o efeito glicêmico. O arroz também concentra arsênico inorgânico do solo, mas a toxicidade só é potencialmente problemática com o consumo crônico.

- A aveia, que é minimamente processada ou integral, em flocos grossos e crua, possui grandes quantidades de betaglucanos, um tipo de fibra solúvel e amido resistente. Possui compostos anti-inflamatórios únicos e alto conteúdo nutricional. Os efeitos glicêmicos, até mesmo na aveia menos processada, podem ser altos demais em termos de carboidratos líquidos. Flocos grossos podem ser deixados de molho, cozidos e até esfriados para aumentar o amido resistente. Aveia orgânica, integral, crua ou torrada, como na granola, vai bem com coco, frutas vermelhas e canela, além de com leites e adoçantes aprovados. Compre apenas aveia sem glúten *certificada*, para se prevenir contra contaminação cruzada.
- Pipoca é viciante! Esse pode ser motivo suficiente para evitar o petisco, uma vez que é fácil exagerar! Mas a pipoca tem algumas qualidades redentoras. Ela possui nutrientes, antioxidantes e muitas fibras, incluindo amido resistente; quatro xícaras de pipoca orgânica não OGM, sem glúten e estourada com ar quente tem cerca de onze gramas de fibras (quatro gramas de amido resistente), fornecendo dezesseis gramas de carboidratos líquidos. Estoure no ar quente, com azeite de oliva, e adicione sal marinho, alecrim ou outras ervas, temperos e levedo nutricional ou alga marinha em flocos. *Limite* a quantidade. A pipoca de cinema não é uma boa escolha: um saco pequeno tem sete xícaras; o médio, dezesseis; o grande, vinte; e toda pipoca de cinema é cheia de ingredientes tóxicos. A pipoca de micro-ondas é ainda mais tóxica. Verifique sua resposta ao efeito glicêmico antes de fazer dela um hábito. Além disso, lembre-se de que o milho é um grão com potencial tão alergênico quanto o trigo, e muitos devem evitar consumi-lo.

O consumo atual de amido resistente entre indivíduos numa dieta moderna comum é menos de cinco gramas diários.[25] A quantidade de amido resistente que recomendamos é entre vinte e quarenta gramas por dia. Aumente pouco a pouco seu consumo, prestando muita atenção nos efeitos tanto em sua digestão como em seu controle glicêmico. Certifique-se de consumir amidos resistentes com outros alimentos como parte de uma refeição. Acrescentar gordura extra (como azeite extravirgem) também pode ajudar a atenuar o pico de glicemia.

Probióticos

Alimentos probióticos contêm bactérias benéficas que convertem carboidratos em ácido láctico (fermentação) e competem com as bactérias patogênicas. Antes da capacidade de refrigerar o alimento, todas as culturas desenvolveram métodos de fazer o alimento durar mais tempo e ficar mais macio por meio da fermentação, que produz microbiomas saudáveis. Por milênios, essas técnicas têm sido usadas para deixar os alimentos mais digeríveis e duráveis. Alimentos encontrados localmente e gostos únicos levaram à criação de uma ampla variedade de alimentos e bebidas probióticos associados a diferentes culturas. Vinagre, calor e pasteurização matam bactérias. Evite probióticos com vinagre ou adição de açúcar. Se optar por alimentos que foram aquecidos ou pasteurizados, certifique-se no rótulo de que contenham culturas ativas vivas readicionadas. Eis uma lista de alimentos probióticos:

Probióticos

Chucrute* Repolho fermentado, picado em fatias finas	Tempeh* ♦ Hambúrguer de soja fermentado de origem indonésia
Kvass** Suco de beterraba fermentado do Leste-Europeu (compre o com menos açúcar)	Natto** ♦
Picles* Pepino fermentado	Kombucha** Chá fermentado de origem manchu (compre o com menos açúcar)
Vegetais fermentados sortidos* Kimchi conservado em salmoura, pasteurizado*	Iogurte sem lactose ou kefir* De coco e amêndoa
Repolho e outros vegetais de origem coreana apimentados e fermentados	Leitelho (L)** Feito com laticínio A2 de pasto
Azeitona em conserva na salmoura* Sem vinagre	Iogurte com lactose ou kefir (L)** ♥ Feito com laticínio A2 de pasto (compre com gordura, sem adição de açúcar, com culturas vivas, ativas)
Missô** ♦ Pasta japonesa feita de soja fermentada, arroz, ervilha, centeio ou cevada	

LEGENDA
Índice glicêmico: Baixo* Intermediário** Alto***
Certificação orgânica pelo Departamento de Agricultura dos Estados Unidos ♦
Laticínio inflamatório (L) *Embora a lactose seja reduzida com a fermentação, a proteína ainda pode ser inflamatória.*
Elevado teor de ácidos graxos saturados ♥

É uma boa incorporar alimentos probióticos a suas refeições diárias. Se você tem uma horta orgânica, pode comer sem precisar "lavar três vezes"! Nossos ancestrais não esterilizavam seu alimento, o que provavelmente beneficiava seus intestinos. O solo saudável é fundamental para a saúde.

Pesquisas recentes sobre o microbioma produziram dados importantes que relacionam determinadas cepas a estados enfermos específicos. A maioria desses alimentos probióticos fornece variedades de *Lactobacillus* e *Bifidobacteria* (exceto natto, com *Bacillus subtillis*). Suplementos probióticos, por sua vez, podem ajudar a repovoar o intestino, em especial após o uso de antibióticos. Entretanto, suplementos probióticos parecem influenciar o microbioma intestinal a curto prazo, em vez de povoá-lo no longo prazo.

PLANO DE AÇÃO

- Se você sofre de algum problema gastrintestinal crônico, trabalhe para tratar as causas, incorpore estratégias para otimizar a digestão e considere uma dieta de evacuação de três semanas (incluindo FODMAPs, se necessário) para identificar sensibilidades alimentares ocultas.
- Incorpore lentamente comidas com fibras prebióticas em todas as refeições.
- Se o amido resistente é apropriado para você, procure acrescentar pequenas quantidades em sua dieta usando gorduras saudáveis para reduzir o efeito glicêmico, caso necessário.
- Uma vez remediada a sensibilidade à insulina e restabelecida a saúde intestinal, um objetivo de longo prazo é a incorporação de amidos mais resistentes.
- Experimente acrescentar uma variedade de alimentos probióticos à sua dieta.

RISCOS

DISTÚRBIO GASTRINTESTINAL Ingerir excesso de fibras probióticas, amido resistente ou alimento probiótico rápido demais pode levar a incômodos gastrintestinais, como dor abdominal moderada, câimbras, diarreia, gases e inchaço. Recomendamos começar com pequenas doses e aumentar aos poucos. Como esses efeitos colaterais estão bastante ligados a intestino permeável, disbiose, SIBO (síndrome de supercrescimento bacteriano) e IBS (síndrome do intestino irritável), pessoas que sofrem com essas enfermidades podem revelar maior propensão a efeitos colaterais gastrintestinais.[26]

FODMAPs Se você já realizou uma dieta de evacuação geral para determinar as sensibilidades alimentares subjacentes e ainda tem sintomas gastrintestinais, pode considerar um exame de evacuação adicional de alimentos ricos em FODMAPs. FODMAP é um acrônimo para uma série de carboidratos de cadeia curta e álcoois de açúcar que podem ser absorvidos de maneira pobre, resultando em incômodo gastrintestinal. FODMAPs são oligossacarídeos, dissacarídeos, monossacarídeos e polióis fermentáveis. Muitos alimentos com alto teor de FODMAPs são na verdade sugestões bastante saudáveis que recomendamos em nossa dieta. Mas são mal digeridos por algumas pessoas, e a ingestão em grande quantidade pode causar problemas digestivos. O objetivo é curar o intestino a um ponto em que essas pessoas poderão digerir tais alimentos sem dificuldades.

Dietas baixas em FODMAPs são usadas temporariamente para tratar problemas como IBS, SIBO e outros distúrbios gastrintestinais funcionais, como motilidade alterada. Dietas com poucos FODMAPs também podem ser prescritas para aliviar sintomas de outros problemas, como tireoidite de Hashimoto, esclerose múltipla, eczema, artrite reumatoide e fibromialgia. Além do mais, a dieta pode ser útil para pessoas com problemas de tolerância a alimentos ricos em histamina, que incluem comidas fermentadas, caldo de tutano, sobras do dia anterior, álcool e muitas outras coisas que ingerimos. Abstenha-se de alimentos fermentados e probióticos durante seu teste com baixos FODMAPs.

Quando alguém com IBS consome FODMAPs, eles são rapidamente fermentados pelas bactérias que vivem nos intestinos, produzindo gases. Isso resulta em inchaço e em impactos na capacidade intestinal de se contrair de forma adequada, levando a intestino solto ou constipação. A SIBO ocorre quando as bactérias que costumam viver no intestino grosso vão parar no intestino delgado. O supercrescimento de bactérias no intestino delgado pode levar a permeabilidade, refluxo gástrico, inchaço e sintomas de IBS, que muitas vezes ocorrem imediatamente após a ingestão de alimentos fibrosos (incluindo prebióticos e amido resistente) e fermentados. A eliminação de FODMAPs interrompe o suprimento alimentar das bactérias patogênicas no intestino delgado. Fazer apenas uma dieta pobre em FODMAPs talvez não seja suficiente para tratar a SIBO, mas é um bom começo. Antibióticos especializados ou tratamentos antimicrobianos são às vezes necessários. Um médico funcional pode orientá-lo nos exames e no tratamento da SIBO.

Sintomas que podem indicar que você tem sensibilidade a FODMAPs incluem:

- Gases
- Inchaço
- Distensão abdominal
- Dor abdominal
- Diarreia
- Constipação
- Sensação precoce de saciedade

Como em qualquer dieta de evacuação, você vai reduzir sua ingestão de FODMAPs por três a seis semanas para ver se isso ajuda a melhorar seus sintomas, permitindo que seu intestino se recupere antes de reintroduzir aos poucos um alimento de cada vez, para identificar quais estão causando os sintomas. Tenha em mente que muitas vezes é a *quantidade* de FODMAPs que pode estar causando o problema, e apenas reduzir a quantidade em uma refeição pode por vezes prevenir os sintomas. Sabemos que dietas de evacuação são difíceis, mas oferecem uma informação poderosa que você pode usar pelo resto da vida para personalizar uma dieta sustentável que nutra seu corpo e otimize sua saúde.

INTOLERÂNCIA À HISTAMINA Como observado no capítulo anterior, algumas pessoas, em especial com intestino permeável, são sensíveis à histamina, um neurotransmissor que em geral protege nossos sistemas imune, digestivo e nervoso. Elas muitas vezes apresentam sintomas similares aos alergênicos após ingerir alimentos com elevado teor de histaminas. Alimentos com muita histamina incluem vinagre, produtos fermentados e caldo de tutano. Ver box sobre caldo de tutano na p. 142 para mais informações.

REBOTE DE DOENÇA DO REFLUXO GASTRINTESTINAL POR TENTAR REDUZIR OS INIBIDORES DE BOMBA DE PRÓTON (Ver p. 138.)

LEITURA DE GLICOSE ELEVADA (Ver p. 148.)

10. Pirâmide, nível 4: Escolha com sabedoria

Nós somos nossas escolhas.
Jean-Paul Sartre

PROTEÍNA ANIMAL

No passado, os animais selvagens pastavam livremente e faziam suas dietas naturais, proporcionando a nossos ancestrais proteína animal limpa e saudável, que era naturalmente magra, rica em gorduras ômega-3 e ácido linoleico conjugado (CLA), que está associado à função imune melhorada e inflamação reduzida. Na tentativa de aumentar a eficiência e o lucro, os grandes empreendimentos agrícolas modernos empregam operações de alimentação animal concentradas (CAFOs) para oferecer a carne hoje disponível nos mercados. Esse tipo de instalação abriga animais em espaços muito confinados e com frequência insalubres, vale-se de antibióticos para tratar doenças e de injeções de hormônios de crescimento para aumentar seu tamanho de forma rápida. Esses antibióticos e hormônios são passados a nós, ameaçando nossa saúde com a resistência a antibióticos e os perfis hormonais descompensados, levando a puberdade precoce e resistência à insulina.[1] Animais CAFO também recebem dietas muito pouco naturais, em geral cereais baratos contaminados com glifosato, e a inflamação resultante é transmitida para nós.[2] Mesmo quando evitamos cereais pelos benefícios à saúde, ainda assim podemos sofrer os efeitos perniciosos deles apenas ingerindo os animais CAFO criados com cereais.

Muitas sociedades tradicionais, longevas e saudáveis, como a população de Okinawa, consumiam quantidade limitada de animais selvagens ou criados de maneira orgânica.[3] Nenhuma parte do animal era desperdiçada. Compare isso com nossa prática moderna de comer grandes quantidades em especial de músculo (como peito de frango ou carne moída), que é rico no aminoácido essencial metionina, enquanto a glicina, outro aminoácido encontrado em colágeno, ossos, pele e miúdos, raras vezes é consumida. A restrição à metionina está associada a um quadro metabólico mais favorável (aumento da sensibilidade à insulina e da queima de gordura) e à longevidade, enquanto o excesso de metionina pode contribuir para a elevação da homocisteína, se não for reciclada de forma adequada.[4] Para otimizar a saúde, a metionina deve ser balanceada com glicina e outros aminoácidos. Acrescentar caldo de tutano de animal de pasto e miúdos a sua dieta é uma maneira simples de atingir esse equilíbrio.[5] Fígado em pequenas quantidades é extraordinariamente saudável, fornecendo níveis altos de retinol, B_{12} e colina.

Para reverter o declínio cognitivo, recomendamos proteína animal limpa, em quantidades adequadas, conforme determinado pelas necessidades individuais. Isso significa recorrer a animais que vivem e comem o mais próximo possível do que fariam no estado natural.

Calculando as necessidades proteicas

A KetoFLEX 12/3, como o nome indica (FLEX = flexitarianista), permite que a proteína animal seja ou não incluída. Se você decidir incluir proteína animal, pense nela como um condimento ou um acompanhamento, não como o prato principal.

O homem primitivo comia o que estivesse disponível, o que provavelmente incluía insetos, cortiça, raízes, tubérculos, plantas, peixes, ovos e o ocasional banquete de uma caçada bem-sucedida.[6] A proteína animal provavelmente era uma iguaria rara, não a parte principal de toda refeição. Embora precisemos de proteína para as funções corporais essenciais, o americano médio come demais. O trabalho do dr. Valter Longo revela que diminuir o consumo de proteínas na meia-idade, aumentando a quantidade conforme envelhecemos, está relacionado à longevidade.[7] Muitas pessoas saudáveis podem limitar o consumo de proteína animal de 0,8 grama a um grama de proteína por quilo de massa corporal magra (MCM) por dia, tendo em mente que as necessidades proteicas efetivas de cada um são altamente individualizadas. (Instruções detalhadas para determinar suas necessidades proteicas são encontradas no cap. 12.) Dependendo de seu ponto de partida, você pode precisar inicialmente de mais proteína, conforme trabalha para curar os danos subjacentes, diminuindo à medida que se recupera. É importante identificar suas necessidades proteicas personalizadas, tendo em mente que os seguintes grupos específicos de pessoas podem precisar de mais proteína:

- Com problemas gastrintestinais crônicos, incluindo GERD (em especial quem utiliza PPIs e outros antiácidos), SIBO, IBS etc.
- Diagnosticados com Alzheimer tipo 3 ("tóxico")
- Com doença subjacente, infecções ativas e se recuperando de cirurgia
- Acima de 65 anos, em especial com marcada perda muscular
- Com IMCs abaixo do ideal (menos de 18,5 para mulheres e menos de dezenove para homens)
- Quem pratica esportes muito rigorosos ou realiza trabalho físico exigente

Nem todo mundo situado nessas categorias *automaticamente* precisa de mais proteína na dieta. Isso é verdade em particular para pessoas saudáveis com digestão gastrintestinal otimizada (em especial ácido estomacal adequado) e que estimulam ativamente o crescimento muscular por meio de uma movimentação diária desafiadora. Se você está numa das categorias acima, aumente a proteína da sua dieta entre 10% a 20% acima de nossas recomendações, para 1,1 grama a 1,2 grama de proteína por quilo de massa corporal magra, até conseguir tratar a causa específica de seja lá o que estiver fazendo você sentir mais necessidade de proteína ou metabolização insuficiente dela, com o objetivo final de trabalhar para nossa quantia recomendada.

Para impedir a perda muscular ao reduzir a proteína, é vital incorporar treino de força a seu estilo de vida. Procure um jeito de incluir no seu dia movimentos em que carregue algum peso (ver cap. 13). Ao reduzir a proteína, preste muita atenção em como você se sente em termos de força. Quem estiver perdendo músculo ou peso demais talvez tenha de reconsiderar seu consumo de proteína ou a possibilidade de uma disfunção gastrintestinal que esteja levando à redução da absorção proteica.

Pessoas em tudo mais saudáveis, fortes e progredindo com nossas recomendações de proteína talvez queiram considerar restringir ainda mais a proteína de quinze gramas a 25 gramas diários, várias vezes por semana, para encorajar a autofagia, seu programa de faxina celular, a promover a recuperação. Você pode pensar em se abster de proteína animal um ou mais dias por semana.

Toda planta tem alguma proteína. Não há *nenhuma necessidade* de limitar sua proteína vegetal quando usada como alimento integral. Na verdade, recomendamos usar várias plantas (e mais coisas!) para obter proteína, o máximo possível. Vegetarianos e veganos podem conseguir proteína adequada de leguminosas, oleaginosas, sementes e legumes. Por exemplo, em 28 gramas de pistache há proteína equivalente a um ovo de criação orgânica; entretanto, a proteína vegetal é em geral incompleta e menos biodisponível. Pessoas que ingerem apenas proteína vegetal devem considerar potenciais deficiências em ômega-3, vitamina B_{12}, retinol, vitamina D, zinco e colina — elementos vitais para a saúde cerebral. Ver cap. 12 para mais informações específicas para veganos e vegetarianos.

Frutos do mar e ovos para a saúde do cérebro

Você deve estar se perguntando quais alimentos de origem animal são mais importantes para otimizar a cognição. Alimentos marinhos de origem natural e ovos de criação não confinada são sem dúvida os vencedores! Embora falemos de alimentos marinhos e ovos nesta seção sobre proteína animal, é na maior parte sua gordura única que torna os peixes gordos (ricos em ácidos graxos ômega-3, especialmente DHA) e as gemas de ovo (colina) importantes. Ambos são cruciais para o suporte sináptico.[8]

DHA Nosso cérebro é composto de mais de 60% de gordura, e o ácido docosa-hexaenoico (DHA) compreende 90% dos ácidos graxos ômega-3 no cérebro. O cérebro é incapaz de fabricar DHA localmente e mantém esses níveis elevados em especial pela absorção de DHA de lipídios no sangue circulante que cruzam a barreira sangue-cérebro.[9] Manter a concentração de DHA é importante ao longo de todo o ciclo de vida, começando com a gravidez, a lactação e a infância, para o desenvolvimento cerebral e ocular apropriado, com implicações posteriores na vida. O DHA continua a ser importante para o cérebro jovem, uma vez que o cérebro humano só completa a mielinização na terceira década. Mielinização é o processo de formar uma bainha (ou isolamento) de mielina em torno das conexões cerebrais.[10] O DHA é incorporado à membrana celular, aumentando a fluidez, o que é importante para o transporte e a comunicação celulares. Na verdade, o DHA é uma das gorduras mais importantes para a estrutura sináptica. Ele também aumenta o BDNF, um fator de crescimento que tem efeito anti-Alzheimer, promovendo a sobrevivência dos neurônios novos e protegendo os existentes.[11] O papel do DHA pode ser particularmente crítico para cérebros idosos, uma vez que tendem a encolher e a sofrer maior oxidação,[12] e um nível adequado de ácidos graxos ômega-3 (tanto EPA como DHA) oferece uma poderosa neuroproteção quando considerarmos com cuidado os potenciais confundidores, descritos abaixo.

Maximizando a neuroproteção dos ácidos graxos ômega-3

1. Assegure-se de que está obtendo o suficiente. Devido a inúmeras interações genéticas e dietéticas, a única maneira de fazer isso é medindo os níveis no sangue por meio de um exame simples chamado índice ômega-3. Esse exame mede o nível de EPA e DHA nas hemácias. Quem não é portador do gene ApoE4 deve objetivar de 8% a 10%, enquanto portadores de ApoE4 devem tentar ≥ 10%.[13] Sua proporção de ômega-6 para ômega-3 deve ficar na faixa entre 1:1 e 4:1. Se você tem tendência a sangramento ou histórico familiar de derrame cerebral (sobretudo homens homozigóticos ApoE4), fique ciente de que proporções < 0,5:1 podem estar associadas a distúrbios hemorrágicos.
2. Certifique-se de atingir sua meta de homocisteína de ≤ 7 μmol/L. Novas evidências quanto a resultados inconsistentes da pesquisa prévia sugerem que ácidos graxos ômega-3 só beneficiam a cognição quando a homocisteína elevada é tratada.[14]

COLINA Gema de ovo, peixe e fígado estão entre as melhores fontes de colina, um micronutriente crucial para o cérebro. A colina estimula a produção de acetilcolina, neurotransmissor responsável por conexões sinápticas essenciais para a memória. A fosfatidilcolina, um fosfolipídio (uma classe de lipídio que representa um componente essencial de todas as membranas celulares) do qual a colina é um componente, é menor no cérebro de pacientes de Alzheimer. Níveis mais elevados estão associados ao desempenho da memória e à resistência ao declínio cognitivo.[15] Descobriu-se também que a colina ajuda na redução da homocisteína, implicada tanto na demência como na doença cardiovascular, como mencionado há pouco. Um estudo recente demonstrou que a colina não só melhorava a memória espacial em fêmeas grávidas de camundongo, como também o fazia por várias gerações, sem suplementação extra, salientando sua importância neuroprotetora.[16]

Obtendo proteína animal

PEIXE Consuma peixes pescados na natureza, ricos em ômega-3, de águas frias e com pouco mercúrio. Dê preferência para os seguintes tipos, quando for escolher um peixe: salmão, cavala, anchova, sardinha e arenque. Melhor fresco ou recém-congelado. Prefira produtos armazenados em potes de vidro a enlatados, mesmo livres de BPA (bisfenol A). Oceanos, lagos, rios etc. são ecossistemas dinâmicos continuamente expostos a graus variados de toxinas. Frutos do mar que vêm de lugares distantes da industrialização costumam ser mais seguros, sem contar os desastres ambientais. Peixes com mercúrio elevado são em geral mais longevos (logo, ocorre bioacumulação) e têm a boca grande (portanto, no topo da cadeia alimentar), como atum, peixe-espada e tubarão, e devem ser evitados. Em geral, quanto menor e mais embaixo na cadeia alimentar, mais seguro para o consumo. Evite também peixes defumados, que contêm nitratos e estão associados a câncer de estômago.

O salmão é rico em ômega-3 e tem menos contaminação. Salmão-vermelho, salmão-real, coho, keta e salmão rosado são boas opções. O peixe recém-pescado na natureza costuma ser encontrado de maio a setembro, mas recém-congelado pode ser encontrado o ano inteiro em grandes redes de supermercado. Cuidado com o salmão criado em fazendas, que é a maior parte dos comercializados em mercados. Muitos restaurantes até oferecem salmão cultivado como se fosse natural. O salmão natural tem um tom laranja-avermelhado muito mais profundo, com um sabor mais pronunciado, enquanto o salmão cultivado em fazendas é menos saboroso, mais claro e todo riscado de gordura branca devido à inatividade em cativeiro. A maioria do salmão de cultivo é extremamente tóxica devido a pesticidas, poluentes orgânicos persistentes (POPs), bifenilpoliclorados (PCBs), mercúrio, cádmio, dioxinas e antibióticos. Por conta das condições de superlotação, sujeira e estresse e à alimentação antinatural de OGMs, esses peixes são doentes, cheios de parasitas marinhos e inadequados para consumo. A qualidade nutricional, incluindo gorduras ômega-3, também é comprometida.[17]

Com exceção do salmão, os outros peixes recomendados aqui são sempre pescados na natureza. A cavala de Atka do Alasca é uma boa opção, assim como arenque e cavala de pesca de arrastão no Atlântico Norte. Evite cavala-verdadeira e sororoca, que têm elevado teor de mercúrio. A espinha macia de anchovas e sardinhas é excepcionalmente saudável por conta de cálcio, colágeno e outros nutrientes. Arenques do Atlântico e do Pacífico são boas opções. Se você gosta de arenque escandinavo em conserva, compre uma variedade com pouco açúcar ou tente fazer sua própria conserva. Outras boas opções quase livres de mercúrio incluem bacalhau, escamudo e linguado (ou solha).

MARISCOS, CRUSTÁCEOS E MOLUSCOS Devem ser pescados naturalmente, se possível. Jamais consuma camarões cultivados. A maioria comercializada nos Estados Unidos é de fazendas e importada, e deve ser evitada. Vieiras, amêijoas, mexilhões e ostras costumam ser seguros. Caranguejos são obtidos naturalmente e considerados seguros de modo geral, embora alguns tenham níveis elevados de *dioxina*, um poluente ambiental que pode ser prejudicial para a saúde humana. Evite imitações da carne de caranguejo, que possuem níveis elevados de transglutaminase inflamatória, que pode penetrar na barreira sangue-cérebro e perturbar os neurotransmissores.

Ferramentas como o Seafood Selector do Environmental Defense Fund (seafood.edf.org), o Seafood Watch do Aquário da Baía de Monterey (seafoodwatch.org) e o Seafood Calculator do Environmental Working Group (ewg.org/consumer-guides/ewgs-consumer-guide-seafood) podem ajudá-lo a encontrar frutos do mar menos tóxicos.

OVOS Não é de surpreender que os ovos mais saudáveis venham de galinhas mais saudáveis ou criadas ao ar livre em lugares livres de toxinas. Ovos de galinhas criadas desse modo também são uma fonte excelente de ácidos graxos ômega-3 (acima de treze vezes mais do que ovos de criação padrão, confinada), B_{12} (70% a mais), folatos (50% a mais) e vitaminas solúveis em gordura, em especial E,

A e betacaroteno, fornecendo no mínimo o dobro dos ovos convencionais.[18] A gema mais escura dos ovos de galinhas criadas ao ar livre é um reflexo de que puderam ter uma dieta onívora natural, que inclui grama, mato, sementes, insetos e minhocas. Apesar da rotulagem nessa área não estar regulamentada, ainda recomendamos comprar ovos identificados como de criação ao ar livre.

GADO DE PASTO Sua meta é consumir apenas carne de animais criados ao ar livre em pastagens saudáveis, sem exposição a antibióticos ou hormônios de crescimento. A carne de pasto é mais magra e tem um perfil nutricional mais saudável. Alguns afirmam que ela é mais saborosa, porque nos acostumamos ao sabor mais gorduroso do gado CAFO, alimentado à base de milho. A carne de gado de pasto deve ser preparada lentamente em fogo baixo, para criar uma fina camada externa que permita que os açúcares, que ocorrem naturalmente, caramelizem na superfície, ao mesmo tempo que protege as fibras musculares de se contraírem rápido demais e endurecerem.

Essa é a única exceção em que a carne orgânica certificada pelo Departamento de Agricultura dos Estados Unidos talvez *não* seja sua melhor opção, porque esses animais ainda recebem cereais como suplemento, mesmo sendo cereais *orgânicos*. Além disso, saiba que o fim da obrigatoriedade de indicar o país de origem no rótulo tornou mais difícil de encontrar carne 100% de pasto. Como a carne vermelha (boi, carneiro, bisão, porco) tem altas quantidades da molécula de açúcar Neu5Gc (ácido N-glicolilneuramínico), recomendamos restringir o seu consumo. Também não indicamos consumir carne de caça (veado, alce, cervo etc.) devido à doença do desgaste crônico, disseminada entre as manadas norte-americanas e que afeta a Noruega e a Coreia do Sul. (Ver mais em **RISCOS**, na próxima página.)

AVES Sua meta é encontrar algo que é quase impossível: frango, pato, ganso ou peru 100% de criação ao ar livre. Há muitos selos enganosos nas embalagens que o levam a acreditar que o animal é criado em liberdade e não recebe cereais suplementares, mas raras vezes é o caso. Embora essas aves possam ter a oportunidade de circular ao ar livre, elas em geral recebem cereais como alimentação suplementar, o que pode ser tão inflamatório quanto se você os tivesse ingerido. Produtos rotulados como orgânicos são um pouco melhores, já que estão livres de antibióticos e hormônios de crescimento. Esses animais se alimentam apenas de ração orgânica, o que ainda assim inclui cereais, mas em versões mais seguras, livres de pesticidas e contaminação.

Quando possível, converse diretamente com o fazendeiro e pergunte sobre a alimentação das aves. Elas precisam ser criadas com liberdade para andar e comer grama, mato, vermes e insetos livres de pesticidas, herbicidas e outras fontes de contaminação. Aves criadas naturalmente de verdade têm níveis mais elevados de ômega-3. Elas são bem menores do que as aves criadas da maneira convencional e, de modo geral, têm a carne mais dura, mas podem ser amaciadas com cozimento lento.

PLANO DE AÇÃO

- Pessoas saudáveis devem limitar o consumo de proteína animal a 0,8-1 grama por quilo de massa corporal magra por dia, com algumas das exceções citadas anteriormente.
- Tenha em mente que as metas proteicas devem ser reduzidas conforme a recuperação progride, a fim de fortalecer a autofagia.
- Toda planta tem proteína em algum grau. Você não precisa limitar sua proteína a vegetais integrais.
- Prefira frutos do mar pescados ao natural e ovos de criação orgânica e livre.

RISCOS

SALMÃO CULTIVADO (Ver p. 162.)
CAMARÃO CULTIVADO (Ver p. 163.)
EXPOSIÇÃO A ANTIBIÓTICOS E HORMÔNIOS Compre carne de gado alimentado em pasto e que não tenha sido exposto a antibióticos e hormônios, segundo as orientações já citadas. Aves orgânicas são sempre livres de antibióticos e hormônios, mas ainda recebem suplementação de cereais orgânicos.
METAIS PESADOS E OUTROS POLUENTES AMBIENTAIS Como as toxinas — mercúrio, chumbo, cádmio e incontáveis outras — se tornaram tão onipresentes na água e na terra onde os animais vivem, *é impossível evitá-las*. A bioacumulação e o armazenamento de toxinas na gordura e nos ossos dos animais, incluindo os seres humanos, continuam a frustrar nossas tentativas

de reduzir nossa carga tóxica. Além dos metais pesados, os oceanos estão cheios de milhares de toneladas de lixo (microplásticos), que é consumido até pelos menores peixes. Essas toxinas se acumulam na gordura dos animais que comemos e são repassadas a nós. Muitas têm efeitos cumulativos em nossa saúde. Embora nossas diretrizes forneçam instruções sobre como encontrar as proteínas animais mais limpas possíveis, a contaminação tóxica é outro motivo para restringir totalmente a proteína animal.

EXPOSIÇÃO A CEREAIS (Ver p. 157.)

MARCADORES DE GLICOSE ELEVADOS Muitos que começam a diminuir o consumo de carboidratos consomem proteína extra, já que não se sentem confortáveis em aumentar a gordura na dieta. O excesso de proteína, como o de carboidratos, pode causar um pico glicêmico. Limitar sua proteína usando gordura com vegetais sem amido o ajudará a sentir saciedade e a entrar em cetose, mantendo assim seu índice glicêmico baixo.

HOMOCISTEÍNA ELEVADA (Ver pp. 158 e 161.)

TMAO (N-ÓXIDO DE TRIMETILAMINA) Alguns estudos sugerem que a ingestão de carne vermelha eleva o TMAO, aumentando por sua vez o risco de cardiopatia, câncer e mortalidade em geral. Entretanto, a evidência epidemiológica é inconsistente e praticamente desaparece quando doença renal e resistência à insulina são consideradas como fatores de contribuição.[19] Além do mais, nenhum desses estudos leva em consideração a saúde do microbioma (onde o TMAO se origina) e podem subestimar o viés do usuário saudável — o conceito de que a pessoa que evita carne vermelha deve ter hábitos em geral mais saudáveis. Suspeitamos que a pequena quantidade de proteína animal não processada e limpa recomendada no contexto de uma dieta majoritariamente vegetariana e de um estilo de vida saudável minimizará o potencial efeito negativo do TMAO.

OVOS E CÂNCER DE PRÓSTATA Foi encontrada uma correlação inconsistente entre o consumo de ovos e o câncer de próstata, que só vigora na América do Norte. Em países onde o consumo de ovos elevado acontece junto com o de vegetais, essa correlação desaparece. As pesquisas mais recentes sugerem que o viés do usuário não saudável tradicionalmente associado ao consumo de ovos pode estar mediando esse risco.[20] Suspeitamos que homens que, no mais, seguirem nossas orientações bastante vegetarianas e sem açúcar minimizarão o risco potencial. Homens com risco mais elevado devido à hiperplasia prostática benigna ou que foram diagnosticados com câncer de próstata devem tomar cuidado para atender suas necessidades de colina sem excedê-las.

ELEVAÇÃO DO IGF-1 Excesso de proteína, em especial quando combinado a um estilo de vida sedentário e a uma dieta ocidentalizada, pode elevar o fator de crescimento 1 (IGF-1), uma proteína que tem estrutura molecular similar à da insulina. Níveis excessivos de IGF-1 estão relacionados a alguns tipos de câncer, incluindo cólon, pâncreas, endométrio, mama e próstata.[21]

AGEs Produtos finais da glicação avançada (AGEs) são compostos prejudiciais resultantes de proteínas e lipídios glicados. Estão naturalmente presentes em proteína animal e outros alimentos não cozidos. O cozimento da proteína animal, especialmente a uma temperatura elevada ou com adição de açúcar, aumenta de forma dramática os AGEs, como exemplificado pelos visíveis amarronzado e enegrecimento da queima. AGEs também são formados de maneira endógena com o consumo de proteínas e lipídios quando combinados a açúcar na corrente sanguínea. AGEs, tanto endógenos como exógenos, resultam em envelhecimento precoce e no desenvolvimento e agravamento de muitas doenças degenerativas crônicas, incluindo Alzheimer, aterosclerose, diabetes e doença renal.[22] Ao preparar qualquer proteína animal, use calor úmido (refogados, ensopados), não seco (grelhados, assados, frituras). Temperaturas mais baixas por períodos de cozimento maior, com marinada feita de ingredientes ácidos como vinagre, frutas cítricas ou vinho, temperada com alecrim ou outras ervas, ajuda a atenuar os efeitos. Muitos preferem usar uma panela de cozimento lento.[23]

Neu5Gc (ácido N-glicolilneuramínico) A Neu5Gc é uma molécula de açúcar encontrada na maioria dos mamíferos, mas não nos humanos. Uma evidência preliminar sugere que o ser humano talvez não reconheça a molécula (prevalecente na carne vermelha) e gere anticorpos inflamatórios como resposta à sua ingestão. Indivíduos com o quartil mais elevado de anticorpos Neu5Gc revelaram um risco três vezes maior de câncer colorretal do que o quartil mais baixo.[24]

DOENÇA DO DESGASTE CRÔNICO Essa doença causada por príons afeta veados, alces e cervos na América do Norte, na Noruega e na Coreia do Sul. Os CDC (Centros de Controle e Prevenção de Doenças dos Estados Unidos) advertem contra o consumo de carne de caça infectada. Como há um extenso período de incubação antes do aparecimento dos sintomas, aconselhamos não consumir nenhuma carne desse tipo.[25]

FRUTAS

Alguns dizem que as frutas são "os doces de Deus". Em sua forma ancestral, eram ricas em fitonutrientes e fibras saudáveis. Infelizmente, muitas frutas modernas se assemelham pouco a seus antepassados. Hoje, as frutas amplamente disponíveis para nosso consumo foram muitas vezes criadas de forma seletiva para serem mais doces, maiores, mais fáceis de comer e mais duráveis para o transporte, resultando em variedades naturais com baixo teor de fibras e elevado teor de açúcar, que prejudicam a saúde metabólica. No passado, as frutas eram consumidas no fim do verão, para engordar e enfrentar o inverno. Alguns se referem à nossa atual epidemia de obesidade como originária do "inverno que nunca chega". Isso é exemplificado de maneira perfeita com a pronta disponibilidade nos mercados de qualquer fruta imaginável, independente da estação do ano.

Selecionando a fruta com cuidado, uma pequena porção, em especial se combinada a oleaginosas, pode ser a sobremesa perfeita para se degustar sem preocupações após a refeição.[26] Opte por frutas orgânicas, locais e sazonais, com índice glicêmico baixo ou carboidratos líquidos baixos. Um exemplo perfeito seria uma torta de maçã silvestre com nozes degustada no fim do verão ou no início do outono. Veja abaixo uma lista completa de todas as frutas recomendadas, acompanhadas da advertência glicêmica.

Frutas

Amora**	Lima*
Banana verde*	Limão*
Banana-da-terra verde*	Maçã silvestre** (na temporada)
*Bilberries***	Mamão verde**
*Boysenberries***	Manga verde**
Caqui***	Mirtilo**
Cassis*	Morango** ♦
Cereja*	*Mulberries***
Coco* ♥	Oxicoco*
Framboesa**	Romã***
Kiwi* (verde)	Toranja*

LEGENDA
Índice glicêmico: Baixo* Intermediário** Alto***
Certificação orgânica pelo Departamento de Agricultura dos Estados Unidos ♦
Elevado teor de ácidos graxos saturados ♥

Algumas frutas, como frutos silvestres, podem ser consumidas fora da época, tirando vantagem de suas potentes propriedades neuroprotetoras. Frutos silvestres sem adição de açúcar, como mirtilo, morango, framboesa, *mulberries*, *bilberries*, groselha, amora, *boysenberries*, oxicoco e romã, devem ser priorizados pois seus compostos polifenólicos exercem um efeito terapêutico tanto na prevenção como na recuperação do declínio cognitivo. Seus pigmentos escuros, chamados antocianinas, e outros flavonóis contribuem para suas propriedades neuroprotetoras.[27]

O mirtilo, em particular, foi bastante estudado para ver se estimula a memória. Em dois ensaios clínicos realizados separados, randomizados e controlados, houve melhora dos aspectos cognitivos, incluindo memória verbal e operacional e mudança de tarefa, que é um componente importante da função executiva.[28] Além do mais, exames de ressonância magnética funcional revelaram maiores níveis de sinais dependentes de oxigênio sanguíneo no cérebro de pessoas com déficit cognitivo leve após o consumo de mirtilo.[29] A cereja, que é tecnicamente uma drupa (como o pêssego e a ameixa), e não um fruto silvestre, também mostrou-se eficaz em melhorar a saúde cardiometabólica, o estresse oxidativo e a inflamação. Um pequeno ensaio clínico randomizado e controlado demonstrou que pessoas alimentadas com cerejas apresentaram melhora na fluência verbal e na memória de curto e longo prazo.[30] Foi demonstrado que o caqui, uma excelente fonte de fibra prebiótica, tem propriedades neuroprotetoras, mas seu índice glicêmico é razoavelmente alto, e assim ele deve ser apreciado com parcimônia.[31]

Prefira frutos silvestres e cerejas recém-colhidos e não adoçados, mas tudo bem comprá-los congelados. (Surpreendentemente, até frutas secas retêm altos níveis de nutrientes, apenas em embalagens condensadas.) Compre as versões *sem açúcar*. Prefira sempre a fruta ao suco, para manter as fibras e reduzir o índice glicêmico. Certas frutas silvestres, como oxicoco e cassis, são azedas e desagradáveis demais para algumas pessoas. Explore diferentes maneiras de usar pequenas quantidades de adoçantes aprovados para deixá-las mais palatáveis.

Outras frutas que podem ser apreciadas à vontade fora da época são limões e limas. São excelentes fontes de vitamina C e contêm naturalmente pouca glicose. Essas coloridas usinas cítricas de sabor acrescentam um toque revigorante a saladas, proteínas animais, sobremesas e mais. Até a casca ralada é um modo fácil e nutritivo de dar um toque de sabor extra a muitos pratos. (Nota:

alimentos ácidos agridem o esmalte dos dentes. Após ingerir algum alimento ácido, espere meia hora antes da escovação.)

Advertimos contra o consumo da maioria das frutas tropicais maduras, já que tendem a ter índice glicêmico muito elevado. Algumas exceções são coco (tecnicamente uma drupa) não adoçado e todo tipo de amido resistente já mencionado, incluindo banana-da-terra, banana, manga e mamão verdes. Não cozinhe a banana e a banana-da-terra verdes, uma vez que isso degrada o amido resistente. Como já mencionado, o kiwi tem enzimas digestivas naturais e foi demonstrado que melhora os perfis lipídicos e reduz a oxidação lipídica.[32]

BETERRABA Se as frutas são "os doces de Deus", a beterraba é sua *joia*. Essa raiz vermelho-escura é *adocicada* e não contém amido, além de fornecer grandes benefícios para o coração e o cérebro através de diferentes mecanismos. A beterraba é conhecida por ser uma fonte rica de nitratos, que são convertidos em óxido nítrico no endotélio vascular. O óxido nítrico atua como vasodilatador, ajudando a baixar a pressão arterial e a melhorar o fluxo sanguíneo, o que ajuda a saúde vascular cerebral e cardíaca, e é particularmente indicado para combater o declínio cognitivo vascular. Outro benefício da beterraba para o cérebro é a combinação de seu conteúdo de uridina com ácidos graxos ômega-3 e colina, que incrementa o crescimento sináptico.[33] Um estudo de laboratório recente demonstrou que a betanina, composto da beterraba responsável por sua cor vermelha única, pode ajudar a desacelerar o acúmulo de beta-amiloide no cérebro.[34] A beterraba também possui potentes propriedades de desintoxicação antioxidantes e anti-inflamatórias.[35] Essa raiz e sua folha verde também são ricas em carotenoides, que, comprovadamente, ajudam na saúde ocular.[36]

Beterraba crua, que fica deliciosa em saladas, tem o menor impacto glicêmico. A beterraba cozida tem um sabor terroso distinto, não muito diferente da batata; pode ser preparada no vapor ou na panela, preservando a firmeza. É importante não cozinhar demais, já que isso reduz os nutrientes e aumenta o conteúdo de açúcar. Sirva com azeite extravirgem ou na manteiga para atenuar o efeito glicêmico. Você pode consumir a casca, em especial de beterrabas mais jovens (mais macias e menos amargas), se prepará-la na panela ou fizer *kvass*, um suco de beterraba lacto-fermentado do Leste Europeu. A casca é rica em micróbios, o que confere uma microbiótica saudável ao *kvass*. Evite conservas de beterraba no vinagre, pois ele destrói as bactérias intestinais saudáveis. Como com todos os alimentos de elevado índice glicêmico com propriedades saudáveis, *equilíbrio é a chave*. Coma porções pequenas como parte de uma refeição e verifique sua glicemia pós-prandial após uma e duas horas para ver o efeito que teve em você.

PLANO DE AÇÃO

- Coma frutas da época. Dependendo da região do mundo em que você mora, pode haver muitas outras opções disponíveis. Sempre pese o valor nutritivo contra as preocupações glicêmicas.
- Consuma pequenas porções de frutas silvestres o ano todo.
- Frutas tropicais não maduras (banana-da-terra, banana, manga, mamão e kiwi verdes) podem ser consumidas em pequena quantidade como amidos resistentes e por causa de suas enzimas digestivas naturais.
- Limões e limas são grandes fontes de vitamina C e podem ser apreciados à vontade.

RISCOS

GLICEMIA ELEVADA Ver discussão acima. Realize o monitoramento da glicemia pós-prandial com uma e duas horas de intervalo para descobrir o efeito que determinada fruta tem em você. Ver cap. 18, p. 258, para os objetivos pretendidos. Combinar frutas com oleaginosas reduz os efeitos glicêmicos, assim como ingerir frutas após a refeição.

OXALATOS A beterraba e várias frutas recomendadas, incluindo framboesa, morango, mirtilo, mamão e kiwi, contêm elevado teor de oxalatos, que são compostos vegetais que podem promover inflamação ou pedras nos rins quando ingeridos em grandes quantidades por pessoas geneticamente suscetíveis ou com saúde intestinal comprometida.

11. Pirâmide, nível 5: Negócio arriscado

A terra provê o suficiente para satisfazer a necessidade de todos, mas não a ganância de todos.
Mahatma Gandhi

ADOÇANTES

Você vai se admirar de como seu fraco por doces sumirá rapidamente após a adoção de uma dieta integral de baixa glicemia. Quem sabe até se pegará chupando fatias de limão e lima como se fossem laranjas! Esse retreinamento de suas papilas gustativas é um sinal positivo de que você perdeu o hábito de uma comida fajuta e hiperpalatável, com pesada adição de açúcar. Saboreie essa doce vitória e não sabote seu progresso recorrendo a adoçantes. A última coisa que vai querer é reaclimatar suas papilas gustativas aos alimentos doces que o encorajamos a abandonar. As evidências sugerem ainda que até a doçura de adoçantes não calóricos engana o corpo e o faz produzir insulina e outros hormônios envolvidos na regulação da glicose, o que pode ser prejudicial para sua recuperação metabólica.[1] Há diversos adoçantes naturais que podem ser considerados, com uso limitado.

STEVIA Quantidades muito pequenas de stevia na forma pura são aceitáveis. A planta da stevia é extraordinariamente doce e cresce em muitas partes do mundo, incluindo Japão, China, Brasil e Paraguai. É de duzentas a trezentas vezes mais intensa do que um tablete de açúcar comum, e desse modo apenas uma pequena quantidade é necessária. A stevia tem zero caloria e com frequência vem combinada a outros adoçantes. Evite misturas e compre marcas com menos ingredientes. SweetLeaf é uma marca aceitável. Alguns se queixam de que a stevia deixa um retrogosto desagradável, enquanto outros não o percebem.

FRUTA-DOS-MONGES Pequenas quantidades de adoçante feito de fruta-dos-monges puro também são aceitáveis. A fruta-dos-monges, ou *luo han guo*, é um pequeno fruto redondo cultivado no Sudeste Asiático. Dizem que recebe o nome de monges budistas que o cultivavam há oito séculos. A fruta-dos-monges é de cem a 250 vezes mais doce do que o açúcar de cozinha, mas tem zero caloria. Como a stevia, é muitas vezes combinado a outros adoçantes. Evite misturas e procure as marcas com menos ingredientes possível.

MEL Com nosso foco nos alimentos ancestrais, seria um descuido não incluir o mel, por seus inúmeros benefícios à saúde. Infelizmente, ele também tem um elevado índice glicêmico e só é adequado em quantidades muito pequenas para os *não* resistentes à insulina e acompanhado de uma refeição rica em fibras e gordura, de modo a amenizar seu efeito. O mel local cru (não pasteurizado) consiste em ácidos orgânicos e compostos fenólicos que se combinam para fornecer antioxidantes potentes.[2] O mel também é um prebiótico, com enzimas digestivas naturais que contribuem para a saúde intestinal.[3] Tem propriedades tanto antimicrobianas como antifúngicas, e evidências bastante preliminares sugerem que, se obtido localmente, ajuda a dessensibilizar contra alergias.[4] Faça suas verificações de glicemia pós-prandial para testar o efeito que o mel tem em você. Não use mel no café quando estiver em jejum, uma vez que isso impedirá sua capacidade de entrar em cetose.

ÁLCOOIS DE AÇÚCAR Embora possam ocorrer naturalmente em frutas apodrecidas e alimentos fermentados, a vasta maioria dos produtos comercialmente disponíveis (eritritol, sorbitol e manitol) passa por engenharia demais e vem da glicose no amido de milho OGM. A exceção é o xilitol, extraído da glicose contida nas madeiras de lei. Sabemos também que os álcoois de açúcar causam efeitos colaterais gastrintestinais e, às vezes, dor de cabeça. Eles podem exacerbar o IBS ou o SIBO subjacentes. Até quantidades pequenas podem causar efeito laxante.[5] Além do mais, álcoois de açúcar parecem alterar de forma desfavorável a flora intestinal, alimentando micróbios como *E. coli*, *Salmonella*, *Shigella* e *Streptococcus*.[6]

PLANO DE AÇÃO

Se necessário, use quantidades limitadas de adoçantes aprovados.

RISCOS

ELEVAÇÃO DA GLICOSE O mel pode causar aumento da glicose e é recomendando apenas em pequenas quantidades para indivíduos metabolicamente saudáveis (ver acima).

ALERGIAS Pessoas com alergia a picada de abelha devem ter cautela com o mel.

FLAVANÓIS DE CACAU

Nosso tão adorado chocolate, rico em flavanóis de cacau, ainda pode ser apreciado, mas sem abuso. Embora os flavanóis extraídos do grão de cacau ofereçam significativos benefícios à saúde, também trazem preocupações importantes de toxicidade, situando o chocolate na categoria dos pequenos prazeres. Os flavanóis de cacau são uma combinação única de fitonutrientes encontrados apenas no grão de cacau. Em inglês fazemos alguma confusão, porque os termos "cacao" e "cocoa" são com frequência usados de forma intercambiável. *Cacao* se refere aos grãos crus, isto é, às sementes do fruto do cacaueiro, ao passo que *cocoa* se refere ao produto em pó, processado, quando os grãos foram fermentados, secos e assados a temperaturas elevadas. O *cocoa* pode ser apreciado em pó, nibs, moído e no chocolate.

Um extenso conjunto de evidências sugere que os flavanóis do cacau fornecem neuroproteção. Diversos estudos demonstraram que eles não só incrementam a função cognitiva, como também apresentam melhora da circulação em partes específicas do cérebro, envolvidas no declínio da memória relacionado à idade, conforme visto em exames de imagem.[7] Os flavanóis do cacau auxiliam a função dos vasos sanguíneos, aumentando assim o fornecimento de oxigênio e nutrientes para todo o corpo, com melhoria na pressão arterial e na saúde metabólica geral.[8]

Infelizmente, precisamos pesar os benefícios dos flavanóis do cacau contra o potencial para a toxicidade. Cádmio e chumbo, embora naturalmente presentes na crosta terrestre, afetam muitos produtos de cacau, em especial devido à poluição humana. Ambos são metais pesados que se acumulam no corpo e estão relacionados a efeitos prejudiciais para a saúde humana. O cádmio afeta o sistema nervoso central, levando a redução da atenção, comprometimento do olfato e déficits de memória. Além do mais, foi implicado como uma toxina que afeta muitos órgãos, sendo classificado como carcinógena.[9] A OMS recomenda limitar o consumo de cádmio a um máximo de 0,3 micrograma por grama em materiais vegetais secos.[10] Os Estados Unidos não estabeleceram um padrão nacional, mas a Califórnia exige rótulos de advertência em qualquer produto que tenha mais de 4,1 microgramas de cádmio por porção diária. O chumbo também afeta muitos órgãos do corpo e se distribui pelo cérebro, onde pode levar a danos irreversíveis, afetando a cognição e o intelecto. Crianças e mulheres grávidas são particularmente vulneráveis.[11] Segundo a OMS, não existe limite seguro para chumbo na comida.[12] A FDA limita a quantidade máxima permitida nos alimentos a três microgramas diários para crianças, e 12,5 microgramas para adultos.[13] A Califórnia limita a exposição ao chumbo de qualquer origem a não mais que cinco microgramas diários.[14]

Ao escolher uma fonte de flavanóis de cacau, você deve levar em consideração múltiplas variáveis. Seu objetivo é um produto com:

- Flavanóis elevados. Em geral, quanto maior a porcentagem de cacau, maior o teor de flavanóis.[15]
- Pouco açúcar. A mesma regra se aplica aqui. Em geral, quanto maior a porcentagem de cacau, menor o teor de açúcar.
- Pouco cádmio. Usando os limites acima, procure o de menos cádmio.
- Pouco chumbo. Usando os limites acima, procure o de menos chumbo.

Eis algumas dicas e recursos para ajudá-lo a avaliar todas as variáveis. Primeiro, sempre procure a porcentagem de cacau mais elevada que puder tolerar. Cem por cento de cacau sempre tem o nível mais elevado de flavanóis e o mais baixo de açúcar, mas é amargo demais e sem dúvida leva algum tempo para que possa ser apreciado. Opte sempre por chocolate com 85% de cacau ou mais. O ConsumerLab.com, site que avalia inúmeros produtos de saúde e nutrição, oferece uma avaliação detalhada de flavanóis (e algumas toxinas) em muitos produtos de chocolate e cacau. Para determinar os níveis de açúcar, leia a informação nutricional no verso da embalagem e opte sempre pela versão menos adoçada. Um recurso on-line gratuito chamado As You Sow (www.asyousow.org) é excelente para avaliar os níveis tanto de cádmio como de chumbo, usando os limites acima. Sua ferramenta de busca "Toxic Chocolate" também permite filtrar segundo o nível desejado de cacau. (Não confie no selo orgânico do Departamento de Agricultura dos Estados Unidos como proteção contra a contaminação por metais pesados.) A ferramenta de busca EWG Food Scores (www.ewg.org/foodscores) também pode ser útil, mas ela fornece apenas uma classificação, não uma lista dos níveis reais de toxinas específicas, e não permite filtrar por porcentagem de cacau. Há uma infinidade de produtos com flavonóis de cacau disponíveis. Alguns são bem comuns, como chocolate e cacau, enquanto outros são mais exóticos, como nibs e cacau moído. Muitos produtos alegam proporcionar benefícios extraordinários para a saúde sem mencionar as toxinas inerentes.

NIBS DE CACAU Essas queridinhas da alimentação saudável, robustas e crocantes, são a forma mais pura do cacau; pedaços levemente tostados e moídos que podem ser encontrados tanto na versão fermentada como não fermentada. As variedades não fermentadas são um pouco menos amargas. Além de fornecer os benefícios de fitonutrientes descritos acima, são também uma fonte razoável de fibra prebiótica. Infelizmente também tendem a apresentar um alto teor de cádmio, com apenas algumas estando perto de atender ao máximo de 0,3 micrograma por grama. Aconselhamos a não consumir mais do que porções ocasionais de uma colher de sopa, com a menor toxicidade que puder encontrar.

CACAU EM PÓ O pó é usado para fazer bebidas de cacau e chocolate. Os grãos são tostados a temperaturas bem mais elevadas e moídos de modo bem mais fino. Em sua forma pura, não é adoçado e ainda assim retém quantidades significativas, embora reduzidas, dos flavanóis saudáveis descritos acima. Os níveis de cádmio e chumbo são ainda mais concentrados no cacau em pó e *nenhum* produto no mercado atende às restrições da OMS. Por isso, recomendamos *não consumir* cacau em pó.

CACAU MOÍDO Não confundir com o cacau em pó. Ele é produzido com a prensagem a frio de nibs de cacau, formando uma pasta que é triturada após a secagem. Por ser a fonte mais concentrada de cacau, também exibe a toxicidade mais elevada, tanto de cádmio como de chumbo. Não recomendamos nenhum dos produtos comercialmente disponíveis.

CHOCOLATE Felizmente, os níveis de cádmio e chumbo costumam ser menos concentrados no chocolate, mas ele pode apresentar quantidades absurdas de açúcar e quantidades desprezíveis dos salutares flavanóis. Seu objetivo é buscar a menor quantidade de açúcar que puder tolerar com o maior conteúdo de flavanóis e a menor toxicidade. As porcentagens de cacau nas barras de chocolate na verdade se referem a quanto da barra, por peso, é feita de grãos de cacau puros e seus subprodutos. Por definição, porcentagens de cacau mais elevadas contêm menos açúcar e mais flavanóis. Alguns quadradinhos diários de um chocolate selecionado com cuidado podem ser uma guloseima segura (mas deliciosa) para ser saboreada após uma refeição saudável.

PLANO DE AÇÃO

- Para extrair os benefícios saudáveis dos flavanóis, experimente pequenas quantidades de chocolate com muito cacau e com o mínimo de açúcar, cádmio e chumbo.
- Devido às preocupações de toxicidade, limite o consumo de nibs de cacau e evite o cacau moído e em pó.
- Considere um suplemento de flavonol.

RISCOS

ELEVAÇÕES DA GLICOSE (Ver p. 172.)
TOXICIDADE POR METAIS PESADOS (Ver p. 175.)

LATICÍNIOS

Como os laticínios causam inflamação em muita gente, e como ela é uma causa central da doença de Alzheimer, desaconselhamos seu consumo. Se você está acostumado a colocar uma dose generosa de creme no café, essa recomendação pode ser incômoda. Assim, fornecemos sugestões para alternativas mais saudáveis.

Os laticínios são inflamatórios por diversas razões. Quase 70% da população mundial é intolerante à lactose e muitos não estão cientes de ter o problema — definido pela capacidade reduzida de digerir lactose após a infância. Isso é verdadeiro em especial para não europeus, com mais de 90% dos leste-asiáticos sendo afetados.[16] Sintomas comuns de intolerância à lactose são dor abdominal, inchaço, gases e diarreia. Sintomas menos conhecidos incluem motilidade gastrintestinal reduzida, náusea, vômitos, constipação, eczema, sinusite, artrite, dores musculares e nas articulações, cansaço, arritmia cardíaca, perda da memória de curto prazo, dor de cabeça, úlceras orais e outros sintomas, sugerindo inflamação disseminada que afeta múltiplos sistemas do corpo.[17]

Os laticínios também podem ser inflamatórios para pessoas com sensibilidade ao glúten devido a seu mimetismo molecular. A proteína caseína dos laticínios é parecida o bastante com a gliadina do glúten para confundir o sistema imune. Quando temos sensibilidade a algum alimento, nosso sistema imune adaptativo gera anticorpos contra o "inimigo", que nesse caso é o *glúten*. Toda vez que o ingerimos, o alarme dispara e nossos anticorpos partem para o ataque. Entretanto, nosso sistema imune não é perfeito, e proteínas similares no plano molecular, como caseína e gliadina, podem ser tomadas pelo antígeno original, causando aumento das citocinas inflamatórias e um estado contínuo de inflamação crônica se os alimentos prejudiciais não forem eliminados.[18]

Mesmo pessoas sem sensibilidade ao glúten nem intolerância à lactose podem ter sensibilidade a laticínios devido à natureza evolutiva do nosso suprimento de leite. A natureza supriu todos os mamíferos com o alimento perfeito para nutrir sua prole — *leite de mama*. Por milhares de anos, as espécies de mamíferos usaram o leite apenas para seus filhotes. O leite de vaca claramente não é um alimento ancestral. Só com o advento da agricultura e da domesticação de animais, por volta de 10 mil anos atrás, os humanos começaram a usar o leite de ruminantes para sua própria nutrição.[19]

Originalmente, todos os mamíferos, incluindo os humanos, produziam um tipo de leite chamado A2. Em algum momento, há cerca de 8 mil anos, ocorreu uma mutação na Europa, levando a um novo tipo de leite de vaca chamado A1. Ninguém sabe ao certo como ou por que isso ocorreu. Alguns teorizam que as raças com a mutação A1 talvez produzissem mais leite, o que fez com que os fazendeiros naturalmente as selecionassem para procriar, aumentando a produção. Com o tempo, a vasta maioria do leite de vaca no mundo ocidental acabou virando uma mistura, composta principalmente de leite A1.[20]

Há cerca de 25 anos, os cientistas descobriram uma pequena variação molecular entre os dois tipos de leite. A betacaseína, proteína mais abundante do leite, é composta de 209 aminoácidos. Na 67ª posição, o leite A2 ancestral tinha o aminoácido *prolina*, ao passo que a caseína A1, mais recente, tinha a *histadina*. Um único aminoácido em 209 talvez não soe como muita coisa, mas até uma pequena alteração pode mudar a estrutura (para dar um exemplo, a anemia falciforme é causada por uma única alteração de aminoácido na hemoglobina), que pode ser reconhecida pelo sistema imune.[21] De fato, começam a se acumular evidências de que o leite A1 mais recente estaria ligado a muitas doenças inflamatórias, incluindo diabetes tipo 1 e doenças cardiovasculares.[22] Uma pesquisa posterior revelou que a digestão do leite A1 produz compostos inflamatórios no aparelho gastrintestinal que podem causar problemas digestivos e até déficits neurológicos.[23] Não é de surpreender que essa hipótese tenha sido recebida de forma desfavorável pelos fazendeiros de A1, que questionam a motivação financeira da pesquisa, parte da qual foi financiada pela indústria do A2. Mas uma pesquisa independente sugere que há "fumaça" suficiente para preocupação.[24] Por conta da relação próxima entre saúde intestinal e cerebral e o componente inflamatório do Alzheimer, recomendamos trocar produtos derivados de A1 por A2, caso você planeje introduzir laticínios em sua dieta e minimizar sua exposição total.

LEITE Hoje em dia é razoavelmente fácil encontrar leite A2 na maioria dos mercados. Claro que é melhor se for A2 integral, de gado de pasto, mas pode ser um pouco mais difícil. A gordura no leite integral ameniza os efeitos do açúcar natural do líquido. Leite de cabra, ovelha, búfalo, camelo ou iaque é sempre de alimentação em pasto e naturalmente A2. Substitutos decentes incluem versões sem adição de açúcar de leite de amêndoas (amêndoas sem casca, se você é sensível a lectinas), coco, linhaça, avelã, cânhamo, macadâmia e soja com certificação orgânica pelo Departamento de Agricultura dos Estados Unidos. (Leite de castanha-de-caju pode ser muito inflamatório, já que tem conteúdo elevado de lectinas. O leite de arroz tem muito carboidrato.) Qualquer um pode ser usado em seu café como substituto do creme. Alguns gostam de um pouco de óleo de coco ou *ghee* sabor baunilha no café.

Lembre-se de que laticínios e substitutos de laticínios em seu café interrompem o jejum. Se tomar café durante o jejum, que seja preto e com quantidade mínima de algum adoçante aprovado. Pessoas resistentes à insulina e que estão trabalhando para estender o jejum podem usar um pouco de óleo de coco para ajudar a promover a cetose. Ver mais no cap. 7, "Dicas para jejuar por mais horas", p. 104.

IOGURTE Você pode ocasionalmente apreciar uma pequena quantidade de iogurte do leite de qualquer um dos animais aprovados mencionados antes. Compre produtos orgânicos e de animais de pasto com culturas vivas e ativas. Não compre nada adoçado. Você pode misturar algumas oleaginosas ou frutos silvestres para adoçar. Se necessário, fique à vontade para adicionar um pouquinho de adoçante aprovado. Você também pode tentar iogurtes de coco ou soja orgânicos não adoçados. Como não é fácil encontrar iogurtes sem adição de açúcar e outros ingredientes, muita gente prepara o seu em casa.

KEFIR O kefir é uma bebida fermentada com sabor amargo que é muito saudável devido aos probióticos vivos e ativos. Costuma ter maior quantidade e variedade de bactérias saudáveis que o iogurte. Todas as mesmas ressalvas feitas ao iogurte se aplicam ao kefir.

QUEIJO Queijos de qualquer um dos animais acima são aceitáveis em pequena quantidade. Queijos de cabra, ovelha e búfala podem ser encontrados com facilidade.

PLANO DE AÇÃO

- Evite os laticínios convencionais.
- Consuma laticínios A2 em pequena quantidade, se tolerado.

RISCOS

INCÔMODO GASTRINTESTINAL (Ver p. 178.)
INFLAMAÇÃO (Ver p. 178.)
LIPÍDIOS ELEVADOS A maioria dos laticínios naturais tem gordura saturada alta e pode contribuir para aumentar o LDL-C em algumas pessoas, em especial portadores de ApoE4. Isso não significa evitá-los totalmente, mas, avaliar com cuidado. (Ver p. 120 no capítulo 8.)
RISCO DE CÂNCER Vacas de laticínios são ordenhadas durante a gravidez, expondo-nos a níveis reprodutivos de hormônio em seu leite. A estimulação de cânceres sensíveis a hormônios, como os que ocorrem no câncer de mama, útero e próstata, podem ser um problema com os hormônios e os fatores de crescimento presentes nos laticínios.[25] A correlação é particularmente forte para o risco de câncer de próstata.[26]

ÁLCOOL

Um brinde... à *vida*! Sei que você não vai gostar de ouvir, mas falemos com toda franqueza: sem a menor dúvida, o uso excessivo de álcool está associado a mais risco de desenvolver demência.[27] Que quantidade de álcool corresponde a "beber em excesso" não fica tão claro e torna a questão ainda mais confusa; a abstinência completa também parece aumentar o risco.[28] A qualidade da evidência, porém, é insuficiente para sugerir que abstêmios devam começar a beber. A pesquisa mostrou que portadores de ApoE4 absorvem mal qualquer quantidade de álcool.[29]

O álcool nos prejudica de inúmeras formas. Ele atua como neurotoxina e danifica múltiplas estruturas cerebrais, levando a convulsões (em geral por síndrome de abstinência), atrofia cerebral, perda de memória, sono irregular e danos cerebelares (causando desequilíbrio, fala arrastada e incapacidade de andar). Também interfere na cetose.[30] Ele sobrecarrega o processo de desintoxicação do fígado, crucial para a saúde geral.[31] E bloqueia nossa capacidade de entrar em sono REM, fragmentando desse modo o sono e perturbando a formação de memórias e a cognição geral. (REM, sigla de *movimento ocular rápido*, é um dos vários estágios do sono com ciclos repetidos ao longo da noite.)[32] Além do mais, o álcool causa câncer no fígado, no reto, na garganta e, para mulheres, na mama.[33]

Por excesso de cautela, aconselhamos qualquer grupo de alto risco a não tomar bebidas alcoólicas, incluindo quem exibe sintomas de declínio cognitivo, portadores do gene ApoE4 e quem teve ou tem problemas de abuso de álcool. Para esses grupos, *e talvez outros*, qualquer quantidade de álcool pode aumentar o risco de declínio cognitivo. O abuso de álcool é prejudicial para a saúde em geral. Se você acha que tem um problema, deve procurar ajuda. Grávidas ou lactantes devem se abster de álcool.

Se você se permite álcool ocasionalmente, sugerimos apenas vinho tinto seco em pequena quantidade. Algumas evidências sugerem que o vinho tinto confere benefícios à saúde que não são encontrados em outras bebidas alcoólicas.[34] Limite seu consumo. A dose padrão para uma taça de vinho tinto é trinta mililitros, mas muitos restaurantes servem substancialmente mais. Use uma balança de cozinha ou um copo dosador para ter ideia da quantidade.

Como muita gente sabe, o vinho também tira a inibição e encoraja mais excessos de bebida e comida. O conteúdo de açúcar do vinho tinto também pode tirá-lo da cetose. O melhor é beber o vinho após uma refeição saudável. Pode ser muito instrutivo fazer verificações de açúcar no sangue pós-prandial, uma e duas horas após o consumo de uma taça de vinho.

Não há sensação melhor no mundo do que acordar revigorado, lúcido e empolgado para começar o dia. Se decidir beber álcool de vez em quando, monitore o efeito que causa em seu açúcar sanguíneo, qualidade do sono e cognição.

PLANO DE AÇÃO

- O álcool é uma neurotoxina e assim é melhor ser evitado por quem sofre ou está sob risco de declínio cognitivo.
- Se decidir beber ocasionalmente, opte por vinho tinto orgânico, livre de açúcar, com baixo teor alcoólico.

RISCOS

(Ver acima.)

12. Os detalhes fazem toda a diferença

Pensamos em generalidades, mas vivemos em detalhes.
Alfred North Whitehead

VEGANOS E VEGETARIANOS

Seja você vegetariano, vegano ou onívoro, o objetivo é simplesmente criar a neuroquímica que previne e reverte o declínio cognitivo. Você pode fazer isso com ou sem carne, contanto que esteja ciente dos ajustes a serem feitos em cada caso.

O plano dietético KetoFLEX 12/3 é rico em vegetais para *todos*. A proteína animal é opcional. Vegetarianos e veganos podem obter a proteína adequada de oleaginosas, sementes, leguminosas e legumes quando preparados de maneira adequada. No entanto, muitas proteínas vegetais são incompletas porque carecem da quantidade suficiente de alguns aminoácidos essenciais. Porém, consumindo uma grande quantidade e variedade de proteínas vegetais, podemos estar expostos a todos os nove aminoácidos essenciais.

Alimentos vegetais ricos em proteína

Edamame (PC)* ♦ x (1 xícara = 22 g)	Semente de chia (PC)* x (4,7 g)
Tempeh (PC)* ♦ (19 g)*	Noz* (4,3 g)
Lentilha** x (1 xícara = 18 g)	Arroz selvagem*** x (½ xícara = 3,5 g)
Natto (PC)** ♦ (18 g)	Manteiga de amêndoa* (1 colher de sopa = 3,3 g)
Feijão** x (média, 1 xícara = 15 g)	Couve-de-bruxelas* x (1 xícara = 3,3 g)
Missô (PC)** ♦ (12 g)	Aspargos* (1 xícara = 2,9 g)
Coração de cânhamo (PC)* (10 g)	Brócolis* (1 xícara = 2,6 g)
Amaranto*** x (1 xícara = 9,4 g)	Couve-flor* (1 xícara = 2 g)
Tofu (PC)** ♦ * (9,2 g)	Folha de mostarda* (1 xícara = 1,5 g)
Teff*** x (1 xícara = 9,1 g)	Broto de alfafa* (1 xícara = 1,3 g)
Ervilha* x (1 xícara = 9 g)	Espinafre* ♦ (1 xícara = 1 g)
Quinoa (PC)*** x (1 xícara = 8,1 g)	Bok choy* (1 xícara = 1 g)
Amêndoa* x (6 g)	Couve-manteiga* (1 xícara = 0,9 g)
Pistache* (6 g)	Agrião* (1 xícara = 0,8 g)

LEGENDA
Proteínas completas (PC)
Índice glicêmico: Baixo* Intermediário** Alto***
Certificação orgânica pelo Departamento de Agricultura dos Estados Unidos ♦
Elevado em lectinas x

Nem toda proteína vegetal é incompleta. Cânhamo, chia, quinoa e soja são exemplos de proteínas vegetais completas. Corações de cânhamo — o miolo da semente — ficam deliciosos salpicados sobre a salada. Leite de cânhamo não adoçado é um ótimo substituto para o leite de vaca. Sementes de chia podem ser deixadas de molho para reduzir os fitatos e vão bem com sucos batidos e pudins. Após examinar a totalidade das evidências, achamos que a soja, dentro do contexto KetoFLEX 12/3, pode ser uma opção saudável se tiver certificação orgânica pelo Departamento de Agricultura dos Estados Unidos (não OGM), de preferência fermentada, e deve-se prestar atenção no potencial mínimo de efeitos goitrogênicos. (Ver p. 120 no cap. 8.) Tempeh, missô e natto são boas opções, uma vez que o processo de fermentação destrói parte dos antinutrientes. Tofu orgânico e edamame são permitidos, mas em quantidade limitada devido aos fitatos, que podem interferir na absorção nutricional, em especial se você for intolerante à soja. A quinoa talvez precise ser restringida, devido ao conteúdo de carboidrato. (Deixe que sua glicemia sirva de guia.)

Não recomendamos nenhum suplemento de proteína (em pó), seja de origem animal ou vegetal, com exceção de espirulina e levedo nutricional.

O Cronometer, um diário alimentar on-line, pode ajudá-lo a monitorar a quantidade de cada aminoácido para assegurar que suas metas sejam alcançadas. (Ver "Monitorando as proporções de macronutrientes", na p. 194, para mais detalhes.) Proteínas vegetais são em geral menos biodisponíveis do que as animais, em grande parte devido a seus antinutrientes, o que inclui lectinas, fitatos e oxalatos. Como você deve se lembrar, esses compostos vegetais reduzem a absorção nutricional do sistema digestivo. O preparo adequado de proteínas vegetais — usando técnicas como deixar de molho, brotação, fermentação e cozimento — pode ajudar a resolver a questão. Otimizar a saúde gastrintestinal também é crucial para melhorar a absorção de nutrientes. (Ver cap. 9 para mais detalhes.)

Tanto veganos como vegetarianos, usando uma abordagem de alimentos integrais, podem implementar essa dieta com segurança tomando alguns cuidados importantes. Tenha em mente que o veganismo rígido pode levar a deficiências nutricionais muito similares às observadas em pacientes de Alzheimer: baixos níveis de gorduras ômega-3, colina, vitamina B_{12}, vitamina D, retinol e zinco. Todos esses nutrientes são vitais para a saúde cerebral, em especial para a formação, a manutenção e o apoio das sinapses, bem como muitas outras funções corporais. Também é importante assegurar a ingestão adequada de vitamina K_2 para permitir a eficácia da vitamina D e do retinol, protegendo ao mesmo tempo ossos e artérias. Sua genética também pode contribuir para a capacidade corporal de utilizar esses nutrientes, tema que falaremos na próxima seção. Se você for uma pessoa vigilante e fizer suas compras com cuidado ou usar suplementos para compensar esses déficits quando necessário, uma dieta livre de produtos animais pode ser muito útil. Onívoros também devem prestar atenção! *Todo mundo*, baseado em suas suscetibilidades genéticas e dieta única, é vulnerável a ter deficiência de qualquer um desses nutrientes vitais para a otimização cognitiva e a saúde geral.

ÔMEGA-3 O ácido alfalinolênico (ALA) é uma fonte vegana de gordura ômega-3 e é encontrado em muitos alimentos saudáveis: semente de chia, couve-de-bruxelas, semente de cânhamo, noz, linhaça, alga marinha e óleo de perilla. Mas o ALA deve ser convertido para um ácido de cadeia mais longa, o EPA (ácido eicosapentaenoico), mais bioativo, e o DHA (ácido docosa-hexaenoico), para fornecer os benefícios necessários para a máxima otimização da saúde cerebral. Infelizmente, a capacidade do corpo de converter ALA está limitada a 5% para o EPA, enquanto menos de 0,5% é convertido em DHA.[1] Essa taxa de conversão diminui ainda mais de acordo com a genética, o gênero (mulheres em idade fértil convertem com mais eficácia), a idade e a saúde.[2] Aumentar as fontes de alimentos de ALA e suplementar com óleo de alga podem auxiliar os que preferem não comer peixe. A meta é um Índice Ômega-3 (exame de sangue que mede o conteúdo de EPA + DHA das hemácias) entre 8% e 10% para não portadores de ApoE4, e ≥ 10% para portadores de ApoE4, e uma proporção de ômega-6 para ômega-3 de 4:1 ou inferior, mas não abaixo de 1:1, de modo a prevenir o afinamento excessivo do sangue.

COLINA A colina é um nutriente essencial que exerce um efeito neuroprotetor potente. Ela é um componente fundamental dos fosfolipídios da membrana, como fosfatidilcolina, e um precursor do neurotransmissor acetilcolina, que é essencial para a memória. A colina é necessária para a criação e a manutenção das sinapses neurais. O suporte do sistema colinérgico é vital para a preservação da saúde cerebral.[3] Inúmeras pessoas têm deficiência de colina, mas as que seguem dieta exclusivamente vegetariana são em particular mais vulneráveis, uma vez que as quantidades mais elevadas da substância são encontradas em muitos alimentos de origem animal. Fontes vegetais de colina incluem brócolis, amêndoa, nozes, feijão-carioca, abacate, couve-de-bruxelas, acelga e couve-manteiga, mas é difícil atender às necessidades nutricionais usando apenas fontes vegetais. Lacto-ovo-vegetarianos, que evitam peixe, ave e carne, mas consomem ovos e leite, também podem usar ovos para ajudar a atingir sua meta diária. A citicolina é um suplemento de origem vegetal. Alfa-GPC é outra alternativa para veganos. A meta de consumo dietético é 550 miligramas diários para homens e 425 miligramas diários para mulheres.

VITAMINA B$_{12}$ A B$_{12}$ é um nutriente vital para o cérebro e a saúde geral. O ponto mais baixo da atual faixa de referência nos Estados Unidos (200-900 pg/mL) está fixado num patamar baixo demais, uma vez que os sintomas de anemia e demência podem ser vistos com menos de 350 pg/mL, um nível supostamente "normal". A B$_{12}$, combinada com o ácido fólico e a B$_6$, é necessária para a otimização da homocisteína. Homocisteína elevada está associada à cognição prejudicada e ao aumento da atrofia cerebral.[4] A meta recomendada de homocisteína é 7 μmol/L ou inferior, algo difícil de atingir com níveis subótimos de B_{12} ou ácido fólico. (Para dicas de como baixar a homocisteína, ver "Usando genes para orientar suas escolhas dietéticas", mais adiante neste capítulo.)

Alguns alimentos vegetais selecionados fornecem B_{12}: determinados cogumelos (cantarelo, trompete preto e shiitake) e uma alga comestível chamada nori verde ou roxa. Algumas opções com bastante disponibilidade incluem levedo nutricional (muitas vezes usado por veganos como substituto do queijo parmesão) e algumas versões de amêndoas e leite de coco não adoçados. Os suplementos de B_{12} são fáceis de encontrar. A metilcobalamina sublingual é uma boa forma de ingestão — a da Vegan True não contém ingredientes de origem animal. O objetivo é alcançar um patamar entre quinhentos e 1500 pg/mL.

VITAMINA D A vitamina D também é conhecida como a vitamina da luz do sol, mas, em nosso estilo de vida predominantemente protegido, poucas pessoas se expõem ao sol o suficiente para atingir níveis ótimos. A vitamina D se liga ao receptor de vitamina D, penetra no núcleo e aciona mais de novecentos genes. Um dos papéis mais importantes da vitamina D é a criação e manutenção das sinapses cerebrais. Níveis reduzidos estão associados ao declínio cognitivo.[5] A maioria dos alimentos ricos em vitamina D é obtida de fontes animais, mas cogumelos e leites de amêndoa e de coco não adoçados são opções vegetarianas razoáveis. Lacto-ovo-vegetarianos podem obter sua vitamina D da gema de ovo, leite A2 e queijo. A vitamina D_2 é sempre de origem vegetal. A vitamina D_3 do líquen também. O objetivo é atingir um nível entre cinquenta e oitenta ng/mL (isso é rotineiramente medido no exame de vitamina D 25-hidroxi). Note que qualquer pessoa que ingere mais de mil UI de vitamina D por dia deve incluir vitamina K_2 (pelo menos cem microgramas). Ver mais sobre a vitamina K_2 na próxima página.

RETINOL/VITAMINA A A vitamina A é composta de dois retinoides: o retinol e os carotenoides, incluindo betacaroteno, que é encontrado em abundância em muitas plantas, incluindo batata-doce, cenoura e verduras escuras. O retinol é encontrado principalmente em produtos animais, como óleo de fígado de bacalhau, fígado, rim, ovos e laticínios. Veganos portadores de polimorfismos específicos que convertem mal o betacaroteno em retinol podem ter deficiência desse nutriente essencial. A vitamina A é amplamente associada à saúde ocular e à função imune. Até níveis marginalmente baixos estão associados ao desenvolvimento da doença de Alzheimer. Um estudo recente revelou que baixos níveis de retinol estão associados a maior risco de declínio cognitivo para portadores tanto do gene ApoE4 como ApoE2.[6] Em geral, ingerir grande quantidade de alimentos ricos em betacaroteno junto com uma fonte dietética de gordura (como a vitamina A é solúvel em gordura, ela é pouco absorvida na ausência desta) é com frequência suficiente. Veganos, em especial com algum risco genético, devem se certificar de manter os níveis adequados. Os valores de referência para o retinol sérico são de 38 a 98 mcg/dL. Sua meta é ficar no meio dessa faixa, de preferência com dieta. Se for necessário suplementação, use palmitato de retinol.

VITAMINA K$_2$ As vitaminas solúveis em gordura, em particular vitamina D e A, dependem de níveis adequados de vitamina K a fim de operar de maneira eficiente. A vitamina K é vital para a coagulação adequada do sangue e a saúde óssea, cardíaca e cognitiva.[7] Ela ajuda a direcionar o cálcio para os ossos e a impedir que chegue às artérias, onde pode causar danos. Há dois tipos de vitamina K: K$_1$ e K$_2$. A vitamina K$_1$ é abundante em muitas verduras e legumes, incluindo couve *kale*, espinafre, folhas de nabo, couve-manteiga, acelga, folha de mostarda, salsinha, alface-romana, alfaces verdes, couve-de-bruxelas, brócolis, couve-flor e repolho, mas é mal absorvida pelo corpo. A K$_2$, por outro lado, é encontrada principalmente em animais, com a principal exceção sendo o *natto*, que muitos acham difícil de comer devido ao sabor forte. Veganos podem obter alguma K$_2$ de alimentos fermentados como chucrute, kefir vegetariano, kombucha não pasteurizado ou kimchi vegano, mas as quantidades são inconsistentes. Há suplementos de K$_2$ veganos feitos de *natto* que podem assegurar um consumo adequado.

ZINCO Falta de zinco e excesso de cobre estão associados à demência. Esses minerais têm uma relação antagônica inter-relacionada, competindo entre si pela absorção. Sem zinco adequado, o cobre se acumula nos tecidos do corpo. O acúmulo pode ter efeitos prejudiciais à saúde. Esse é um problema comum entre veganos estritos, uma vez que suas dietas tendem a ser naturalmente pobres em zinco e ricas em cobre. A deficiência de zinco também é muito comum (em especial se você toma inibidores de bomba de próton), afetando cerca de 1 bilhão de pessoas no mundo todo. O zinco desempenha um papel vital no cérebro, além de diminuir a inflamação e estimular a função imune. Embora o zinco seja abundante e altamente biodisponível em carne, ovos e frutos do mar, também é encontrado em muitos legumes, incluindo soja verde e preta (tofu e tempeh), ervilha, lentilha e muitas oleaginosas e sementes — nozes, castanha-de-caju, amêndoa e noz-pecã, além de sementes de abóbora, girassol e cânhamo. Infelizmente, essas fontes vegetais também são ricas em antinutrientes. Por esse motivo, é muito importante prepará-las da forma adequada. Saiba que muitas leguminosas, oleaginosas e sementes também são ricas em cobre, que deve ser simultaneamente reduzido para produzir um equilíbrio saudável. Por isso, é aconselhável considerar uma pequena quantidade de suplementação. O levedo nutricional fortificado é uma boa opção. Duas colheres fornecem 20% de suas necessidades diárias. O objetivo é atingir um nível de zinco de 100 mcg/dL, com um valor igual de cobre para uma proporção 1:1. Se necessários, suplementos de zinco veganos são fáceis de encontrar, mas monitore e ajuste a quantidade com cuidado, pois não é preciso muito para ter resultados. Pessoas com deficiência de zinco devem tomar de vinte a cinquenta miligramas de zinco picolinato diários, sem ultrapassar essa quantidade, a não ser por indicação médica.

USANDO GENES PARA ORIENTAR SUAS ESCOLHAS DIETÉTICAS

A informação genética pode nos ajudar a fazer escolhas mais efetivas. Se você participou de um teste genético por meio de uma empresa como a 23andMe, já teve acesso a partes de seu genoma. Usando a ferramenta "Browse Raw Data", você pode facilmente acessar os genes discutidos abaixo; isso pode ajudá-lo a otimizar sua nutrição para a saúde cerebral. Além do mais, há muitos serviços on-line, de caríssimos a muito acessíveis, que oferecem uma interpretação da informação genética e fornecem um relatório personalizado para otimizar sua saúde. A FoundMyFitness oferece um relatório genético abrangente que é atualizado com frequência e está disponível por uma pequena doação de quinze dólares.

Antes de mergulharmos mais a fundo no assunto, se você nunca fez testes genéticos, há alguns aspectos financeiros, legais e até emocionais importantes a considerar antes de tomar essa decisão. Saber o status do ApoE4, por exemplo, pode de início ser motivo de angústia e pressão. A organização sem fins lucrativos ApoE4.Info produziu um guia de decisão que pode ser útil se você estiver inseguro quanto a verificar seu status. Muitos que descobrem o status do ApoE4 tiram proveito disso e tomam providências para melhorar sua saúde.[8] De fato, a informação genética pode ser usada para nos ajudar a fazer escolhas mais saudáveis. Conhecimento é poder!

Cada um dos trilhões de células que o corpo humano possui tem um núcleo que abriga seu DNA (ácido desoxirribonucleico), o projeto genético responsável por características que são passadas de geração em geração. Nosso DNA é composto de quatro tipos diferentes de nucleotídeos, cada um com uma base única: citosina (C), adenina (A), guanina (G) e tiamina (T). A sequência específica desses nucleotídeos codifica suas sequências de proteínas, bem como a informação reguladora. Todo indivíduo tem duas cópias de cada gene: uma herdada do pai; a outra, da mãe (exceto homens, que, como possuem apenas um cromossomo X e um Y, têm apenas uma cópia da maioria dos genes no cromossomo X). Novas células são feitas quando a original se divide. As células resultantes abrigam todo nosso código genético em seu núcleo. Embora nossos genomas sejam quase idênticos — a sequência genômica de cada indivíduo é cerca de 99,9% idêntica à de todos os demais —, cada um tem mais de 3 mil diferenças em relação a qualquer outro indivíduo, e é isso que nos faz geneticamente únicos. Essas mais de 3 mil diferenças são na maior parte alterações de uma única "letra" (A, C, G ou T) em um único local, e são desse modo chamadas de polimorfismos de nucleotídeo simples (SNPs).

Os SNPs geram variações biológicas entre as pessoas provocando diferenças nas receitas das proteínas escritas nos genes. Essas diferenças podem por sua vez influenciar uma variedade de características, incluindo o modo como metabolizamos a comida, nossa propensão a deficiências nutricionais específicas e nossa suscetibilidade a certas doenças. Usando a ferramenta "Browse Raw Data" do 23andMe, podemos inserir esses SNPs no mecanismo de busca para verificar nosso status genético. A informação pode servir como ponto de partida para o ajuste detalhado de suas escolhas dietéticas de modo a complementar seu genoma.

Listamos abaixo alguns genes importantes que afetam nossa nutrição. Observe que esses vários SNPs são rotulados e numerados por todo seu genoma, usando rs seguidos do número de referência (rs se refere a Reference SNP Cluster ID).

Ômega-3

- rs1535 (G;G) Conversão ruim de ALA para EPA.

Mulheres jovens convertem em EPA apenas 5% de sua ingestão total de ALA. Com esse polimorfismo, a taxa de conversão é ainda mais baixa — 29% mais baixa em relação ao conversor mais elevado (A;A). (A;G) é um conversor intermediário, com uma taxa de conversão 18,6% pior.[9] Isso pode ser particularmente relevante para veganos estritos que dependem de sua conversão de ALA para atender às necessidades de EPA e DHA.

Ômega-3/ApoE4

- rs429358 (C;T) e rs7412 (C;C) Uma cópia de ApoE4.
- rs429358 (C;C) e rs7412 (C;C) Duas cópias de ApoE4.

Antes se pensava que portadores de ApoE *não* extraíam benefício cognitivo de uma dieta rica em ômega-3, ao passo que outros genótipos ApoE4 exibiam menor risco de declínio cognitivo.[10] Um artigo recente conjecturou que portadores de ApoE4 não apresentam benefício cognitivo similar das gorduras ômega-3 porque talvez necessitem de uma forma diferente, o fosfolipídio DHA, encontrado em peixes, ovas e óleo de krill.[11] Além do mais, portadores de ApoE4 demonstram níveis mais baixos de ácidos graxos ômega-3 no sangue após o consumo de peixe e a suplementação.[12] Há evidências crescentes de que esse grupo pode na verdade necessitar de quantidades mais elevadas de ácidos graxos ômega-3 devido à metabolização perturbada dos ácidos graxos. Na verdade, esse genótipo metaboliza de preferência DHA, enquanto outros genótipos APOE o conservam.[13] Em um conjunto de dados que consiste apenas de portadores do ApoE4, aqueles com status ômega-3 mais elevado se saíram melhor nos testes cognitivos e apresentam volume cerebral maior do que os portadores do ApoE4 com níveis mais baixos.[14]

Pessoas com tendência a sangramento devem minimizar os ácidos graxos ômega-3. Isso é importante em especial para acometidos de angiopatia amiloide cerebral (CAA), sendo os homens homozigotos para ApoE4 com histórico familiar de derrame cerebral particularmente propensos. Se houver suspeita desse problema, é importante fazer uma ressonância magnética com sequência de micro-hemorragia (MP-RAGE) para determinar se há alguma indicação de sangramento inicial não identificado.

Colina

- rs174548 (G;G) (C;G)

Esses polimorfismos estão associados a nível de fosfatidilcolina reduzido. G é o alelo de risco, com homozigotos apresentando os níveis mais baixos. Heterozigotos têm níveis intermediários. A fosfatidilcolina é uma classe de fosfolipídios que inclui a colina, um precursor do neurotransmissor acetilcolina, que é vital para a formação de memória e que tem níveis reduzidos no cérebro de pacientes de Alzheimer.

- rs7946 (T;T) (C;T)

Esses polimorfismos estão relacionados à produção de fosfatidilcolina no fígado. T é o alelo de risco, com homozigotos produzindo os níveis mais baixos. A fosfatidilcolina mais baixa também pode levar à redução da eliminação de gordura pelo fígado.[15] Um status de colina inadequado também pode deixá-lo sob risco de homocisteína elevada.[16] Pessoas sob risco de níveis menores devem aumentar o consumo dietético e/ou os suplementos.

B_{12}

- rs602662 (A;G) (G;G)
- rs601338 (A;G) (G;G)

Esses polimorfismos resultam em níveis de B_{12} inferiores aos normais devido à má absorção. G é o alelo de risco, com homozigotos sendo impactados com maior gravidade. A deficiência de B_{12} é uma causa reversível de demência.[17]

A B_{12} sublingual é especialmente efetiva em compensar a má absorção. Isso pode ser relevante, em particular, para veganos e qualquer um que tenta atingir os níveis adequados.[18] A variante (A;A) de ambos os polimorfismos está associada a melhor absorção e níveis mais elevados.

MTHFR (metileno-tetra-hidrofolato redutase)

- rs1801133 (T;T) (C;T) Atividade de enzima MTHFR reduzida; (T;T) tem uma redução de 65% e (C;T), de 35%.
- rs1801131 (C;C) (A;C) Eficiência de MTHFR reduzida; (C;C) tem uma redução de 40% e (A;C), de 17%.

Esses alelos comuns, juntos ou isolados, afetam 70% da população e levam à menor metabolização de ácidos fólicos e metilação geral, com inúmeros efeitos na saúde. Indivíduos com esses polimorfismos estão sob risco de níveis mais elevados de homocisteína, fortemente relacionados à menor cognição e à atrofia cerebral.[19] A meta é um nível ≤ 7,0 μmol/L. Portadores dos polimorfismos rs1801133 também precisam prestar particular atenção no status da riboflavina.[20] Quem tem metilação reduzida, em geral, deve tomar formas metilatadas de vitamina B_{12} e ácido fólico junto com a forma ativa de B_6, P5P (piridoxal 5-fosfato). Esteja ciente ainda de que as vitaminas B não são eficazes em reduzir a homocisteína sem um status adequado de ômega-3 e colina.[21] Além do mais, um artigo recente revelador sugere que o status inadequado de vitamina B, que leva à homocisteína elevada, na verdade *impede* os que estão usando ácidos graxos ômega-3 de extrair benefício cognitivo, o que pode ajudar a explicar relatórios prévios inconsistentes na literatura médica. É importante perceber como todos esses nutrientes estão interconectados e ressaltar a importância de conhecer e tratar suas vulnerabilidades específicas.

Vitamina D

- rs10741657 (G;G)
- rs12794714 (A;A)
- rs2060793 (A;A)

As variações acima, no gene CYP2R1 (vitamina D 25-hidroxilase), podem levar a uma menor circulação nos níveis de vitamina D. Pessoas com deficiência de vitamina D exibem quase o dobro de chance de desenvolver demência.[22] Se você tem algum desses polimorfismos, suplementar com vitamina D pode não ser eficaz. Você deve monitorar com cuidado seus níveis séricos, ajustando a dosagem de vitamina D para assegurar a manutenção de um nível ótimo.

Retinol/Vitamina A

- rs7501331 (C;T) (T;T)
- rs12934922 (A;T) (T;T)

Ambos os polimorfismos, juntos ou isolados, levam à menor capacidade de converter o betacaroteno vegetal em retinol ou vitamina A. Formas animais de retinol (fígado de bacalhau ou fígado) são as mais biodisponíveis e podem ser úteis em superar esses polimorfismos. Até uma deficiência marginal de vitamina A pode estar associada à cognição prejudicada e à neuroplasticidade reduzida e à neurogênese.[23] Além do mais, há uma sinergia entre as vitaminas A, D, K e outras para serem idealmente efetivas e reduzirem o risco cardiovascular.[24]

MONITORANDO AS PROPORÇÕES DE MACRONUTRIENTES

Quando você aprender a entrar em cetose, será de grande utilidade monitorar as proporções dos macronutrientes. Em poucas semanas, descobrirá quais padrões alimentares o levam à cetose e, mais importante, ficará familiarizado com a sua sensação transformadora. Antes de começar, queremos enfatizar que as proporções de macronutrientes têm muita margem para personalização. É importante monitorar seus níveis cetônicos para saber se você está ou não entrando em cetose. (Ver instruções no cap. 18, "Ferramentas para o sucesso".) Um BHB em jejum de > 0,5 mM é sua meta matinal, com o nível subindo para cerca de 1,5 (e até 4,0) durante o dia. Algumas pessoas obtêm a leitura mais elevada do dia pouco antes de interromper o jejum. Outros, mais tarde, após um dia inteiro combinando estratégias KetoFLEX 12/3: jejum mais exercício mais dieta pobre em carboidratos. Tente descobrir em que momento sua leitura será mais alta. (Lembre-se de que em geral será mais baixa pela manhã, devido ao "fenômeno do alvorecer", em que o fígado libera glicose para ajudar a prepará-lo para o dia.) Depois que você monitorou por várias semanas ou até meses, saberá que tipo de alimentos deve comer para atingir seu objetivo, e reconhecerá de maneira instintiva como é a sensação de *estar* em cetose, assim não sentirá mais necessidade de monitorá-la. Muita gente relata uma sensação calma e firme de energia, sem os altos e baixos do açúcar no sangue, acompanhada da sensação distinta de clareza cognitiva.

Os macronutrientes nada mais são que os alimentos que seu corpo necessita em grandes quantidades para otimizar o funcionamento. Como você deve se lembrar, eles se dividem em três categorias: proteína, gordura e carboidratos. A maioria dos alimentos são uma combinação de diversos macronutrientes diferentes. Cada grama de proteína ou carboidrato fornece quatro calorias, enquanto cada grama de gordura fornece nove calorias. (Isso será importante mais tarde, quando analisarmos os números.)

1. **TDEE** Para começar a descobrir quais proporções de macronutrientes são as melhores para você, determine seu gasto de energia diário total (TDEE). O TDEE é sua taxa metabólica basal (BMR) ou a taxa em que você queima calorias em repouso, mais seu nível de atividade ou uso calórico.

$$TDEE = BMR + \text{nível de atividade}$$

Para determinar sua BMR, use a seguinte calculadora: calculator.net/bmr-calculator. É só inserir idade, gênero, altura e peso e você obterá uma variedade de resultados baseados em seu nível de atividade. Essa é sua exigência calórica para manter o peso atual. (Em "Como monitorar", na p. 200, falaremos sobre como perder ou ganhar peso.) Vamos começar apresentando aqui um exemplo. Usaremos uma mulher de 65 anos, 1,68 metro e 59 quilos, que se exercita de quatro a cinco vezes por semana. Quando inserimos esses números na calculadora indicada, temos:

$$TDEE\ (1760) = BMR\ (1201) + \text{nível de atividade}\ (559)$$

Em seguida, vamos encontrar as proporções de macronutrientes ideais. Comecemos pela proteína.

2. **Proteína** Recomendamos 0,8 grama a um grama de proteína limpa diária por quilo de massa corporal magra (MCM). Indivíduos mais ativos devem usar o extremo de cima dessa faixa, enquanto os menos ativos devem se ater ao de baixo.

   Você pode descobrir a MCM com uma simples calculadora on-line. Quando inserimos o gênero, a altura e o peso do nosso exemplo, descobrimos que a MCM dela é 46 quilos. Em seguida, precisamos tomar esse peso e multiplicá-lo por um grama de proteína (devido a seu alto nível de atividade) para calcular sua exigência de proteína diária.

   $$46 \text{ kg LBM} \times 1 \text{ g proteína/kg LBM} = 46 \text{ g proteína/dia}$$

   Agora que determinamos a quantidade ideal de gramas de proteína, basta multiplicar esse número por quatro para identificar quantas calorias de proteína por dia ela necessita (já que cada grama de proteína tem quatro calorias). Para descobrir qual porcentagem de suas calorias deve vir de proteínas, vamos dividir esse número em sua TDEE.

   $$46 \text{ g proteína/dia} \times 4 \text{ calorias/g proteína} = 184 \text{ calorias de proteína}$$
   $$1760 \text{ calorias TDEE} \div 184 \text{ calorias proteínas/dia} = 9{,}57\% \ (10\%)$$

   Essa mulher precisa que 10% de suas calorias totais venham de proteínas. Para ajudar a visualizar isso em termos concretos, veja a lista abaixo.

   - Dois ovos orgânicos, de criação livre, pequenos (dez gramas de proteína)
   - 140 gramas de salmão pescado naturalmente (36 gramas de proteína)

3. **Gordura** Quando tentamos atingir as metas de cetose para tratar pela primeira vez da resistência à insulina e/ou do declínio cognitivo, recomendamos que se *comece* com 75% de suas calorias vindas de gorduras. Isso vai variar um pouco para cada um. Indivíduos incapazes de recorrer

a um longo jejum diário e exercícios talvez possam usar consideravelmente menos gordura na dieta, uma vez que jejum e exercícios também produzem cetonas. Os que continuam trabalhando para conquistar essas metas devem precisar de mais gordura e menos carboidrato de início. Enquanto as necessidades proteicas irão permanecer razoavelmente constantes (mas de um modo geral irão diminuir com o tempo à medida que se dá a recuperação), gordura e carboidratos podem ser ajustados em uma escala variável para ajudá-lo a entrar em cetose. Para saber a quantidade certa para você, é necessário testar com regularidade seu BHB.

Pode parecer bastante gordura, mas na verdade não é, quando consideramos que ela é muito mais densa em termos calóricos do que a proteína ou os carboidratos. Como você deve se lembrar, enquanto proteínas e carboidratos contribuem com quatro calorias por grama, a gordura é mais que o dobro, com nove calorias por grama. Uma maneira fácil de incluir gordura extra é temperar a salada com azeite de oliva extravirgem, uma opção deliciosa, saudável e rica em polifenóis. E que fica ainda melhor se combinado a um ácido, como seu vinagre balsâmico favorito ou algumas gotas de limão ou lima. Você pode aromatizar o azeite misturando-o com suas ervas frescas e seus condimentos favoritos em uma tigela para mergulhar os vegetais a cada dentada e intensificar o sabor e a biodisponibilidade dos nutrientes. Abacate, oleaginosas e sementes podem ser salpicados sobre a salada ou apreciados como tira-gosto.

Para determinar quantas calorias de gordura nosso exemplo precisa, é só multiplicar TDEE por 75%. Para descobrir quantos gramas de gordura, apenas divida as calorias de gordura totais por nove, uma vez que cada grama de gordura fornece esse número de calorias.

1760 calorias (TDEE) × 0,75 = 1320 gordura/dia
1320 calorias gordura/dia ÷ 9 calorias/g gordura = 146,7 g (147 g)/dia

Nosso exemplo poderia facilmente atingir a meta de 75% com os seguintes alimentos:

- Quatro colheres de sopa de azeite de oliva extravirgem rico em polifenóis (53,3 gramas de gordura)

- Um abacate pequeno (21 gramas de gordura)
- Duas colheres de sopa de semente de girassol (oito gramas de gordura)
- ¼ de xícara de macadâmia (25 gramas gordura)
- ¼ xícara de nozes (19, 1 gramas de gordura)
- Dois ovos orgânicos (9,3 gramas de gordura)*
- 140 g de salmão pescado naturalmente (11,5 gramas de gordura)*

*Acrescentados antes. A maioria dos alimentos é uma combinação de diversos macronutrientes, assim alguns estão em mais de uma categoria.

A gordura que você precisará para obter flexibilidade metabólica, sensibilidade à insulina e clareza cognitiva mudará com o tempo. Muitos participantes do programa descobrirão que precisam de menos gordura à medida que praticam o protocolo, porque o estilo de vida KetoFLEX 12/3 (dieta mais jejum mais exercício) naturalmente leva à cetose com menos ingestão de gordura. Além disso, quando a resistência à insulina foi curada e a flexibilidade metabólica foi restabelecida, você pode experimentar acrescentar mais amidos resistentes saudáveis enquanto registra em um diário os efeitos em sua cognição. Algumas pessoas descobrem que assim que estão mais saudáveis, não precisam mais de níveis mais elevados de cetose. Não esqueça que o programa é personalizado. Permita a seus biomarcadores (glicose em jejum, insulina e A1c, além do desempenho cognitivo) orientar suas escolhas dietéticas.

4. **Carboidratos** Para determinar a proporção de carboidratos do nosso exemplo, é só somar sua porcentagem de proteína (10%) com sua porcentagem de gordura (75%). Depois subtraímos isso de cem.

100% − (10% proteína + 75% gordura) = 15% carboidratos

A mulher em nosso exemplo pode extrair 15% de suas necessidades calóricas de carboidratos. Para determinar quantas calorias de carboidratos ela deveria comer, multiplicamos o TDEE por 15%. Para determinar quantos gramas de carboidratos, é só dividir o total por quatro, uma vez que cada grama de carboidratos equivale a quatro calorias.

$$1760 \text{ calorias (TDEE)} \times 0{,}15 = 264 \text{ calorias/dia}$$
$$264 \text{ calorias/dia} \div 4 \text{ calorias/g carboidratos} = 66 \text{ g carboidratos/dia}$$

Embora previamente tenhamos nos referido aos "carboidratos líquidos" (total de carboidratos − fibra total = carboidratos líquidos) para sublinhar a importância das fibras, apenas para fins de nossos cálculos, você precisa usar carboidratos totais. À primeira vista, 15% de carboidratos totais (ou 66 gramas) talvez não pareça muito, mas quando você considera que nossa meta é priorizar vegetais orgânicos, sazonais, locais, com densidade nutricional, sem amido, nas cores do arco-íris, você pode se surpreender em como vai adorar! Abaixo há um exemplo do que representam 66 gramas de carboidratos. (Para quem está acostumado a calcular os carboidratos líquidos, nossa lista abaixo soma 39,3 gramas.)

- Uma xícara de rúcula (0,7 grama)
- Uma xícara de espinafre (1,1 grama)
- Uma xícara de alface romana vermelha (1,5 grama)
- Uma xícara de couve *kale* (1,4 grama)
- Meia xícara de cogumelos (1,6 grama)
- Uma xícara de brócolis cozido (11,2 gramas)
- Uma xícara de couve-flor cozida (5,1 gramas)
- Dez hastes de aspargo médias cozidas (6,2 gramas)
- Meia xícara de jícama crua (1,6 grama)
- ¼ xícara de manjericão fresco (0,3 grama)
- ¼ xícara de vegetais fermentados (4 gramas)
- ¼ batata-doce média, cozida e resfriada como amido resistente (5,9 gramas)
- Dois ovos orgânicos (1 grama)*
- Um abacate pequeno (11,8 gramas)*
- ¼ xícara de nozes (quatro gramas)*
- ¼ xícara de macadâmias (4,6 gramas)*
- 2,5 colheres de sopa de sementes de girassol (3,9 gramas)*

* Acrescentados antes. A maioria dos alimentos é uma combinação de diversos macronutrientes, assim alguns estão em mais de uma categoria.

COMO MONITORAR

Agora que a matemática ficou clara e você pode descobrir suas proporções personalizadas de macronutrientes, vejamos como fazer esse acompanhamento. O Cronometer é uma ferramenta on-line útil. Ele serve como diário alimentar, permitindo-lhe registrar o que comeu em tempo real, ao mesmo tempo que calcula suas proporções de macronutrientes e os exibe em um gráfico de pizza. Para usar o Cronometer no monitoramento da proporção de macronutrientes, veja as instruções abaixo.

1. Em sua página "Meta" (sob "Ajustes") na seção "Macronutriente", para "Monitorando carboidratos como", especifique os carboidratos "totais", não "líquidos".
2. Também em "Macronutrientes", escolha "Proporções macro", em vez de "Valores fixos" ou "Calculadora cetogênica". (Não recomendamos a calculadora deles, já que os usuários da KetoFLEX 12/3 em geral acabam sendo capazes de ingerir mais carboidratos porque combinamos dieta com jejum e exercício.)
3. Na seção de "Macronutrientes", insira seus níveis usuais de "Proteína", "Carboidrato" e "Gordura".
4. Para ver suas proporções de macronutrientes exibidas em um gráfico de pizza, vá para "Exibir" (sob "Ajustes") e acione sua chave para "Mostrar resumo de calorias no diário". Suas proporções de macronutrientes aparecerão em um gráfico circular intitulado "Consumidos", logo abaixo do diário alimentar.

O Cronometer tem muitos recursos úteis e algumas limitações. Veja mais abaixo.

- **Peso** O Cronometer é útil se você tem peso a ganhar ou perder. Comece preenchendo sua altura e peso atuais na página de "Perfil" (sob "Ajustes"), depois insira sua meta de peso na página "Meta". Você pode determinar o ritmo em que quer perder ou ganhar peso. Recomendamos não ultrapassar um quilo por semana para resultados saudáveis e consistentes. O Cronometer calculará automaticamente seu TDEE para ajudá-lo a atingir seu objetivo.

- **Gordura saturada** Quem tem superabsorção de gordura dietética (em geral, portadores de ApoE4) talvez queira monitorar os ácidos graxos saturados. Usando a opção "Diário alimentar", veja os "Lipídios", abaixo dos gráficos. Você verá uma relação de todas as suas gorduras dietéticas e poderá monitorar a quantidade de gordura saturada em sua dieta.
- **Proporção de ômega-3s para ômega-6s** Na opção "Diário alimentar", sob "Lipídios", você pode monitorar essa proporção e ajustá-la de forma deliberada em direção ao padrão anti-inflamatório de nossos ancestrais, ingerindo alimentos ricos em ALA, EPA e DHA, ao mesmo tempo reduzindo os ômega-6s, em especial de fontes de alimento não integrais.
- **Proteína completa e incompleta** Saiba que o total de proteína do Cronometer não faz distinção entre proteína completa e incompleta, o que pode levá-lo a pensar que está excedendo sua meta proteica com proteínas incompletas (como verduras), quando não está. Para fins de monitoramento, você não precisa incluir proteínas vegetais incompletas em seu total. A última coisa que queremos é limitar seu consumo de alimentos vegetarianos! Você pode usar a opção "Adicionar nota" ao "Diário alimentar" para calcular de forma separada e acompanhar sua proteína completa.
- **Aminoácidos essenciais** Veganos e vegetarianos podem usar o Cronometer para monitorar o consumo de todos os aminoácidos essenciais (histidina, isoleucina, leucina, lisina, metionina, fenilalanina, treonina, triptofano e valina) e assegurar a conquista das metas. Sob "Objetivos nutricionais", vá em "Proteína".
- **Micronutrientes** O Cronometer também monitora a ingestão de micronutrientes, mas deve ser usado apenas como orientação aproximada. Por exemplo, ele não faz distinção entre betacaroteno e retinol ou ALA, EPA e DHA. Não presuma ter conquistado as metas de nutrientes sem levar isso em consideração. Do mesmo modo, se o Cronometer indica que você atingiu uma meta nutricional específica, não suponha que isso se traduzirá em seu nível sanguíneo. Como indica a seção "Usando genes para orientar suas opções dietéticas", nossa capacidade de sintetizar os vários nutrientes da comida depende da nossa genética e do nosso quadro de saúde geral.

Se decidir monitorar as proporções de macronutrientes, invista em uma balança de cozinha de boa qualidade. Você vai economizar bastante tempo usando uma balança, em vez de tentar calcular as quantidades à moda antiga. (Ver mais no cap. 18, "Ferramentas para o sucesso".)

Reunimos alguns exemplos dos tipos de refeições deliciosas de que você pode desfrutar. Lembre-se de que são apenas sugestões. Tudo pode ser feito sob medida segundo suas preferências, alergias e sensibilidades. O céu é o limite. Seja criativo. A primeira refeição é um exemplo de um "café da manhã" KetoFLEX 12/3, a despeito do fato de que em geral seria feito no início da tarde, após um jejum de doze a dezesseis horas.

Essa refeição é composta de dois ovos orgânicos, brócolis no vapor com pimentão vermelho e espinafre salteado com cebola. Para a saúde intestinal, alguns pedaços de batata-doce cozida e resfriada (como amido resistente) e chucrute fermentado (como probiótico) estão incluídos com uma xícara de caldo de tutano. Inclua uma tigela com azeite extravirgem rico em polifenóis, para mergulhar seus vegetais no azeite enquanto come.

Um segundo exemplo é de outra refeição típica feita mais tarde, que inclui salmão do Alasca pescado naturalmente, aspargo no vapor, repolho roxo, espinafre, aipo, tomates-cereja, azeitonas gregas, lascas de amêndoa, fatias de abacate e azeite extravirgem rico em polifenóis com limão.

Esses são apenas dois dos inúmeros exemplos de refeições deliciosas que auxiliam a sensibilidade à insulina e a cetose moderada e fornecem nutrientes que fortalecem a cognição.

13. Exercícios: Tudo que fizer você se mexer

Não paramos de nos exercitar porque envelhecemos —
envelhecemos porque paramos de nos exercitar.
Kenneth Cooper

A única coisa capaz de resolver a maioria
dos nossos problemas é dançar.
James Brown

O terceiro componente do estilo de vida KetoFLEX 12/3 é o exercício. É simples: seu corpo foi projetado para se mover — e muito. Quando nossos ancestrais começaram a fazer a transição de uma existência mais sedentária para um estilo de vida de caçadores-coletores, o aumento da atividade aeróbica deve ter contribuído de maneira perfeita para a evolução da maior longevidade. Quando os hominídeos apareceram, descemos das árvores para a savana e começamos a viajar por longas distâncias em nossa busca por comida, além de correr para caçar presas. Nossa longevidade aumentou em proporção direta com o nosso nível de atividade.[1] A mesma estratégia que possibilitou aos nossos antepassados ApoE4 prosperar fornece pistas importantes para a otimização de nossa vida moderna. A evolução sugere que nascemos para correr. Na verdade, de todas as estratégias recomendadas aqui, nenhuma reúne mais evidências científicas do que o exercício.[2] *Permanecer ativo é a estratégia mais importante que podemos empregar de forma isolada para prevenir e remediar o declínio cognitivo.* Mas, assim como nos demais componentes do protocolo, isso por si só raras vezes basta — o exercício exerce seus melhores efeitos quando usado junto com os outros recursos do protocolo. De fato, um artigo recente examinou 41 estudos anteriores e descobriu que incluir desafios cognitivos com exercício físico potencializava os ganhos cognitivos.[3]

O exercício atua no nível celular. Ele regula o Nrf2, que confere proteção epigenética às células proporcionando maior resiliência aos estressores ambientais e aumenta a capacidade delas de prevenção e resistência contra doenças.[4] Exercitar-se também é uma importante estratégia para curar as mitocôndrias danificadas que se seguem à resistência à insulina. Enquanto o jejum combinado com nossas recomendações dietéticas pode auxiliar na recuperação, combinar essas estratégias *com* exercício é vital.[5] As mitocôndrias costumam ser descritas como baterias encontradas nas células do corpo. O exercício regula as mitocôndrias e em essência "aciona" a flexibilidade metabólica — a capacidade de metabolizar tanto a gordura como a glicose, dependendo de sua disponibilidade.[6] Um suprimento de energia regular é vital para a cognição quando consideramos que o cérebro, que compreende apenas 2% do peso total do corpo, demanda gananciosamente 20% do suprimento da energia total do corpo.[7]

O exercício é benéfico de muitas outras maneiras. Ele pode ajudar a manter um IMC saudável e a reduzir a resistência à insulina, a pressão arterial e o risco de cardiopatia e de AVC.[8] Também reduz o estresse e a ansiedade, e ao mesmo tempo melhora o humor e o sono.[9] A ótima notícia é que *toda* forma de exercício ajuda a aumentar o volume cerebral — caminhar, cuidar do jardim ou dançar.[10] Ao iniciar um programa de exercícios, fale com seu médico para ter certeza de estar saudável o suficiente para se dedicar à sua atividade preferida. É sempre tentador exagerar, mas você acabará se prejudicando sozinho se sofrer algum problema e tiver de descontinuar o exercício enquanto se recupera.

Qualquer um quer conhecer a melhor forma de se exercitar para a saúde cerebral. O exercício aeróbico foi estudado de modo mais profundo do que o treino de força e pode levar ligeira vantagem, mas ambos são de vital importância à medida que envelhecemos. O termo "exercício aeróbico" é usado para qualquer atividade física prolongada — por exemplo, caminhar, correr, pedalar, remar etc. — que melhore a eficiência do sistema cardiovascular do corpo. Uma meta-análise de 2018 que examinou 23 intervenções prévias revelou que o exercício pode adiar o declínio da função cognitiva de pessoas diagnosticadas com Alzheimer ou sob risco da doença, com o exercício aeróbico ocasionando o efeito mais favorável.[11]

Um estudo recente sobre exercícios examinou a eficácia de duas intervenções diferentes usando um grupo de setenta idosos diagnosticados com déficit cognitivo leve. Todos se exercitaram quatro dias por semana, de 45 minutos a uma hora. Um grupo se dedicou a alongamentos e outro, a atividade aeróbica, usando principalmente uma esteira ergométrica. Apenas seis meses depois, os resultados foram surpreendentes. Exames de imagem mostraram que os que se exercitaram vigorosamente de fato reduziram os níveis de tau, uma proteína associada aos emaranhados e à retração da nevrite no Alzheimer. Além do mais, os que fizeram exercício aeróbico presenciaram melhora do fluxo sanguíneo nos centros de memória e processamento do cérebro, bem como melhora mensurável nas capacidades de atenção, planejamento e organização conhecidas como função executiva.[12] Adultos mais velhos com maior aptidão cardiorrespiratória também apresentam melhor preservação do volume cerebral geral, espessura cortical aumentada e maior integridade da substância branca.[13]

Acredita-se que o exercício aeróbico seja útil de muitas formas. Antes de mais nada, ele fornece um nível mais prolongado de fluxo sanguíneo cerebral.[14] Aumentar o fluxo de sangue para o cérebro é de vital importância, já que o seu déficit é uma das primeiras manifestações mensuráveis do processo degenerativo do Alzheimer.[15] O exercício aeróbico também regula o fator neurotrófico derivado do cérebro (BDNF), uma importante proteína que estimula a produção de novas células cerebrais (precursores neurais) e auxilia as conexões sinápticas existentes. Diminuição nos níveis de BDNF representa uma falta de suporte trófico e contribui para o declínio cognitivo.[16]

Recentemente, descobriu-se um mecanismo pelo qual o exercício beneficia o cérebro com a revelação de um novo papel das células da glia no órgão. Essas células formam um sistema de descarte de lixo batizado de *sistema glinfático*; seu comportamento é similar ao do sistema linfático. Beta-amiloides e outras proteínas extracelulares são eliminadas do cérebro por meio desse caminho recém-descoberto.[17] O exercício vigoroso estimula o fluxo glinfático, com mais do dobro do aumento constatado em camundongos que se exercitaram por cinco semanas.[18] (O sono é outro impulsionador poderoso e independente do sistema glinfático, que discutiremos no cap. 14.)

A influência do treino de força na saúde cognitiva ainda não foi bem estudada, mas força é uma parte importante da saúde geral. Uma meta-análise recente examinou 24 estudos e descobriu que o treino de força rendeu melhoras positivas expressivas em pontuações usadas no diagnóstico do Alzheimer, com a melhora mais acentuada na área da função executiva.[19] O treino de força previne a sarcopenia, a perda natural de massa muscular magra que ocorre com o envelhecimento[20] e que está ligada ao declínio cognitivo.[21] Também previne a perda óssea, reduzindo o risco de declínio cognitivo, retardando o envelhecimento e prevenindo a atrofia cerebral.[22] Adultos que fazem treino de força demonstram melhora cognitiva, menos lesões na substância branca e maior vigor para andar, e conseguem realizar as tarefas do dia a dia com mais facilidade.[23]

MUDE SUA FORMA DE ENCARAR O EXERCÍCIO Em vez de pensar no exercício como uma obrigação, faça desse momento o ponto alto do seu dia. Seja uma longa caminhada meditativa pela natureza ou um passeio de bicicleta em grupo, programe as outras coisas em função dessa hora sagrada. Um tempo devotado a você mesmo para mover o corpo e se fortalecer. Se a experiência for encarada de modo contínuo como prazerosa e divertida, em breve se tornará um hábito permanente. Compreender intelectualmente que o exercício é uma poderosa estratégia neuroprotetora é ótimo, mas traduzir esse conhecimento na prática diária é o que mais importa.

SAIA DE CASA A pesquisa mostra que conviver com a natureza é bom para a saúde e, não surpreende, para o cérebro.[24] Passar horas ao ar livre reduz o estresse, estimula a criatividade e as habilidades de resolução de problemas, aguça o foco mental e atenua as ruminações.[25] Outro benefício importante de se exercitar ao ar livre, em especial pela manhã, é um sono melhor resultante da exposição dos olhos à luz do sol, ajudando a manter o ritmo circadiano saudável.[26]

CAMINHE Uma das formas mais simples de exercício aeróbico, que incorpora o treino de força porque carregamos peso naturalmente, é caminhar. Inclua uma caminhada diária em sua rotina. Ande com um objetivo, como se tivesse um compromisso marcado. Dependendo de sua forma física, talvez seja melhor começar devagar. Sem problema. Apenas tente aumentar a duração de sua caminhada em alguns minutos todo dia até chegar a meia hora ou mais.

Usar tênis adequados é de fundamental importância para começar um programa de caminhada fitness. Muitas pessoas treinam usando tênis inadequados e acabam com problemas debilitantes no quadril, nos joelhos e nos tornozelos. Se você pretende acelerar a velocidade em alguns momentos, *o que é altamente recomendável*, use um tênis próprio para correr. Os tênis de corrida costumam ter amortecimento superior e são em geral mais leves que os de caminhada. Correr de tênis especificamente projetados para caminhar pode machucar seus pés. Procure uma loja de esportes com um especialista treinado para estudar seu andar conforme você caminha (ou corre) e ajudá-lo a identificar o melhor tênis para suas necessidades. Muitas pessoas têm problemas de pisada, ou seja, o pé gira ligeiramente para dentro ou para fora quando andamos. Dependendo de sua quilometragem, fique alerta para dores persistentes, mesmo leves, em tornozelos, joelhos ou quadril depois de seis meses a um ano. Abaixo sugerimos estratégias para extrair o máximo da sua caminhada.

- **Caminhe acompanhado.** Conectar-se com os outros é vital para a saúde do cérebro.[27] Você socializa conforme faz exercício.
- **Acelere.** À medida que se fortalece em sua caminhada diária, considere aumentar a velocidade e até acrescentar períodos de corrida ou de arrancadas (*sprints*).
- **Escute música.** Quando caminhar sozinho, ouça suas músicas favoritas e até cante junto. Ou você também pode ouvir música meditativa para relaxar enquanto anda.
- **Treine o cérebro.** Incorpore o treinamento cognitivo à sua caminhada diária. Quando estiver andando, pratique falar o alfabeto de trás para a frente. Tente contar regressivamente a partir do cem de seis em seis, sete em sete, oito em oito, nove em nove.
- **Aprenda enquanto "queima".** Use a hora do exercício para aprender enquanto queima sua gordura corporal, aproveitando a energia da conexão entre mente e corpo. Aprenda uma língua nova ou escute podcasts educativos ou audiolivros quando se exercitar. Há algo muito poderoso em "trabalhar a cabeça" enquanto trabalhamos o corpo. Se nos exercitamos sozinhos, isso faz o tempo passar mais rápido e proporciona uma dupla sensação de realização.

- **Use um colete com pesos.** Particularmente útil se você quer aumentar a densidade óssea. Uma pesquisa mostra que essa é uma maneira segura e eficaz de aumentar as exigências sobre seu corpo e melhorar a densidade óssea.[28] O colete não deve ter mais do que de 4% a 10% de seu peso corporal. Comece com pouco peso e aumente devagar. É muito bom ter um colete com a opção de acrescentar pesos conforme você se fortalece.
- **Intensifique o esforço.** Incorporar momentos de uma caminhada mais vigorosa traz variedade ao exercício e ao mesmo tempo ajuda a fortalecer suas pernas.
- **Faça da natureza sua academia.** Vá além da caminhada. Busque oportunidades de acrescentar exercícios calistênicos. Ao passar por um banco ou tronco caído, por exemplo, faça séries de tríceps ou flexões. Seja criativo e divirta-se.
- **Arrume um cachorro.** Há inúmeros aspectos benéficos de se ter um animal doméstico, mas a responsabilidade de levar o cão para passear várias vezes ao dia pode ser a motivação que você precisa para suas caminhadas diárias.[29] Os cães também oferecem uma excelente companhia e nos deixam mais sociáveis.
- **Monitore seu progresso.** Use um podômetro para acompanhar sua evolução. Para reduzir sua exposição acumulada à radiação, recomendamos um modelo básico e barato, em vez dos dispositivos ou aplicativos mais novos por wi-fi. Comece com uma meta realista baseada em seu nível de preparo físico atual, trabalhando para chegar a 10 mil passos por dia. Use seu diário para monitorar como o exercício está influenciando sua cognição, seu humor, seu sono e sua aparência.

MUDE O CARDÁPIO Você não precisa se ater à caminhada todos os dias. Faça com que a hora do exercício seja sempre divertida e revigorante. Mudanças na rotina de treinamento são importantes. Acorde novos músculos variando sua atividade física. Entre para uma academia de ginástica, a ACM ou um centro comunitário ou de idosos para fazer aulas de força junto com um grupo ou se exercitar com um treinador que desenvolva um programa específico para seus objetivos. Com frequência é mais agradável treinar se beneficiando de uma rede de apoio ou uma atmosfera de grupo animada.

Nade algumas vezes por semana. Faça aulas de boxe ou melhore seus reflexos com pingue-pongue. Dance zumba. Tudo que for prazeroso e deixar seu corpo forte. Pedale. Existem novas bicicletas para cada terreno e nível de aptidão: não só mountain bikes, como também para andar na estrada ou na praia ou reclinadas. Cada vez mais cidades criam ciclovias que nos levam para longe da poluição e do trânsito e oferecem a oportunidade de passarmos momentos na natureza. Se você vive em um clima mais frio, não se deixe intimidar. Se mora perto do mar ou de um lago, ande de caiaque para exercitar a parte superior do corpo. Se já pratica algum esporte, como golfe, procure maneiras de se desafiar mais. Esqueça o carrinho, pegue o saco de tacos e caminhe pelo campo. Se você joga tênis, faça aulas para melhorar. Participe de competições. É uma ótima oportunidade de socializar enquanto aumenta seu nível de exercício.

Não esqueça de dançar! Um estudo recente que durou seis meses comparou várias formas de exercício com o aprendizado de danças complexas e coreografadas com diversas pessoas, e a intervenção da dança demonstrou uma significativa melhora nos exames de imagem cerebral. Os pesquisadores teorizam que a combinação de envolvimento físico, cognitivo e social agiu de maneira sinergética para oferecer o maior benefício.[30]

FAIXA ELÁSTICA Uma ótima maneira de desenvolver um programa de fortalecimento em casa sem academia (ou sem precisar se matricular em uma) é usando uma faixa elástica. As faixas elásticas são baratas, leves e portáteis e podem ser facilmente guardadas quando não estiverem sendo usadas. São perfeitas para quem viaja com frequência. O elástico é fabricado com diferentes tensões para se adequar ao nível de aptidão física de cada um. A faixa pode ser usada de diversas maneiras, imitando tanto o uso de aparelhos de musculação como de exercícios livres com pesos.

EXPLORE A CONEXÃO MENTE-CORPO Tanto ioga como pilates oferecem alívio para o estresse e melhoram a flexibilidade, o equilíbrio e a força geral do corpo. A ioga se concentra mais na flexibilidade e nos grupos musculares amplos e tem um elemento espiritual, enquanto pilates foca mais no controle corporal, na tonificação muscular e no fortalecimento do

Postura do cachorro olhando para baixo.

núcleo corporal. Cada disciplina exige uma forte conexão mente-corpo, com um componente meditativo para redução de estresse.[31] (Ver cap. 15 para mais informações.) Algumas posturas de ioga podem até promover a neuroproteção de modos surpreendentes. O dr. Rammohan Rao, neurocientista e praticante de ioga experiente, promove a prática suave de posturas invertidas, como o cachorro olhando para baixo, para ativar o sistema glinfático.

VAMOS PULAR! Outra atividade divertida (e surpreendentemente eficiente) é *pular*. Para isso, basta ter uma pequena cama elástica. Os benefícios à saúde são inúmeros, mas um dos mais importantes é a ativação da circulação linfática, que promove a limpeza de toxinas.[32] O sistema linfático é uma rede de tecidos e órgãos que ajuda o corpo a liberar toxinas, resíduos e outros materiais indesejáveis. Isso é de particular importância para quem está se tratando do Alzheimer tipo 3 (tóxico).[33] A função primordial do sistema linfático é transportar para todo o corpo a linfa, um fluido que contém os glóbulos brancos que combatem infecções. Ao contrário do seu sistema circulatório, que usa o coração como uma bomba, seu sistema linfático é completamente dependente da atividade física ou da massagem para promover a circulação.

Outros benefícios de pular incluem:

- Excelente trabalho aeróbico — 68% mais eficiente do que correr, e no entanto exige menos esforço[34]
- Consumo máximo de oxigênio (VO_2 max) aumentado[35]
- Poderoso estímulo do sistema imune[36]
- Aumento da densidade óssea[37]
- Baixo impacto; não agride articulações[38]
- Melhora da digestão e estímulo dos movimentos peristálticos intestinais para quem sofre de constipação[39]
- Melhora do equilíbrio— vital para idosos à medida que envelhecem[40]

Se você não se sente seguro para pular na cama elástica, procure os modelos com uma barra de equilíbrio. Se tem problemas para controlar a bexiga, vá ao banheiro antes de começar o exercício e faça pausas frequentes conforme a necessidade. Comece devagar, mantendo o contato com a superfície da cama elástica. Quando se sentir pronto, pule, elevando os pés alguns centímetros no ar. Em seu próprio ritmo, tente chegar a quinze minutos pulando com regularidade. Conforme sua proficiência melhora, você pode adicionar variação com polichinelos, elevações de joelho, giros de quadril e corrida sem sair do lugar.

PERNAS, PARA QUE TE QUERO Um estudo interessante demonstrou que a força das pernas predizia de forma confiável tanto o envelhecimento cognitivo como a estrutura cerebral global.[41] A quantidade de carga no *leg press*, um equipamento de academia, correspondeu a melhores exames cognitivos, maior volume cerebral e envelhecimento cognitivo mais saudável na década seguinte. Para fortalecer as pernas, fique junto a uma cadeira como se fosse sentar. Aproxime as nádegas do assento e mantenha-se nessa posição no ar pelo maior tempo possível. Você deve sentir uma queimação no músculo da coxa, o quadríceps. Sente na cadeira, se não aguentar. (Por isso o exercício é feito com a cadeira...) Tente ficar de pé e repetir várias vezes. Com o tempo, os músculos da perna ficam mais fortes. Faça três séries diárias com quinze repetições.

TREINO INTERVALADO DE ALTA INTENSIDADE O treino HIIT é uma boa alternativa para quem já está em forma e tem tempo limitado para malhar. O HIIT envolve pequenas explosões de treinamento intensivo entremeado a períodos de recuperação. A meta é forçar seus músculos e seu sistema cardiovascular na capacidade máxima por breves períodos. Uma sessão comum é bem curta, em geral menos de trinta minutos, com base em seu atual nível de preparo. Já foi demonstrado que o treino HIIT proporciona benefícios à saúde muito semelhantes ao exercício tradicional em uma quantidade de tempo menor, incluindo diminuição da gordura corporal, batimento cardíaco e pressão arterial.[42] Além do mais, o treino HIIT pode ser ainda mais útil do que o exercício tradicional em reduzir o açúcar no sangue e melhorar a sensibilidade à insulina.[43] Mais importante, o HIIT melhorou a função cognitiva em idosos, com os maiores ganhos vistos na velocidade de processamento, depois memória e função executiva.[44]

Antes de tentar o HIIT, você precisa conhecer sua frequência cardíaca máxima. Subtraia sua idade de 220. Por exemplo, se você tem sessenta anos, 220 menos sessenta resulta em uma frequência cardíaca máxima de 160. Essa é a média do número máximo de vezes que seu coração deve bater por

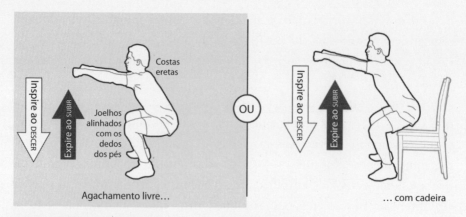

Fortalecendo os músculos da perna com agachamentos.

minuto enquanto se exercita. Há infinitas variações dessa estratégia envolvendo exercícios calistênicos, caminhar/correr, treino com pesos e mais. Um exemplo clássico pode ser realizado numa bicicleta ergométrica. Após um breve aquecimento, encontre um estado firme e confortável em que você atinja um nível de velocidade e tensão que gaste cerca de 50% de sua capacidade máxima. Após pedalar nesse ritmo por dois a quatro minutos, aumente a velocidade e a tensão para 100% da capacidade por trinta segundos a um minuto, dependendo de sua aptidão física, e volte ao estado regular por mais dois a quatro minutos. Uma sessão comum envolve quatro a seis períodos de alta intensidade, sempre intercalando com um estado regular e seguido de descanso ativo. Pessoas em forma e em busca de um desafio gostarão de conhecer o Orangetheory Fitness. É uma franquia que oferece aulas em grupo no mundo todo usando treino HIIT com monitores de batimento cardíaco para assegurar que os participantes permaneçam dentro de seus limites de segurança conforme enfrentam novos desafios.

> ## INTENSO DEMAIS?
>
> Steven Grundy, cirurgião cardíaco e autor de *The Plant Paradox*, descobriu que exercícios muito intensos, como HIIT extremo, maratonas e outras atividades, podem aumentar por certo tempo a troponina, proteína que mede os danos nos músculos cardíacos. Um exame de sangue de troponina costuma ser usado no pronto-socorro para determinar se o paciente está sofrendo infarto do miocárdio (ataque cardíaco). O dr. Gundry usa uma versão altamente sensível (cem vezes) do exame cardíaco de troponina. Curiosamente, ele descobriu que portadores de ApoE4 parecem ter elevação dessa proteína quando fazem exercícios intensos. Esse fato se relaciona com perfeição à descoberta de trabalhos anteriores de que o alelo ApoE4 é pró-inflamatório.[45] Portanto, será que portadores de ApoE4 não devem utilizar o HIIT? Pelo contrário. Esse grupo de alto risco pode na verdade ser o que mais precisa de exercícios intensos. Mas as descobertas dele são um alerta para esse grupo não realizar exercícios intensos *demais*. O treino HIIT pode ser feito com uma intensidade menos extrema. Em termos evolutivos, como caçadores-coletores, os portadores de ApoE4 passavam o dia em movimento, em busca de comida, pontuado por períodos de atividade intensa, como durante uma caçada.[46] A variação no HIIT imita com perfeição esse ritmo, mas talvez seja ainda mais importante para esse grupo se manter consistentemente ativo ao longo do dia.

OXIGENAÇÃO EWOT é um acrônimo em inglês para exercício com treinamento de oxigênio. Pode ser particularmente útil para pessoas sob risco ou com histórico de doença vascular. Entre os muitos benefícios, o EWOT melhora a circulação periférica e cerebral.[47] É muito importante usar uma máscara EWOT especificamente projetada, que forneça um mínimo de oito a dez litros (por minuto) de oxigênio puro (90%-95%) enquanto durar o exercício. Como não é prático carregar oxigênio com você, esse tipo de exercício é mais indicado para ser feito numa esteira ou bicicleta ergométrica. Dependendo de seu ponto de partida, você pode precisar de séries de até quinze minutos, três vezes por semana.

MOVIMENTE-SE DURANTE O DIA De fato, ter um período do dia separado para exercícios é vital, *mas é tão importante quanto intensificar sua movimentação ao longo do dia.* Você provavelmente já ouviu a máxima de que sentar é o novo tabagismo. Infelizmente, é verdade, e uma sessão de exercícios diários não consegue contrabalançar nosso estilo de vida cada vez mais sedentário. Um novo estudo revelou que uma hora de atividade física leve está associada a medições do volume cerebral equivalentes a 1,1 ano a menos de envelhecimento cerebral.[48] Procure oportunidades disfarçadas para se exercitar em sua programação diária. Estacione o carro longe do lugar aonde você vai sempre que possível, de modo a incorporar uma longa caminhada enquanto realiza suas tarefas. Sempre que puder, troque o elevador ou a escada rolante pela escada. Encare suas tarefas domésticas de outro modo. Em vez de se sentir oprimido, pense nelas como uma *oportunidade* para aumentar seu nível de atividade. Dedique-se em especial às atividades em seu jardim. Arrancar ervas daninhas, espalhar adubo, varrer, rastelar folhas ou limpar a neve da calçada o ajudam a se manter ativo e se fortalecer. Até tarefas domésticas como subir e descer escadas com a roupa suja, agachar para limpar o rodapé ou passar um pano no chão ajudam a manter seus músculos fortalecidos.

SUPERE SUAS LIMITAÇÕES Tanto ioga como pilates são benéficos em especial para pessoas com restrições de mobilidade temporárias ou mesmo de longo prazo. Boa parte da prática é realizada em um colchonete no chão, para não causar problemas em pés, tornozelos, joelhos ou quadril. Qigong e tai chi são ótimas opções de exercícios lentos. Exercícios para fazer sentado são outra possibilidade para quem se recupera de um traumatismo ou enfrenta limitações de mobilidade. Séries especialmente criadas para serem feitas na posição sentada podem proporcionar níveis decentes de atividade dentro de uma ampla gama de capacidades. Seu professor também pode propor modificações para qualquer movimento que você tenha dificuldade de realizar devido a algum problema físico.

Lembre-se de que não existem medicações aprovadas pela FDA (tampouco algum remédio a caminho) que cheguem perto de demonstrar a melhora obtida com exercício diário. Nenhuma. O exercício é livre e acessível para qualquer um. Passinhos de bebê se transformam em caminhadas extasiantes na natureza. Quanto mais ativo você fica, melhor se sente e mais quer se exercitar.

14. Sono: Intervenção divina

O sono é Deus. Venere-o.
Jim Butcher

Nix, a deusa da noite, era tão poderosa que até o onipotente Zeus temia entrar em seus domínios. Seu filho, Hipnos, era a personificação do sono e se revelou o deus com maior capacidade de cura. Uma explosão de descobertas científicas nos últimos vinte anos lança nova luz sobre o papel fundamental do sono em nossa cognição e bem-estar geral. Dormir enriquece nossa capacidade de concentração, aprendizado, memorização e tomada de decisões lógicas. É crucial para qualquer um em todos os estágios da vida. A privação de sono afeta nossa saúde geral e resulta em obesidade, diabetes, cardiopatia, mais inflamação e sistema imune debilitado. Todos esses problemas são bidirecionais e também impactam a saúde do cérebro.[1] Como você deve se lembrar, o sono é tão importante que fizemos dele a base do estilo de vida KetoFLEX 12/3. Na verdade, o sono restaurador é tão vital que seria muito difícil implementar todo nosso protocolo sem tê-lo como base.

Um dos papéis mais importantes do sono é ajudar a consolidar as memórias. Ao longo do dia, o cérebro absorve uma quantidade imensa de informações. Esses fatos e experiências não são registrados e arquivados diretamente no cérebro. Primeiro, precisam ser processados, para depois serem armazenados. Muitos desses passos ocorrem durante o sono restaurador. Pequenos pedaços de informação são revistos; alguns são descartados, mas outros são integrados e acabam se transferindo de nossa vacilante memória de curto prazo para a memória de longo prazo, mais segura — um processo chamado de consolidação.[2] A falta de sono ou o sono interrompido tem profundas implicações para muitos aspectos da cognição, incluindo nossa capacidade de concentração, aprendizado e formação de memórias e de executar tomadas de decisão efetivas.[3]

Embora grande parte da necessidade biológica de sono permaneça um mistério, pesquisas recentes empolgantes revelam que o cérebro entra em um trabalho de restauração crítica quando dormimos. O recém-descoberto sistema glinfático, composto de células de glia que atuam como um sistema de eliminação de resíduos para o cérebro, desempenha papel essencial na eliminação do beta-amiloide.[4] As pesquisas revelam que esse sistema funciona com maior eficiência durante o sono profundo, demonstrando uma taxa de eliminação de dez a vinte vezes maior. Durante o sono profundo, as células de glia encolhem até 60%, permitindo uma limpeza completa e a remoção dos fragmentos tóxicos. Mesmo uma única noite sem dormir reduz a eliminação do beta-amiloide.[5] Para facilitar o transporte glinfático, é melhor tentar dormir de lado, pois um estudo recente demonstrou que essa posição é a mais eficiente para a limpeza do beta-amiloide.[6] Se você naturalmente prefere dormir de costas, pode experimentar usar travesseiros como apoio para tentar ficar de lado.

A apneia obstrutiva do sono — e na verdade qualquer coisa que reduza a saturação noturna de oxigênio — surge hoje como importante fator de risco do Alzheimer.[7] Esse tipo comum de apneia é causado pela obstrução completa ou parcial das vias aéreas superiores e com frequência está associada ao ronco. Ela se caracteriza por episódios repetitivos de respiração superficial ou suspensa durante o sono e costuma estar associada à redução na saturação do oxigênio sanguíneo. Se você (ou seu cônjuge/parceiro) ronca, é importante descartar essa possibilidade. De fato, a dessaturação de oxigênio é tão comum e tão influente no declínio cognitivo, que é fundamental *qualquer pessoa* com declínio cognitivo verificar sua saturação de oxigênio noturna, que deve ficar entre 96% e 98%.

Você pode começar com um oxímetro de pulso contínuo portátil para verificar se está recebendo pouco oxigênio à noite. (Ver "Ferramentas para o sucesso", no cap. 18, para mais detalhes.) Se isso for um problema, peça a seu médico uma indicação de um especialista do sono para realizar um estudo formal com acompanhamento profissional. A National Sleep Foundation fornece informação sobre como e quando procurar ajuda. Planos de saúde costumam cobrir estudos do sono que determinarão o tratamento, que pode incluir uma máquina de oxigênio portátil para fornecer pressão positiva contínua nas vias aéreas superiores, mais conhecida como CPAP, para ajudar a tratar o problema. É importante monitorar os níveis de saturação de oxigênio ao longo da noite de tempos em tempos após começar a usar o CPAP, para assegurar que o tratamento está sendo efetivo.

DICAS PARA MELHORAR O SONO

Muitos presumem de maneira equivocada que basta deitar e dormir. Infelizmente, isso não é verdade para muita gente, e o problema tende a ficar mais incômodo à medida que envelhecemos. É preciso pôr algum empenho e preparação na higiene noturna do sono. A boa notícia é que podemos trabalhar para otimizá-lo. A aplicação das estratégias abaixo lhe permitirá melhorar seu sono tanto em termos qualitativos como quantitativos.

- **Identifique seu ritmo circadiano único.** Nossos ancestrais caçadores-coletores naturalmente iam dormir logo após o Sol se pôr e acordavam ao raiar do dia. Tente seguir esse padrão à medida que seus compromissos e seu ritmo circadiano permitirem. Cada um tem um padrão de sono-vigília único, inerente, que muda de forma dinâmica ao longo das décadas. Ajustar-se a esse ciclo é uma forma poderosa de promover um sono restaurador, cognição otimizada e produtividade.
- **Mantenha um horário regular para dormir.** Tente ir para a cama sempre no mesmo horário. Isso nem sempre é possível, devido às demandas pessoais e profissionais, mas faça o melhor que puder para se deitar e levantar em horários regulares. O ideal é começar a se preparar para dormir assim que o Sol se põe.
- **Estabeleça metas de sono.** O ideal é de sete a oito horas de sono. Pesquisas mostram que adultos que dormem menos de seis horas e

mais de nove sofrem impacto negativo. A ideia de que pessoas idosas necessitam de menos sono é um mito.
- **Cochilar ou não?** A falta de sono pode levar à necessidade de um cochilo, algo que pode ser bom. Cochilar com frequência, porém, também pode prejudicar a quantidade e a qualidade do seu sono restaurador.
- **Limite a cafeína.** Nada de cafeína (nem outras bebidas ou suplementos estimulantes) após o meio-dia. Identifique quais suplementos são estimulantes e deixe para tomá-los pela manhã.
- **Promova a autofagia.** Faça sua última refeição do dia pelo menos três horas antes de dormir. Isso leva à autofagia, que elimina os refugos celulares. Além do mais, é bem mais fácil dormir com a barriga leve.
- **Cuidado com a hipoglicemia noturna.** Pessoas resistentes à insulina devem estar cientes de que episódios hipoglicêmicos às vezes nos fazem acordar no meio da noite. Um monitoramento contínuo da glicose (CGM) pode ser muito útil para identificar o problema. À medida que você adquire sensibilidade à insulina com o estilo de vida KetoFLEX 12/3, isso vai ser resolvido. Saiba mais em "Dicas para jejuar por mais horas", no cap. 7, e "Ferramentas para o sucesso", no cap. 18.
- **Não beba perto da hora de dormir.** Se você tem dificuldade de dormir, é mais um motivo para se abster de álcool. O efeito sedutor do álcool pode levá-lo a pensar que ele ajuda a cair no sono, mas uma pesquisa mostra que ele perturba de forma poderosa o ciclo de sono REM, prejudicando a integração da memória.
- **Exercite-se cedo.** Três horas antes de ir para cama, abstenha-se de atividade física. O exercício faz a adrenalina subir e prejudica o sono.
- **Tente reduzir as visitas noturnas ao banheiro.** Tome seus suplementos cerca de uma hora antes de dormir com o mínimo de água possível. Embora seja importante permanecer hidratado ao longo do dia, acordar para urinar à noite é ruim para seu sono.
- **Vá se desligando aos poucos.** Evite atividades ou conversas estimulantes algumas horas antes de ir para a cama.
- **Bloqueie a luz azul.** Ponha seus óculos bloqueadores de luz azul três horas antes de se deitar, seguindo nossas diretrizes de uso sugeridas. Ver "Dicas para incrementar a produção noturna de melatonina", na p. 226.

- **Quarto é lugar de dormir.** Faça de seu quarto um santuário. Mantenha-o limpo e arrumado, livre de materiais de trabalho ou outros projetos.
- **Por que não dormir sozinho?** Durma desacompanhado se você sabe que seu sono será interrompido à noite. Isso é particularmente importante se você e a pessoa que dorme a seu lado têm hábitos de sono diferentes por conta de trabalho ou outras responsabilidades.
- **Nada de TV no quarto.** Sabemos que isso é impossível para muitos. Se você não fica sem TV, programe o aparelho para desligar automaticamente. Considere também instalar à noite uma película de vinil contra luz azul sobre a tela.
- **Minimize sua exposição a campos eletromagnéticos.** Diminua a radiação de nível moderado no quarto. Evidências crescentes sugerem que a radiação de campos eletromagnéticos (incluindo wi-fi) podem impactar de modo negativo a saúde geral. Desligue todos os dispositivos eletrônicos em seu quarto e deixe-os o mais longe possível da cama e ponha o celular no modo avião.
- **Hora da leitura.** Quem gosta de ler antes de dormir sabe que o simples ato de desligar o abajur pode deixá-lo alerta de novo, tornando ainda mais difícil dormir. E dormir com a luz acesa prejudica a produção de melatonina do corpo. Por isso, recomendamos um e-book ou tablet (configurado para a iluminação mais suave, no modo avião), com o recurso de desligamento automático, de modo que você não tenha de apagar a luz quando o sono começar a vir. Escolha um dispositivo com programa de bloqueio da luz azul, como Night Shift para iPad. Se o seu modelo não é compatível com um programa que bloqueia a luz azul, você pode usar uma película para isso, que é fácil de colocar antes de ir para a cama. Outra opção é escutar um audiolivro com a função de desligamento automático acionada. Se você prefere ler um livro físico, use uma luz incandescente vermelha barata ou uma lâmpada de LED que bloqueia luz azul no abajur.
- **Escuridão total.** Escureça completamente o quarto ou use máscara de dormir. A mínima luz à noite interfere na produção de melatonina.
- **Corpo quentinho.** Considere um banho quente ou até uma sauna antes de ir para a cama. A justaposição da temperatura fria em seguida o ajudará a se preparar para dormir.

- **Ambiente fresco.** Deixe o quarto frio. Uma pesquisa mostra que manter a temperatura em cerca de 18°C, dependendo de sua preferência, é ideal para o sono. Se você é friorento, fique com um cobertor à mão. Considere também a possibilidade de dormir sem roupa para se manter refrescado ao longo da noite.
- **Resfriamento ecologicamente correto.** Se você acha um desperdício resfriar a casa à noite, sugerimos um forro resfriador de colchão. OOLER é um exemplo que usa água para mantê-lo fresco, permitindo-lhe deixar a unidade de controle elétrica da temperatura longe da cama. Além do mais, embora o sistema possa ser controlado por Bluetooth, encorajamos você a controlar manualmente a temperatura para minimizar a exposição ao wi-fi. Embora esse sistema seja de início caro, pode a longo prazo economizar dinheiro (e energia). Ele é muito indicado para quem vive em um clima quente ou para quartos que não podem ser resfriados da maneira adequada.
- **Embrulhe-se nas cobertas.** Não use mantas muito leves. Assim como um bebê enrolado no cueiro dorme de forma mais profunda, alguns adultos informam efeito similar com um edredom pesado. Essa estratégia é mais eficaz para quem tem dificuldade de se manter aquecido, embora haja versões mais frescas disponíveis para climas mais quentes.
- **Elimine os ruídos.** Use uma máquina de ruído branco se seu sono é regularmente interrompido por barulhos externos vindos da calefação, do ar-condicionado, dos carros na rua, dos vizinhos etc. Muitos usam sons da natureza relaxantes (como chuva, vento ou ondas do mar), que podem ser ajustados no volume desejado para abafar ruídos incômodos. Deixe o aparelho o mais longe possível da cama (com o volume otimizado) para se proteger de campos eletromagnéticos.
- **Sono limpo.** Certifique-se de que sua cama seja o mais livre de toxinas possível. Muitos colchões, roupas de cama (fronhas, travesseiros, lençóis, cobertores etc.) e até pijamas passam por tratamentos químicos nocivos como retardantes de chama. A exposição a essas toxinas pode levar a graves consequências para a saúde, incluindo danos neurológicos.[8] Compre produtos orgânicos ou verdes ao trocar sua roupa de cama.

- **Experimente aromaterapia.** Óleos essenciais de lavanda se revelaram úteis para desacelerar os batimentos cardíacos, relaxar os músculos e promover um sono de ondas lentas. Umedeça um algodão com algumas gotas e deixe-o perto da cama para ver como afeta você.

Se você acorda no meio da noite sentindo estresse ou ansiedade — ruminando eventos negativos do passado ou se angustiando com o futuro —, tente usar uma técnica sensória de atenção plena. Comece simplesmente se concentrando no ritmo natural suave de sua respiração. Expire e inspire devagar. Aos poucos, faça a transição para focar em cada um dos cinco sentidos ao mesmo tempo. Sinta os cobertores macios contra sua pele, o cheiro da lavanda, escute o som da sua respiração, preste atenção nas imagens sutis sob seus olhos fechados e saboreie a sensação de limpeza e frescor dos dentes recém-escovados. Estando plenamente presente — *sem pensar no passado ou no futuro* — podemos relaxar e nos sentir em segurança. Com a prática, você achará isso muito relaxante, e o ajudará a pegar no sono. Meditação regular e diária também pode ser muito útil para otimizar o sono.

Por mais que você tente, por que não pega logo no sono? Não fique na cama, estressando-se com isso. A última coisa que vai querer é associar seu quarto com a angústia da insônia, que pode se tornar um padrão de reação subconsciente. Levante-se e vá para outro cômodo da casa; faça atividades calmas como ler com luz fraca com um bloqueador de luz azul. Volte para a cama apenas quando começar a se sentir sonolento. Se os problemas para pegar no sono e seguir adormecido forem constantes, e se já tiver feito um estudo formal com seu médico, considere uma terapia cognitiva comportamental para insônia (CBT-I).

> ### DISTÚRBIO DO SONO OU DEPRESSÃO?
>
> Sabemos que qualidade do sono e depressão são com frequência mutuamente excludentes: privação de sono causa depressão e pessoas deprimidas costumam ter dificuldade para dormir (ou dormem demais). A sensação opressiva de tristeza, desinteresse de antigos passatempos, mudança de apetite, perda de energia e dificuldade de concentração são sinais de que você pode estar lidando com a depressão, não com um distúrbio do sono.[9] Muitos pacientes de Alzheimer tipo 3 (tóxico) parecem ter depressão quando a causa subjacente é a inflamação crônica causada pela exposição tóxica.[10] Se acha que isso pode ser um problema, converse com seu profissional de medicina funcional para encontrar a causa de seus sintomas. Sempre que possível, empregue estratégias naturais para melhorar tanto o humor como o sono. Muitos antidepressivos possuem propriedades anticolinérgicas e assim atrapalham a memória, uma vez que a acetilcolina é central na aprendizagem e na memória (os principais medicamentos para Alzheimer, como donepezila, impedem a quebra da acetilcolina, desse modo *aumentando* sua concentração no organismo).[11] Para muitos, basta restaurar a qualidade e a quantidade do sono para aliviar os sintomas da depressão. Para outros, é imperativo descobrir e tratar a raiz do problema.

Não existe um comprimido para isso?

Remédios para dormir aparentemente ajudam por um tempo, mas, no longo prazo, *aumentam* seu risco de declínio cognitivo. Benzodiazepinas por três a seis meses elevam o risco de Alzheimer em 32%, e tomá-las por mais de seis meses aumenta o risco em 84%.[12] Usar benzodiazepinas por mais de um ano pode resultar em declínio cognitivo, capaz de continuar por até três anos e meio após a interrupção do medicamento.[13] As qualidades viciantes dessas medicações necessitam considerações cuidadosas para uma diminuição gradativa da dosagem, de modo a prevenir a síndrome de abstinência. Medicações para o sono de benzodiazepina incluem triazolam, estazolam e temazepam.

Medicações e anti-histamínicos para dormir além das benzodiazepinas são cada vez mais comuns, mas também podem prejudicar a cognição, inibindo a acetilcolina.[14] Constatou-se que medicações anticolinérgicas estão relacionadas a maior risco de demência, sendo o efeito proporcional à dosagem e à duração do uso.[15] Medicações anticolinérgicas para o sono incluem zolpidem, eszopiclona e zaleplon, e anti-histamínicos como Benadryl, Tylenol e Advil.

Felizmente, há inúmeros suplementos e medicações que fortalecem o corpo, possuem propriedades neuroprotetoras e induzem naturalmente uma melhor qualidade de sono sem efeitos colaterais negativos. Tente uma coisa de cada vez e anote com cuidado os efeitos em um diário. Se decidir tentar usar mais de uma ao mesmo tempo, o efeito pode ser diferente. Vá ajustando até encontrar uma combinação que o ajude.

- **Melatonina** Esse hormônio ocorre naturalmente no corpo, mas diminui com a idade. A suplementação mostrou-se efetiva para melhorar a qualidade do sono, mas não por meio de um efeito sedativo, e sim promovendo um ritmo circadiano saudável, que em pacientes de Alzheimer fica descompensado.[16] A melatonina também melhora a função mitocondrial, reduz os níveis de tau e reforça a cognição, segundo estudos de Alzheimer conduzidos em camundongos.[17]
- **Triptofano** Trata-se de um aminoácido encontrado naturalmente em muitos alimentos, incluindo leite, ovos, aves, peixes e sementes de abóbora e gergelim. O triptofano é o precursor do 5HTP (5-hidroxitriptofano) e pode ser convertido em serotonina (5-hidroxitriptamina), um neurotransmissor, componente fundamental da modulação do eixo bidirecional intestino-cérebro, ligando a cognição ao aparelho gastrintestinal.[18] A serotonina também é precursora do hormônio melatonina, que ajuda o corpo a regular os ciclos de sono e vigília. Triptofano ou 5HTP tomados no meio da noite podem ser particularmente úteis para quem acorda e sente dificuldade para voltar a dormir.
- **GABA** Como você vai se lembrar, GABA é um neurotransmissor que bloqueia os estímulos entre os neurônios e tem efeito calmante. A suplementação com GABA revelou-se eficaz em auxiliar o sono e é explorada como potencial alvo terapêutico para a doença de Alzheimer.[19]

- **Magnésio** Muitas pessoas têm deficiência de magnésio, um mineral necessário para centenas de reações bioquímicas no corpo e, mais importante, *crítico para a função cerebral*. O magnésio tem propriedades sedativas. Foi demonstrado que, tomado antes de dormir, diminui o cortisol na circulação, aumenta a melatonina e melhora a qualidade do sono.[20] Foi demonstrado que o magnésio treonato, uma forma mais biodisponível para os neurônios, melhora a cognição em adultos idosos.[21]
- **Ashwagandha** Essa erva que costuma ser usada na medicina ayurvédica é um adaptógeno que ajuda o corpo a se adaptar ao estresse e exerce um efeito de normalização dos processos corporais. A ashwagandha demonstrou muitos benefícios à saúde, incluindo redução do estresse, levando a um sono melhorado.[22] Um estudo recente revelou que o trietilenoglicol, encontrado nas folhas da planta, é o responsável pelo efeito de indução do sono.[23] A ashwagandha também melhorou a memória em pessoas com déficit cognitivo leve, bem como a função executiva, a atenção e a velocidade de processamento da informação.[24]
- *Bacopa monnieri* Esse é mais um adaptógeno ayurvédico que, entre outros efeitos, eleva a acetilcolina e melhora o desempenho cognitivo.[25] Ele pode ser particularmente útil para quem tem problemas para dormir devido a estresse. Pode ter um paradoxal efeito energizante para algumas pessoas. Comece experimentando doses pequenas (por exemplo, cem miligramas), tomadas várias horas antes de ir para a cama, para testar o efeito em você.
- **Outras opções** As opções adicionais incluem teanina, camomila, erva-cidreira, raiz de valeriana, passiflora, lavanda e óleo de CBD.
- **Terapia de reposição hormonal bioidêntica (BHRT)** Muitas mulheres que usam BHRT relatam como efeito colateral dormir melhor. Foi demonstrado que a progesterona, em lugar de efeito sedativo, restabelece o sono ruim na pós-menopausa, mas mulheres que usam apenas suplementação de estrogênio também relataram melhora significativa do sono.[26] Usado no momento certo e de modo criterioso, o BHRT também pode impactar de modo positivo a cognição.[27] Provavelmente por questões metodológicas, o efeito da reposição hormonal na cognição é controverso, mas uma análise cuidadosa de diversos estudos revela

que exerce um efeito positivo.[28] Na verdade, mulheres que se submetem à remoção dos ovários antes da menopausa correm um risco muito maior de declínio cognitivo sem a reposição hormonal.[29] As evidências sugerem que o *tipo de estrogênio* faz diferença: o estrogênio bioidêntico (a mesma estrutura molecular do hormônio no corpo) está ligado a resultados cognitivos melhores do que o estrogênio conjugado (feito da urina de éguas grávidas e fontes sintéticas). Igualmente importante é o *método de aplicação* do estrogênio, sendo que a via transdérmica tem mais benefícios do que a oral.[30] Mulheres com útero devem tomar progesterona com estrogênio para prevenir um supercrescimento de células uterinas capaz de resultar em câncer. Mulheres que fizeram histerectomia talvez prefiram fazê-lo em prol do sono. Evite a forma sintética de progesterona chamada progestina, que está ligada a maior risco de câncer de mama.[31] O papel da progesterona na cognição é misto, revelando tanto benefícios como danos. Alguns estudos demonstraram que o uso crônico na verdade causa impacto negativo na cognição, ao passo que o uso intermitente tem sem dúvida um impacto benéfico, em especial na consolidação da memória.[32] Melhor usar durante metade do mês, simulando o ciclo feminino natural e prevenindo um acúmulo nos tecidos adiposos, extraindo desse modo o benefício cognitivo ideal. A hipótese da "janela de oportunidade" sugere que tratar o declínio hormonal no começo é a melhor forma de proteger a cognição feminina, mas um ensaio clínico controlado e randomizado usando BHRT em mulheres em pós-menopausa *muito após essa janela* (entre 57 e 82 anos), diagnosticadas com déficit cognitivo leve, teve como resultado cognição preservada, comparado ao grupo de controle.[33] Muitas mulheres presumem de maneira equivocada que a BHRT é caríssima, sem imaginar que há versões genéricas mais baratas. Um programa de BHRT deve sempre ser iniciado com ajuda de um especialista hormonal para pesar com cuidado os riscos em função dos potenciais benefícios.

DICAS PARA INCREMENTAR A PRODUÇÃO NOTURNA DE MELATONINA

Óculos bloqueadores de luz azul, com opções de marcas conhecidas, estão ganhando popularidade *porque funcionam*. Vemos cada vez mais gente usando esses óculos malucos de lentes cor de laranja por várias horas antes de dormir para obter um sono melhor.

Aprofundemo-nos na ciência por trás da moda. Ela tem a ver com um descompasso entre a civilização moderna e nossa biologia primitiva. Por centenas de milhares de anos, a humanidade acordava ao nascer do dia e ia dormir quando o Sol se punha. Com o advento do fogo, o homem primitivo talvez tenha se habituado a ficar em volta da fogueira comunal para se aquecer e se proteger de animais, mas até essa luz proporcionava um clarão laranja-avermelhado suave. Avancemos para a vida moderna, quando as pessoas trabalham 24 horas. A iluminação fluorescente, LED e incandescente (tudo luz azul) encontrada por toda parte torna isso possível, mas também deixa nosso ritmo circadiano natural (também conhecido como ciclo sono-vigília) descompensado. Pior ainda é a forte luz azul emitida por nossos aparelhos eletrônicos e televisores, em especial perto da hora de dormir.

A natureza nos preparou para dormir de maneira natural com a escuridão gradual, sinalizando automaticamente para nossa glândula pineal produzir a melatonina necessária para adormecer e continuarmos adormecidos. Com as luzes da casa e os múltiplos dispositivos eletrônicos emitindo uma luz azul que imita o período diurno, a glândula pineal fica confusa, gerando um déficit desse hormônio essencial tão necessário para o sono e outras coisas. A melatonina também é uma poderosa eliminadora de radicais livres e um antioxidante de amplo espectro que protege contra o estresse oxidativo mitocondrial ao mesmo tempo que oferece benefícios imunológicos.[34] Sua produção decai de modo natural com a idade, mas bloqueadores de luz azul ajudam a aumentá-la.

Grupos de consumidores descobriram que versões baratas desses óculos são tão eficazes quanto as caras opções de marcas famosas. Mas as lentes devem ser alaranjadas (não amarelo-claras). Há modelos projetados para quem usa óculos sob o bloqueador azul. Ver dicas abaixo para maximizar a eficiência.

Use-os regularmente — ou seja, toda noite, se possível. Eles não funcionam como uma pílula para dormir, mas com o tempo induzem o sono fisiológico restaurador, aumentando sua produção de melatonina.

- Se você já toma suplemento de melatonina, talvez tenha de diminuir a dose aos poucos, uma vez que os bloqueadores azuis aumentarão a produção dessa substância.
- Ponha-os cerca de três horas antes de ir dormir. Use-os tranquilamente em casa, ou talvez eles sirvam como um bom assunto quando usá-los em um compromisso social.
- Escolha um modelo que bloqueie toda a luz azul. Versões cobrindo toda a região dos olhos são especialmente eficazes, e modelos específicos podem acomodar os óculos sob eles.
- A menos que seu banheiro seja equipado com um bloqueador de luz azul (o que é fácil de fazer com um abajur pequeno), não deixe seus rituais de ablução para depois de pôr os óculos. Caso contrário, você sofrerá uma breve exposição à prejudicial luz azul pouco antes de ir para a cama.
- Mesmo usando bloqueadores, tente minimizar sua exposição a dispositivos eletrônicos antes de dormir. Dedique-se a atividades relaxantes, como conversar com calma ou ler.
- Quando estiver pronto para dormir, deixe o quarto absolutamente escuro ou ponha uma máscara de dormir, a fim de manter o efeito benéfico da melatonina.
- Ao acordar pela manhã, abra por completo as persianas. Melhor ainda, saia de dentro de casa assim que possível. Expor seus olhos à luz azul, em especial de manhã, ajudará a restabelecer seu ritmo circadiano.

Sono ruim é um fator de risco que pode ser mudado. Sinta-se livre para usar um monitor de sono sabendo que a maioria tem precisão de 60% na melhor das hipóteses, mas ainda assim proporcionam uma ideia aproximada das características de seu sono. Hoje modelos mais caros e precisos estão disponíveis. (Ver mais em "Ferramentas para o sucesso", no cap. 18.) Ao empregar regularmente todas essas estratégias de otimização do sono, você pode fazer da hora de dormir um aguardado ritual noturno que proporciona uma experiência de relaxamento e recuperação. Melhorar a qualidade de seu sono também oferecerá benefícios imediatos para seu humor e desempenho cognitivo geral. Para mais informação sobre o tema, recomendamos fortemente *Why We Sleep* [Por que dormimos], do dr. Matthew Walker.

15. Estresse: Recalculando a rota

Ter uma atitude positiva pode converter o estresse negativo em positivo.
Hans Selye

Como observou o primeiro guru do estresse, professor Hans Selye, o estresse envelhece. Logo, a prevenção ou o controle do estresse — "recalcular a rota" das vicissitudes da vida — tem um efeito antienvelhecimento e sem dúvida é parte importante de qualquer estratégia otimizada para prevenir ou reverter o declínio cognitivo. Embora nosso objetivo final seja empoderá-lo para controlar sua reação a estressores externos, no curto prazo o estresse pode ser uma reação bastante positiva, protegendo-nos de agressões. Além do mais, o estresse repetido e *moderado*, com *objetivo* — como acontece em exercícios ou jejum, por exemplo —, é uma forma de *proteção*. Chama-se *hormese*. O que aumenta nosso risco de declínio cognitivo é o estresse grave, crônico ou sem solução.[1] Compreender essa dicotomia é útil para lidar com o estresse diário em nossa vida.

Quando percebemos um perigo iminente, os neurotransmissores mandam a informação para a amígdala, uma estrutura cerebral que processa sinais emocionais, e um alarme de perigo é enviado ao hipotálamo. Ele então age como uma central telefônica, comunicando-se com o resto do corpo por meio do sistema nervoso e acionando a reação de luta ou fuga. A partir daí, centenas de funções corporais involuntárias são ativadas. A adrenalina inunda nosso corpo, aumentando os batimentos cardíacos, contribuindo com o fluxo sanguíneo necessário para músculos e órgãos vitais. Nossa respiração fica mais acelerada e pequenas vias aéreas nos pulmões se abrem para inundar o cérebro com oxigênio. Os vasos sanguíneos se dilatam, a pressão arterial sobe e os sentidos se intensificam. Glicose é liberada, fornecendo energia para todas as partes do corpo, proporcionando a força necessária para responder a uma possível ameaça. Sem essa sofisticada reação involuntária de proteção inata, não seríamos capazes de fugir de leões, escapar de prédios em chamas ou salvar uma pessoa em perigo. O problema surge quando não conseguimos desligar a resposta ao estresse — quando começamos a perceber circunstâncias relativamente inofensivas como ameaças maiores do que são. Como observado acima, é essa exposição crônica que pode causar uma devastação em nosso corpo, contribuindo para hipertensão, cardiopatia, obesidade, distúrbios do sono e até alterações no cérebro.[2]

Qualquer um fica exposto ao estresse em sua vida pessoal e profissional. É normal. Mas o que muitos parecem não compreender é que muitas vezes nossa *resposta* ao estresse cotidiano é programada na nossa infância ou por experiências traumáticas posteriores. Quando descobrimos na infância que o mundo pode ser um lugar perigoso, isso gera um ciclo de realimentação negativa que dita o tom de nossa reação ao estresse futuro.[3] Pouquíssimos atravessam esse período sem traumas. Um grupo de pesquisadores criou um questionário para quantificar essas experiências, chamado Experiências Adversas na Infância. Não surpreende que indivíduos de pontuação mais alta tenham dificuldades com mecanismos de enfrentamento e problemas de saúde relacionados: abuso de álcool e drogas, obesidade, depressão e distúrbios do sono. O que surpreendeu os pesquisadores foi constatar que a biologia dessas pessoas também parece ter mudado, aumentando seu risco de enfermidades crônicas como diabetes, doença autoimune, transtornos pulmonares, cardiopatia e câncer.[4] Em termos de saúde cognitiva, elas manifestaram envelhecimento cerebral prematuro, encurtamento dos telômeros, biomarcadores inflamatórios mais altos e mais risco de demência e Alzheimer.[5]

A boa notícia é que podemos mudar o modo como reagimos ao estresse. O primeiro passo é apenas compreender que nossa resposta imediata provavelmente não é saudável. A maioria vive repassando mentalmente críticas e inseguranças do passado. Quanto mais esse diálogo interior retrocede no tempo, mais introjetado ele fica. Muita gente revive de forma inconsciente antigas críticas, possivelmente de pais ou professores. Ou talvez repassemos conversas mais recentes nas quais nosso cônjuge, nossos amigos ou nosso chefe nos criticou com afirmações como: "Você nunca faz a sua parte" ou "Você sempre me deixa na mão". Alguém que tenha passado por uma situação de estresse mais recente — uma agressão física ou emocional; um acidente de carro; uma demissão; uma separação; o fim de uma amizade — pode ter uma reação ainda mais acentuada. Às vezes, mesmo quando tudo vai bem, esperamos que algo ruim aconteça com base em nossas experiências antigas. Essa agressão constante do passado pode não só nos afetar de maneira inconsciente, como também afetar nossa reação ao mundo no presente. As experiências negativas do passado também podem causar preocupação excessiva com o futuro. Uma intervenção com a prática da atenção plena, ou *mindfulness*, o levará a se conscientizar do problema, interromper o ciclo de realimentação negativa e reconfigurar seu padrão de resposta.

ATENÇÃO PLENA É a simples prática de estar plenamente presente no momento atual. Quando estamos plenamente presentes, conscientemente cientes de nós mesmos e do mundo à nossa volta, deixamos de olhar para o passado e repassar autocríticas negativas. Não ruminamos sobre o futuro. Apenas existimos, absolutamente presentes, de um modo distanciado e observador.

Atenção plena significa se dar conta da beleza do Sol que nasce quando estamos a caminho do trabalho; olhar o caixa de supermercado no rosto e dizer uma palavra gentil; comer devagar e com consciência, sentindo gratidão pelo alimento nutritivo. Viver em estado de *desatenção*, por outro lado, seria ir com pressa ao trabalho sem sequer notar o raiar do dia; ignorar a pessoa que passa seus produtos pelo leitor no supermercado; entupir-se, distraído, de comida diante da TV. Podemos notar como a simples atenção plena tem o poder de mudar a maneira como percebemos o mundo. Quanto mais aprendermos a incorporá-la a nossa prática diária, mais ficaremos cientes de como o passado (ou as preocupações com o futuro) penetra em nosso subconsciente se não estamos ativamente atentos. Muitos usam a atenção plena como porta de entrada para a meditação.

Você desconfia que a atenção plena não passa de uma bobagem sentimentaloide sem embasamento científico? Jon Kabat-Zinn, doutor em biologia molecular pelo Massachusetts Institute of Technology (MIT), que trabalhou sob a orientação de Salvador Luria, laureado com o Nobel, tem grande parte do crédito por popularizar a prática. Durante a faculdade, ele estudou meditação com monges budistas e, mais tarde, criou um curso de oito semanas chamado Redução de Estresse Baseada em *Mindfulness* (MBSR), que diminuía a ênfase no budismo para inserir a prática num contexto científico.[6] De fato, a pesquisa mostra que a atenção plena baixa o cortisol e a pressão arterial.[7] Mais importante, é uma poderosa proteção contra os efeitos do estresse na saúde mental da meia-idade em diante.[8]

Experimente exercícios respiratórios de atenção plena para tratar alguma sensação imediata de estresse. A respiração profunda estimula o nervo vago, ajudando a induzir uma resposta relaxante. Esse exercício o faz tomar consciência do presente apenas focando em sua respiração e, em última instância, controlando-a. É uma técnica poderosa que pode ser utilizada a qualquer momento.

1. Sente ereto e preste atenção em sua respiração.
2. Expire devagar pela boca e conte até quatro. Segure e conte até quatro.
3. Inspire devagar pelo nariz e conte até quatro. Segure e conte até quatro.
4. Repita esse padrão por vários minutos.

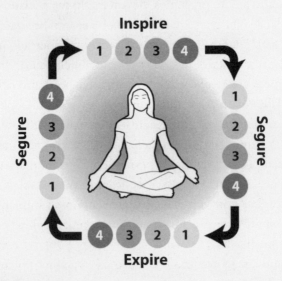

Respiração quadrada.

Como essa, há centenas de técnicas de *mindfulness* relaxantes, disponíveis de maneira gratuita na internet. Além de aplicativos como Buddhify (baixe grátis mais de duzentas meditações guiadas, com a possibilidade de uma inscrição anual por trinta dólares) ou Calm (59,99 dólares por ano, com teste gratuito de sete dias), que oferece técnicas guiadas de atenção plena, algumas seguidas de meditação propriamente dita. Existem muitas opções on-line e presenciais para aprender MBSR, com preços que vão de zero a centenas de dólares.

MEDITAÇÃO Quando estiver pronto para levar a atenção plena ao nível seguinte, experimente a meditação. Consiste em se concentrar numa palavra ou pensamento específico para clarear a mente e deixá-la num estado calmo e iluminado. A meditação tem origem em inúmeras práticas religiosas. Seus benefícios medicinais estão bem documentados e incluem melhora do sono, redução da pressão arterial, alívio das dores, redução do estresse e da ansiedade e diminuição dos sintomas depressivos.[9] A meditação na verdade reverte o padrão de citocinas visto na depressão induzida pelo estresse,[10] que são pequenas proteínas envolvidas na sinalização inflamatória e em outros tipos de sinalização celular. Os genes ligados à inflamação ficam menos ativos em pessoas que praticam meditação. Uma proteína-chave que funciona como um interruptor e aumenta a produção de amiloide — chamada fator nuclear kappa B (NFKB) — fica inibida em quem medita. É o efeito oposto do estresse crônico na expressão genética e sugere que a prática da meditação pode levar a menor risco de doenças relacionadas à inflamação. Mais importante, a meditação melhora a cognição, a função executiva, a memória operacional, a atenção e a velocidade de processamento.[11] Ainda não está convencido? Dezenas de estudos demonstram que a meditação de fato altera exames de imagem cerebral. Ela melhora a conectividade da substância branca e aumenta a espessura cortical e as concentrações de massa cinzenta em múltiplas regiões do cérebro.[12]

Há muitos tipos diferentes de meditação. Algumas focam exclusivamente na atenção plena, enquanto outras, como a meditação transcendental, utilizam técnicas diferentes. A melhor forma é a que o motiva à prática regular. Alguns começam com aplicativos guiados por instruções faladas, outros necessitam de orientações visuais on-line, enquanto há ainda aqueles que preferem aulas presenciais. Um aplicativo popular chamado Insight Timer oferece instruções junto com uma imensa biblioteca de meditações guiadas. O download é gratuito (assim como a maioria dos recursos), com a possibilidade de adquirir componentes atualizados ou aulas específicas. O Insight Timer tem um elemento motivacional: após se inscrever, você pode ver quantas pessoas próximas a você e em todo o mundo estão meditando no momento. O Headspace é outro aplicativo que o conduz por uma instrutiva meditação guiada. A taxa de inscrição anual gira em torno de 96 dólares e você pode testar o aplicativo de graça por dez dias, para ver se o estilo de ensino funciona no seu caso.

Se está pronto para mergulhar mais a fundo, experimente uma técnica de meditação chamada Ziva. É uma forma de meditação transcendental (MT) mais acessível e barata. A MT foi trazida aos Estados Unidos por Maharishi Mahesh Yogi na década de 1950 e se popularizou nos anos 1960, quando os Beatles e outras celebridades aderiram à prática. É uma versão da antiga prática hindu usada por monges, traduzida para leigos, chamada meditação védica. Ela envolve o uso de um mantra e costuma ser praticada duas vezes ao dia por de quinze a vinte minutos.[13] A MT foi amplamente criticada pelo custo exorbitante da instrução (as aulas muitas vezes custam quase mil dólares ou mais), mas o preço alto parece ser uma tradição deliberada originada com o Maharishi Mahesh Yogi, na tentativa de limitar o acesso e aumentar a percepção de valor. A Ziva secularizou a prática e a direcionou para pessoas ocupadas, com aulas on-line e presenciais. Por seu caráter único, a Ziva o orienta por meio de *mindfulness* para remover o estresse atual, por meio da meditação para eliminar o estresse passado e, por fim, por meio da manifestação para criar metas para seu futuro. O programa on-line inclui quinze aulas, sessões extras e *webinars*, bem como um grupo de apoio no Facebook — tudo isso desaparece após seis meses. A Ziva não é barata (embora ainda seja menos cara do que a MT tradicional), com cursos on-line a partir de 399 dólares.

ORAÇÕES Todas as religiões utilizam a oração. Fazer orações reduz o estresse.[14] Por meio de mecanismos desconhecidos, algumas pesquisas mostraram que a oração pode até influenciar de modo positivo nossos resultados.[15] Encorajamos de forma enfática quem encontra paz e conforto nesse processo a utilizar a oração em vez da prática meditativa ou combinada com ela.

NEURAL AGILITY Esse download de áudio é parte da série RevitaMind e é diferente da meditação (que exige participação ativa), na medida em que é essencialmente um processo passivo. Deve ser mais bem aproveitado por quem não consegue se envolver numa forma mais ativa de manejo do estresse. Você apenas coloca o headset e relaxa enquanto escuta diversos clipes de áudio, cada um com duração aproximada de trinta minutos. A ciência envolvida nesse processo utiliza a sincronização das ondas cerebrais com sons específicos, conhecida como *arrastamento cerebral*, que encoraja a coordenação na faixa de ondas cerebrais teta, ligadas à melhora do humor e da memória.[16] O programa custa 97 dólares e oferece a devolução do dinheiro caso o cliente não fique satisfeito após dois meses de uso regular.

DYNAMIC NEURAL RETRAINING SYSTEM (DNRS) Outro programa a ser considerado é o DNRS, concebido por Annie Hopper, uma conselheira treinada que *se curou* depois de ficar doente de maneira crônica por exposição tóxica. Compreendendo que um traumatismo cerebral estava na raiz de seus sintomas, ela usou a ciência da neuroplasticididade para identificar métodos para reprogramar seus circuitos neurais. Hopper conjectura que muitos tipos diferentes de traumas cerebrais reais podem fazer o sistema límbico (que inclui a amígdala e controla sua resposta ao estresse) mudar sua configuração: mesmo que a ameaça inicial tenha passado, o sistema límbico permanece hipervigilante e reage de forma exagerada a estímulos inofensivos. Após permanecer em um estado exacerbado por longo período, o sistema imune acaba esgotado, levando a enfermidades crônicas e com frequência debilitantes.[17] O DNRS, cuja tradução é "sistema de retreinamento neural dinâmico", foca em retreinar o sistema límbico, permitindo ao corpo se recuperar sozinho.

Hopper conseguiu ajudar a curar muita gente que sofria de exposição tóxica, inclusive por sensibilidade química múltipla e mofo, bem como de síndrome da fadiga crônica, fadiga suprarrenal, disfunção autonômica, fibromialgia, doença de Lyme e muitas outras enfermidades inflamatórias crônicas. O programa DNRS será particularmente útil para pacientes que lidam com Alzheimer tipo 3 ou com a patologia que conduz a ele.[18]

Hopper já trabalhou com muitos médicos de renome, incluindo Patrick Hanaway, e com o Instituto de Medicina Funcional, e hoje é pesquisadora na Universidade de Calgary. Saiba mais sobre o programa em seu livro, *Wired for Healing* [Programado para a cura]. Ela oferece uma série de DVDs com instruções por 249,99 dólares. Para aprender sobre opções de cura adicionais, visite o site do Dynamic Neural Retraining System (retrainingthebrain.com).

HEARTMATH Se você gosta de dados e se sente motivado com feedback imediato, o HeartMath pode ser uma boa ferramenta de alívio do estresse para medir seu progresso. O programa está baseado na ciência da variabilidade na frequência cardíaca (VFC), mostrando que maior VFC está associada a menos estresse, maior resiliência e melhor capacidade de se adaptar efetivamente ao estresse e às demandas do ambiente.

VFC mais elevada também está associada ao menor envelhecimento biológico e à melhora da saúde geral — mais especificamente, psicológica, cardíaca, metabólica e renal —, e até ao aumento da taxa de sobrevivência do câncer.[19] Pessoas com uma VFC mais elevada também apresentam maior capacidade cognitiva, incluindo função executiva, atenção, percepção, memória operacional e flexibilidade cognitiva.[20]

O HeartMath funciona com um clipe no lóbulo da orelha, conectado por fio ou Bluetooth, que transmite dados em tempo real para um aplicativo em seu celular ou tablet. Você pode ver tanto sua VFC como seu nível de *coerência*, um estado cientificamente mensurável pelo qual os processos psicológicos e fisiológicos estão alinhados. Ela é marcada por um suave padrão senoidal no gráfico da VFC, responsável por representar a sincronização entre o coração e o cérebro, alinhando os dois ramos do seu sistema nervoso para maior atividade parassimpática (relaxamento), bem como um equilíbrio harmonioso entre a VFC, a pressão arterial e a respiração.[21] O objetivo é obter VFC e coerência elevados. O aplicativo oferece dicas de treinamento em tempo real, bem como meditações guiadas para melhorar seus números. Os fabricantes recomendam seu uso de três a cinco vezes por dia apenas como meio de monitorar seu nível de estresse. A informação pode ajudar a guiá-lo em suas decisões dietéticas e de exercícios ao longo do dia. Por exemplo, se o HeartMath indica um nível elevado de discordância, é provável que não seja boa hora para se dedicar a um exercício intenso. O sistema HeartMath é encontrado a partir de 129 dólares.

QIGONG E TAI CHI O qigong e o tai chi, embora diferentes, são antigas práticas chinesas que podem ser descritas como um movimento meditativo usado para alinhar a energia. O qigong é mais antigo e seu termo é mais amplo, incluindo diversas práticas que promovem o *qi*, ou essência vital, tal como descrita pelos chineses. Tanto o qigong como o tai chi usam um amplo leque de movimentos meditativos lentos, na posição de pé ou sentada. As duas práticas incorporam a regulação da respiração, da mente e do corpo e estão baseadas em princípios da medicina chinesa tradicional.[22] A ioga é outro ótimo redutor de estresse, com um elemento meditativo forte, que também pode oferecer um desafio atlético. (Ver mais sobre ioga no cap. 13.)

O qigong e o tai chi são amplamente praticados na China e estão ganhando popularidade também nos Estados Unidos e no restante do mundo. Ambas as práticas estão relacionadas a inúmeros efeitos positivos para a saúde, incluindo a melhora dos marcadores cardiopulmonares, da densidade óssea, do equilíbrio (menos quedas), do sono e da qualidade de vida autorrelatada.[23] Além do mais, essas práticas demonstraram melhora de sintomas psicológicos, incluindo depressão, estresse, ansiedade e mau humor.[24] Mais importante, a função imune e os marcadores inflamatórios melhoram tanto com o qigong como com o tai chi.[25]

Encorajamos que você experimente e adote diversas estratégias de redução do estresse que se adéquem ao seu gosto. Registre em um diário o efeito que as várias práticas exercem em você. Tente incorporar a redução do estresse a sua vida praticando com a maior frequência possível, de preferência todos os dias. Os benefícios podem se tornar autossustentáveis quando praticada com regularidade. Além dessas técnicas focadas, há muitas estratégias que podemos empregar em nosso dia a dia para reduzir o estresse.

- **Cuide de si mesmo.** Você vale a pena. Arranje um tempo na sua rotina para cuidar de si mesmo. A patologia que conduz ao declínio cognitivo leva uma década ou mais. Mesmo se você já estiver preocupado com a sua cognição, ao se engajar ativamente na redução do estresse *hoje* você pode mudar a maneira como responde às pressões do dia a dia, criando uma resiliência que confere neuroproteção de longo prazo.
- **Não se sobrecarregue.** Saiba seus limites e estabeleça metas realistas. Você não precisa dizer sim para todo compromisso social, oportunidade de trabalho ou obrigação familiar. Decline de oportunidades que não se alinham com suas prioridades e objetivos.
- **Faça uma lista.** Todos temos um monte de coisas para resolver todos os dias. Comece sua rotina escrevendo metas realistas e depois risque uma por uma à medida que as completar. Essa estratégia simples pode oferecer uma sensação de realização, pode ajudá-lo a ficar focado e alcançar mais coisas e pode reduzir o estresse.
- **Desconecte-se.** Muitos de nós temos idade suficiente para nos lembrar de quando nos comunicávamos por telefonemas ocasionais ou por cartas. Pense na enorme liberdade que isso proporcionava! Cuidávamos de nos-

sos assuntos, realizávamos nossas tarefas e trabalhávamos relativamente sem interrupção. Agora, com a explosão da tecnologia, espera-se que nos mantenhamos conectados em tempo integral por meio de nossos celulares, mensagens de texto, correio de voz, máquinas de fax, e-mail, Facebook, Twitter e Instagram. Estar disponível o tempo todo e respondendo às demandas de todo mundo suga nossa energia, causando estresse, ansiedade e até depressão.[26] Mais importante, não permite que você se concentre no que tem de fazer. Limite sua exposição à tecnologia. O mundo seguirá em frente sem você. O benefício psicológico vai muito além da redução no wi-fi e em campos eletromagnéticos.

- **Nada de multitarefa.** A capacidade de realizar inúmeras coisas ao mesmo tempo é um talento recente superestimado, não alinhado a nosso genoma, ainda primitivo. A ciência demonstra que nossa rede de atenção funciona melhor quando focamos em uma capacidade cognitiva por vez. A resposta constante a múltiplos estímulos com o tempo nos deixa esgotados, tem efeito negativo na cognição e pode levar a uma sensação de estresse.[27] Focar em uma coisa de cada vez lhe permite estar presente e plenamente atento. Também proporciona oportunidade para devaneio, criatividade e resolução de problemas. Permita-se fazer e se concentrar numa tarefa por vez.
- **Mexa-se!** Além de todos os benefícios já frisados aqui, o exercício regular é um excelente redutor do estresse. Quando somos tomados por fortes emoções, uma caminhada revigorante muitas vezes propicia uma sensação de clareza e calma.
- **Desfrute de um sono adequado.** Já notou como é muito mais fácil lidar com as pequenas complicações da vida quando temos uma boa noite de sono? A ciência mostra claramente que o sono adequado melhora nosso humor e capacidade de reagir ao estresse.[28]
- **Procure ajuda.** Quando o estresse crônico ou imediato afeta sua capacidade de apreciar atividades antes agradáveis, como comer devagar, dormir direito ou simplesmente se sentir feliz, é hora de buscar ajuda profissional. Isso não é sinal de fraqueza, muito pelo contrário. Um profissional pode ajudar a descartar outras causas físicas para seu estresse e trabalhar com você para encontrar técnicas de enfrentamento que funcionem para você.

16. Estímulo mental: Expandindo o cérebro

Nunca pare de aprender, pois a vida nunca para de ensinar.
Emmily Vara

Os cientistas costumavam achar que a função cerebral, uma vez perdida, era irrecuperável. A recente explosão de pesquisa na área da neuroplasticidade prova que isso não é verdade. Nosso cérebro continua a produzir novos neurônios durante a vida toda em resposta a estímulos sociais e mentais, bem como durante a recuperação de traumatismos ou ferimentos.[1] Em 2000, o prêmio Nobel em fisiologia ou medicina foi concedido a uma equipe de cientistas que usou lesmas-do-mar para identificar os mecanismos moleculares de aprendizagem e memória. Foi uma descoberta crucial para compreender a função cerebral normal, mas também para entender como perturbações nesse processo podem levar a doenças neurológicas.[2] Além do mais, o trabalho ofereceu base irrefutável para a ideia de que o aprendizado literalmente altera a estrutura do cérebro.[3]

Nosso cérebro pode mudar ao longo da vida, até na velhice.[4] A capacidade cerebral de crescer e se adaptar é chamada de neuroplasticidade.[5] Todo mundo sabe que fazer exercício deixa os músculos mais fortes. Se ficamos parados, nossos músculos se atrofiam. Embora o cérebro não seja um músculo, vale o mesmo princípio. Oferecer desafios ao cérebro é uma oportunidade para o crescimento. Nossos pensamentos, hábitos, movimentos etc. no dia a dia podem moldar e reconfigurar nosso cérebro, estejamos ou não cientes do processo, que ocorre tanto de maneira passiva como ativa. Se levamos vidas vazias, desestimulantes, nosso cérebro se atrofia com o tempo. Do mesmo modo, levar uma vida socialmente rica e estimulante pode protegê-lo.[6] As evidências sugerem que podemos até optar de modo consciente por recuperar e fortalecer o cérebro após a ocorrência de neurodegeneração por doença ou traumatismo.[7] Você é o senhor de seu destino; você é o capitão do seu *cérebro*.

ENCONTRE SUA TRIBO A força e a amplitude das interações sociais desempenham um papel muito importante em como tendemos a envelhecer e até em nossa longevidade. Pesquisas revelaram que pessoas com fortes laços sociais tinham uma probabilidade 50% menor de morrer do que pessoas com uma rede social mais frágil.[8] A conectividade social é tão importante para o envelhecimento saudável quanto outros fatores de risco conhecidos, como dieta, exercício e sono.[9] Além disso, pessoas casadas, que desfrutam de apoio familiar, mantêm contato com amigos, participam de grupos comunitários e realizam trabalho remunerado têm 46% menos chance de desenvolver demência.[10]

Vale observar que a conexão social é uma experiência subjetiva. Algumas pessoas com poucos amigos ou familiares podem se sentir perfeitamente satisfeitos, enquanto outros com um sistema de apoio mais amplo ainda assim se sentirão solitários. É sua percepção que dá o tom da experiência.

- **Faça um balanço de sua sensação de solidão ou isolamento.** Você tem alguém para quem ligar se estiver doente, em crise financeira ou apenas querendo companhia? Se não, talvez você queira gastar um pouco de tempo e energia expandindo sua rede de contatos. A capacidade de criar uma "tribo" não tem nada a ver com o tamanho da família ou sua proximidade geográfica. Você não precisa lamentar o fato de ser filho único, não ter filhos ou viver longe dos familiares. Quaisquer pessoas na sua vida — amigos, colegas de trabalho, vizinhos — podem se tornar sua tribo.
- **Conecte-se a quem você encontra no dia a dia.** Assim nascem as amizades. Não fique esperando por um gesto de aproximação. Tente *você* se aproximar. Pergunte coisas. Mostre interesse pela vida das outras pessoas. Ofereça-se para ajudar. Entre para um clube do livro ou faça

aulas de alguma atividade física. Seja voluntário em causas sociais. Um objetivo ou interesse em comum pode criar a base para um relacionamento mais forte.

- **Priorize quem você encontra na vida real, não nas mídias sociais.** As estatísticas indicam que o americano médio devota quase onze horas diárias a telas de todo tipo.[11] Quanto mais tempo nas redes, mais nossas vidas sociais encolhem, e nos sentimos mais solitários do que nunca. O neuropeptídeo oxitocina, o "hormônio do amor" que desempenha um poderoso papel nas conexões sociais, é liberado em interações humanas reais.[12] O cortisol, hormônio do estresse, diminui quando nos conectamos com outros.[13] O cérebro fica estimulado e engajado de maneiras positivas que não estão presentes em comunicações por texto ou e-mail.[14] A interação humana pode ser ainda mais importante à medida que envelhecemos. Uma vida social rica oferece proteção significativa contra o declínio cognitivo.[15]
- **Organize a interação social em torno de um estilo de vida saudável.** Todo mundo tem amigos que gostam de se encontrar à noite para comer e beber — *algo que em nada ajuda a manter um estilo de vida salutar*. Sinta-se à vontade para sugerir alternativas. Que tal um café da manhã juntos, uma aula de culinária ou uma caminhada? Essas atividades podem encorajar seu grupo de amigos atual a acompanhá-lo numa vida saudável, ou talvez você mude naturalmente para um novo grupo que compartilhe de seus novos objetivos. É importante estar cercado de pessoas que facilitem sua adesão a um novo estilo de vida mais saudável.
- **Considere morar com amigos que pensam como você.** À medida que ficamos menos capazes de realizar todas as tarefas associadas a uma vida independente em nossa própria casa, é tentador pensar automaticamente em ir viver com algum membro da família ou numa casa de repouso. Claro que isso não é necessariamente uma escolha equivocada. Mas cada vez mais pessoas de idade optam por viver juntas em um arranjo comunal para compartilhar recursos. Imagine o programa de TV *Supergatas* com um toque de vida saudável — dividir vegetais orgânicos em vez de cheesecake! Morar com amigos que pensam como você também pode proporcionar uma infinidade de benefícios sociais e estender sua independência funcional.

ENCONTRE SEU PROPÓSITO Sua vida pode depender disso. Uma pesquisa revela que ter um propósito na vida é um forte determinante tanto da saúde geral como da longevidade. Isso vigora ao longo de toda nossa vida, fornecendo o mesmo benefício para qualquer faixa etária. Ter uma paixão, um conjunto geral de valores e motivações talvez seja ainda mais importante conforme envelhecemos. Adultos que não dividem mais um ambiente de trabalho e tentam se organizar em seu dia a dia podem se beneficiar muito de um senso maior de propósito.

As evidências mostram que idosos com um senso de propósito forte manifestam as mesmas alterações físicas no cérebro que outros idosos, *mas pontuam bem mais alto em testes cognitivos*.[16] Cultivar as coisas que o empolgam proporciona uma neuroproteção poderosa. Seja se voluntariar na sociedade protetora dos animais local, escrever poesia ou ser mentor de jovens, vá atrás. Ter uma paixão, em especial em uma idade avançada, estenderá a durabilidade tanto de sua saúde como de seu cérebro.

NUNCA PARE DE APRENDER O grau de instrução de cada um se revelou um bom prognóstico do declínio cognitivo. Pessoas com maior nível de educação têm menos tendência a desenvolver demência.[17] Isso pode ter a ver com um conceito chamado reserva cognitiva. Refere-se à ideia de que pessoas que foram mais expostas ao ensino podem ser mais resilientes contra as alterações naturais que ocorrem no cérebro com a idade.[18] Será que isso quer dizer que você está frito se tem um nível educacional limitado? De jeito nenhum! A evidência sugere que todos podemos extrair benefício cognitivo de aprender em qualquer estágio da vida.[19]

Para formar reserva cognitiva, é fundamental que você reformule seu modo atual de pensar. Muitas vezes, ao enfrentar uma tarefa desafiadora, como o manuseio de novas tecnologias, ficamos tentados a procurar ajuda profissional (ou de alguém mais jovem), sobretudo à medida que envelhecemos. Nunca mais! Encare os desafios cotidianos como uma *oportunidade* para você expandir suas conexões neurais e ampliar sua reserva cognitiva. É uma das coisas que podemos fazer para gerar uma mentalidade de crescimento conforme envelhecemos, o contrário da mera conservação (ou, pior ainda, do encolhimento). Busque de forma ativa maneiras de expandir sua reserva cognitiva.

- **Volte a estudar.** Muitos idosos talvez nunca tenham tido a oportunidade de ir além do ensino médio, mas nunca é tarde demais. Pode até haver benefícios em fazer uma faculdade mais tarde na vida. O cidadão idoso em geral não precisa se preocupar com a média das notas de seu histórico escolar nem com vestibular. Muitas faculdades têm aulas especificamente voltadas para idosos, que até podem não ser gratuitas, mas muitas vezes têm desconto. Você pode até deduzir seus estudos do imposto de renda. Outra alternativa é frequentar aulas como ouvinte, o que significa simplesmente usufruir do benefício de assistir às aulas sem passar pelo estresse de precisar entregar trabalhos e fazer provas. Também há muitas oportunidades on-line para a educação continuada. Além do mais, muitas bibliotecas locais e centros comunitários para idosos oferecem oportunidades de ensino. O aprendizado em idade avançada pode reduzir as lacunas em sua formação e ajudá-lo a aumentar sua reserva cognitiva.[20]

- **Aprenda uma nova língua.** Pessoas bilíngues podem ter maior reserva cognitiva e postergar o surgimento da demência entre quatro e cinco anos.[21] O número de línguas que você fala talvez até ofereça proteção extra.[22] Os resultados das pesquisas são variados, mas isso sugere que o grau de instrução e as diferenças culturais talvez estejam desempenhando um papel nas diferentes conclusões.[23] Não obstante, os exames de imagem mostram com consistência que idosos bilíngues têm mais massa cinzenta nas regiões cerebrais da função executiva e do processamento de linguagem.[24] Aprender outra língua em uma idade avançada também parece oferecer neuroproteção. Um pequeno estudo usando uma intervenção intensiva de uma semana numa língua gaélica revelou significativa melhora cognitiva na atenção alternada para todas as faixas etárias, que se manteve nove meses depois, mas apenas para os participantes que praticaram cinco horas por semana ou mais.[25] Um estudo controlado de inteligência que realizava um teste de QI aos onze anos e depois aos setenta anos revelou que aprender uma segunda língua levava a capacidades cognitivas significativamente melhores mesmo se a aquisição da língua fosse feita na idade adulta.[26] Em especial, é divertido e gratificante aprender uma nova língua antes de viajar para um país estrangeiro. Muitas pessoas afirmam que seu aprendizado foi enriquecido apenas por estarem imersos numa nova língua e cultura. Aulas particulares ou em grupo estão amplamente disponíveis (dependendo da língua) e há opções on-line populares, com Rosetta Stone e Babbel entre os programas mais bem avaliados.[27] Sabemos também que é extraordinariamente eficaz combinar intervenções. Que tal pôr os fones no ouvido e usar um aplicativo de aprendizado de idiomas para aprender espanhol durante uma caminhada vigorosa? ¡No hay problema!

- **Aprenda um instrumento.** Agradeça a seus pais se você aprendeu a tocar alguma coisa quando era criança. As pesquisas mostram que o aprendizado musical resulta em risco reduzido de desenvolver declínio cognitivo na velhice.[28] A quantidade de anos de estudos também faz diferença — quanto maior o tempo, menor o risco, mesmo que as aulas tenham sido há mais de quarenta anos.[29] Os que tiveram a sorte de começar a tocar um instrumento antes de sete anos criaram mais conectividade na substância branca, que serve como um andaime no qual as experiências presentes podem se construir.[30] Mesmo que você nunca tenha tido a oportunidade de tocar um instrumento na infância, ainda pode se beneficiar com o aprendizado. Um estudo controlado usando gêmeos para determinar outros fatores genéticos revelou que o gêmeo com conhecimento musical *na idade adulta avançada* tinha tendência 36% menor de desenvolver demência.[31] A evidência sugere que a música estimula o cérebro e intensifica a memória em pessoas mais velhas. Em um estudo, adultos entre as idades de sessenta e 85 anos sem experiência musical prévia apresentaram velocidade de processamento e fluência verbal melhoradas após alguns meses de aulas de piano semanais.[32]

  Se você se sentir inspirado a começar a tocar, escolha um instrumento alinhado com o tipo de música que gosta. Uma boa maneira de encontrar um professor competente é visitar uma loja de instrumentos. À medida que a tendência de aprender música em idade avançada cresce, muitas lojas passaram a oferecer aulas específicas para idosos. Fazer aulas e tocar em grupo também proporcionam a oportunidade de acrescentar um componente social divertido, aumentando o benefício.

- **Desafie-se mentalmente.** Divirta-se com jogos de raciocínio! Um estudo recente revelou que quanto mais pessoas acima de cinquenta anos se dedicavam a passatempos como sudoku e palavras cruzadas, melhor seus cérebros funcionavam. Na verdade, constatou-se que quem se dedica a esse tipo de jogo tem função cerebral equivalente à de pessoas dez anos mais jovens, com maiores ganhos para a velocidade e a precisão.[33]

MAIS MÚSICA NA SUA VIDA Mesmo que você não esteja preparado para aprender um instrumento, só de escutar música você já extrai benefícios cognitivos. Um estudo recente usando exames de imagem das funções cerebrais revelou que pacientes de demência expostos a melodias que gostavam antes de ficaram doentes manifestavam níveis de conectividade funcional muito mais elevados em diversas regiões do cérebro.[34] A música estimula conexões neurais profundas que ativam muitas partes do cérebro, incluindo o córtex pré-frontal medial (tido como uma região cerebral que ajuda nos processos autorreferenciados) e o sistema límbico (associado às emoções). Talvez isso explique por que escutar música evoca sensações ligadas a experiências anteriores e desperta lembranças da época em que escutamos determinada canção. Uma música conhecida, mesmo de décadas atrás, em essência fornece a trilha sonora com que reprisamos antigas lembranças.[35]

Um estudo finlandês demonstrou que escutar música clássica influencia de modo positivo os perfis de expressão genética. A atividade dos genes envolvidos na secreção e transporte de dopamina, na função sináptica, na aprendizagem e na memória foi intensificada pela mera escuta do "Concerto para Violino nº 3", de Mozart.[36] Um dos mecanismos pelo qual a música pode oferecer neuroproteção é pela indução da neurogênese com a otimização hormonal. Foi demonstrado que escutar música reduz os níveis de cortisol e melhora os de estrogênio e testosterona.[37]

Troque as horas diante da TV pela música. A música ajuda nos exercícios, nas tarefas domésticas e até no trabalho. Use fones de ouvido se não quiser incomodar ninguém ou simplesmente para enriquecer sua experiência auditiva. Escolha um gênero que combine com seu estado de espírito e a atividade do momento. Rock e música clássica animada são ótimos para malhar. Há aplicativos como RockMyRun e GYM Radio com seleções especiais para acompanhar o exercício. Pzizz é outro aplicativo que oferece música criada especialmente para ajudá-lo a se concentrar e desestressar, além de dormir.

DANCE Há uma quantidade surpreendente de evidências que sugerem que dançar oferece benefício cognitivo. Não estamos falando de pôr suas músicas favoritas para tocar e dançar por diversão, embora isso seja um ótimo exercício, mas sim em aprender danças específicas com um parceiro. A combinação de exercício físico (que por si só é neuroprotetor) com o elemento cognitivo de aprender uma dança nova, integrado ao aspecto social de interagir com um parceiro e reagir a seus movimentos, parece oferecer maior neuroproteção. Só memorizar os passos não é suficiente para desafiar o cérebro; é a novidade de responder à outra pessoa e criar uma expressão artística combinada e única que parece promover novas vias neurais. Dançar integra múltiplas funções cerebrais, ao mesmo tempo que expande as conexões neurais. De fato, um estudo recente com exames de imagem cerebral de dançarinos de salão experientes comparados a iniciantes revelou que os primeiros têm atividade neural elevada nas regiões sensoriomotoras e alterações funcionais que demonstram níveis mais altos de neuroplasticidade.[38]

Um estudo publicado no *The New England Journal of Medicine* examinou as atividades de lazer de um grupo de cidadãos idosos por um período de várias décadas e descobriu que a dança oferecia uma redução de risco (76%) maior do que qualquer atividade estudada, cognitiva ou física.[39] Outro estudo recente com um grupo de idosos comparou os benefícios de uma intervenção de seis meses de exercícios convencionais rigorosos versus um programa de dança desafiador com uma nova coreografia cada vez mais complicada. Os que participaram da intervenção de dança demonstraram maior aumento de volume em diversas regiões cerebrais, além de um crescimento nos níveis de BDNF.[40] Quer mais prova além disso? Um grupo de adultos acima dos sessenta anos com déficit cognitivo leve foi dividido aleatoriamente entre um grupo de controle e uma intervenção de dança desafiadora duas vezes por semana. Após 48 semanas, os dançarinos apresentaram melhoras significativas e inúmeras avaliações cognitivas.[41]

Considere um programa diferente quando for para um encontro e tire a poeira dos sapatos de dança. Aprender foxtrot, tango e rumba não só é divertido, como também oferece a combinação perfeita de exigência física, desafio cognitivo e interação social para promover a neuroplasticidade.

TREINE SEU CÉREBRO Diversos estudos recentes sugerem que podemos desafiar de maneira ativa o nosso cérebro em qualquer idade para criar neuroplasticidade usando programas de treinamento cerebral on-line. A BrainHQ, da Posit Science, é a que conta com o maior respaldo de pesquisa científica. O estudo IMPACT, que envolveu 487 participantes cognitivamente normais com idade a partir de 65 anos foi o primeiro ensaio clínico em larga escala a examinar se os exercícios cognitivos podem fazer diferença na memória e na velocidade de processamento. Separados aleatoriamente em dois grupos, os participantes faziam quarenta horas de seis exercícios auditivos escolhidos entre o repertório do BrainHQ ou assistiam a quarenta horas de DVDs educacionais com questionários ao final para testar o conhecimento. A memória auditiva e a atenção foram significativamente maiores no grupo de treinamento cerebral, assim como múltiplas medidas secundárias. Mais impressionante foram as melhorias obtidas por queles que se dedicaram à intervenção de treinamento cerebral. A memória auditiva melhorou o equivalente a dez anos, a velocidade de processamento auditivo melhorou em 131% e, mais importante, a intervenção se estendeu a suas vidas cotidianas, com 75% relatando alterações positivas.[42]

Este último resultado é essencial para sabermos se o treinamento cognitivo computadorizado se estende ao dia a dia. Críticos sugerem que jogos cerebrais tornam os jogadores mais inteligentes apenas no campo treinado.[43] Provar que habilidades adquiridas influenciam a vida diária e, desse modo, contribuem para prevenir ou remediar o declínio cognitivo é mais difícil. Três em cada quatro participantes do estudo IMPACT que fizeram o treinamento computadorizado relataram melhoras, como lembrar de uma lista de compras sem precisar anotar, escutar uma conversa em um restaurante barulhento com mais clareza, ter maior independência e autoconfiança, achar as palavras com mais facilidade e mostrar maior autoestima de forma geral. São resultados impressionantes, mas, considerando que a intervenção durou apenas oito semanas, não ficaram estabelecidas nesse estudo evidências de que esse tipo de intervenção pode ter um efeito no surgimento do declínio cognitivo.

O estudo ACTIVE, um dos maiores a examinar os efeitos do treinamento cognitivo, adotou um olhar longitudinal sobre as evidências. Eles usaram um conjunto de dados de mais de 2800 pessoas, entre 74 e 84 anos, com declínio cognitivo (quando muito) limitado, distribuídas em seis pontos diferentes nos Estados Unidos. Os indivíduos foram divididos aleatoriamente em quatro intervenções: instrução de memória, instrução de raciocínio, intervenção expressa usando um jogo de computador e grupo de controle sem intervenção. As intervenções ocorreram em grupos pequenos, conduzidas por um treinador em dez sessões de sessenta a 75 minutos por um período de cinco a seis semanas.

Alguns participantes receberam sessões de incentivo periódicas. Foram testadas as capacidades cognitivas dos participantes durante as seis primeiras semanas do estudo e depois outra vez após um, dois, três, cinco e finalmente dez anos.

A melhora mais dramática foi vista ao ser usado um exercício computadorizado de velocidade de processamento focado em incrementar o campo de visão do jogador. Um carro aparecia brevemente no centro da tela, com uma placa de sinalização em algum lugar no campo periférico. A tarefa era identificar de forma correta o carro e observar onde aparecia a placa. Conforme a proficiência do jogador aumentava, o jogo ficava cada vez mais difícil, com a diminuição do tempo que o carro e a placa eram mostrados e múltiplas distrações sendo introduzidas. O risco de desenvolver demência foi 29% mais baixo para participantes empenhados nesse treino de velocidade de processamento do que para os que estavam no grupo de controle. Além do mais, os benefícios do treino foram maiores para os que fizeram o treinamento adicional. As intervenções de treinamento de memória e raciocínio também mostraram benefícios para a redução do risco de demência, mas esses resultados não foram estatisticamente significativos.[44]

O BrainHQ reproduziu esse jogo, chamado Double Decision, e hoje o oferece como parte de seu treinamento on-line. É um de diversos exercícios de velocidade projetados para estimular a cognição. Outras áreas de foco incluem atenção, memória, habilidades interpessoais, inteligência e navegação. Você pode pegar uma área específica que queira trabalhar ou tentar aleatoriamente múltiplas categorias. Os criadores do site recomendam noventa minutos por semana. Muitos escolhem três ou quatro sessões de trinta minutos semanais, mas cada exercício é dividido em trechos de dois minutos, de modo que você possa incorporá-lo de forma fácil à sua programação diária. Monitore seu progresso e compare seus resultados com pessoas da mesma faixa etária. Cuidado para não ficar competitivo demais e aumentar seu nível de estresse. A qualidade do seu sono, uma gripe, seu nível geral de estresse e muitos outros fatores podem afetar seu desempenho. Procure se divertir e observe as tendências ao longo do tempo, não as mudanças em sua pontuação a cada um ou dois dias. O BrainHQ é uma maneira excelente de monitorar o progresso.

NÃO AO ENCOLHIMENTO: EXPANDA SEU CÉREBRO! Delineamos muitas maneiras diferentes de você se desafiar mentalmente, como engajando-se socialmente, descobrindo sua paixão, continuando a estudar ao longo da vida, praticando atividades artísticas (música e dança) e também realizando treinamento cerebral no computador. Escolha algumas estratégias e incorpore-as ao seu dia a dia. O mais importante é reavaliar sua perspectiva sobre o envelhecimento. Resista à ideia da velhice como uma época de aposentadoria ou encolhimento cerebral; em vez disso, considere-a uma época de crescimento. Passamos grande parte da vida cumprindo obrigações, cuidando da família, obtendo o ganha-pão e assim por diante. Nossas responsabilidades em geral diminuem quando ficamos mais velhos. É o momento perfeito para focar em todas as áreas de interesse que você talvez não tenha tido oportunidade de ir atrás. Conheça pessoas novas, aprenda coisas diferentes, pratique música e dança, siga sua paixão. Fazer isso vai não só enriquecer sua vida como aumentar sua expectativa de vida. Para os que pretendem se aprofundar nesse tema, recomendamos *The Brain that Changes Itself* [O cérebro que modifica a si mesmo], de Norman Doidge.

17. Saúde oral: Tudo passa pelos dentes

Sempre que segurar o mundo pelo rabo,
lembre-se de que na outra ponta tem dentes.
Sharon Lee

Embora soe estranho, em certo sentido podemos pensar na doença de Alzheimer como uma história de sucesso, ainda que temporária — no momento em que a pessoa recebe o diagnóstico, o cérebro já se protegeu de maneira efetiva por algumas décadas. Se não tivesse feito isso, sua cognição muito provavelmente teria ficado prejudicada bem antes, devido às agressões a que somos expostos. Como já falei, as agressões podem vir de várias fontes diferentes: resistência à insulina devido à ingestão de açúcar, intestino permeável, toxinas de mofos específicos como *Stachybotrys* (mofo preto tóxico) ou *Penicillium* etc. Porém, o que tem emergido como uma das causas mais importantes das agressões associadas ao declínio cognitivo é — você adivinhou — sua boca. Comida entra, palavras saem, mas, infelizmente, enquanto provê funções tão críticas, sua boca e seus lábios também abrigam inúmeros fatores de contribuição para o declínio cognitivo: (1) amálgamas de mercúrio;[1] *Herpes simplex* (o vírus das "feridinhas");[2] (3) periodontite;[3] (4) gengivite;[4] (5) infecções de canal (embora esse fator potencial permaneça controverso); (6) microbioma oral.[5] Examinaremos cada um deles para determinar como tratá-los a fim de prevenir ou reverter o declínio cognitivo.

AMÁLGAMAS DE MERCÚRIO Estamos falando das antiquadas obturações prateadas, que contêm aproximadamente 55% de mercúrio. Cada obturação libera cerca de dez microgramas de mercúrio em sua circulação diariamente. Ao contrário do mercúrio de alimentos marinhos, que é orgânico, o de amálgamas dentários é inorgânico (embora possa ser convertido em orgânico no intestino). Podemos distinguir essas duas formas avaliando a urina, o sangue e o cabelo. Porém, tanto o orgânico como o inorgânico podem contribuir em última instância para o declínio cognitivo, assim é importante fazer um exame de toxicidade de mercúrio. Um dos aspectos desconcertantes da toxicidade do mercúrio ligada a amálgamas dentários é que não existe uma relação linear simples entre quantas obturações você tem na boca e quanto mercúrio elas liberam, uma vez que umas contaminam mais que outras. Na verdade, a contaminação está mais ligada à área de superfície das obturações.

Assim, é recomendado que pessoas com nível elevado de mercúrio inorgânico, ou com declínio cognitivo, removam suas obturações. Mas isso não é tão simples quanto parece. Durante o processo de remoção, você pode ser exposto a um nível maior de mercúrio e, portanto, a melhor estratégia é marcar a remoção das obturações em um dentista biológico especial com experiência na prevenção de exposição a mercúrio durante o processo. Além disso, é melhor não remover mais do que uma ou duas obturações por vez, e esperar alguns meses antes de remover as próximas, e repetir o procedimento até que todas tenham sido extraídas, de modo que sua exposição seja minimizada e seu corpo tenha tempo de excretar qualquer mercúrio que tenha se acumulado no momento da remoção.

FERIDAS DE HERPES As feridinhas costumam ser causadas pelo vírus do *Herpes simplex* tipo 1 (HSV-1), embora também possam ser do HSV-2. Elas são extremamente comuns e seu aparecimento recorrente indica que o vírus do *Herpes* está vivendo em nossas células nervosas no gânglio trigeminal, que é o grupo de células nervosas que fornece sensação para nosso rosto. Felizmente, isso não parece causar nenhum dano de longo prazo a nossas células nervosas; infelizmente, essas mesmas células do gânglio têm dois ramos, com um se estendendo a nossos lábios e rosto e outro indo até nosso cérebro, provendo desse modo acesso ao vírus — ele pode literalmente "descer" por um ramo da célula para chegar aos lábios ou "subir" por outro para chegar ao cérebro.

A dra. Ruth Itzhaki passou toda sua carreira estudando essa importante relação potencial entre o vírus do *Herpes* e a doença de Alzheimer, e indicou que o tratamento do *Herpes* deveria ser considerado para pacientes de Alzheimer. Um estudo muito convincente de Taiwan revelou que pessoas com erupções recorrentes de *Herpes* tinham um nível 80% mais baixo no desenvolvimento de demência se as crises eram tratadas. Assim, eliminar crises pode ser muito útil no plano geral para minimizar a demência, e há diversas formas de fazer isso.

O uso de aciclovir ou valaciclovir é muito efetivo na prevenção de crises, bem como para tratá-las quando ocorrem. Esses medicamentos têm toxicidade mínima e são em geral bem tolerados, de modo que algumas pessoas os tomam por meses ou até anos. As doses costumam ser de quinhentos miligramas ou mil miligramas por via oral, uma ou duas vezes ao dia.

Outros preferem se tratar sem o uso de fármacos, tomando por exemplo lisina, ácido húmico ou ácido fúlvico. Porém, uma abordagem complementar a essa é fortalecer seu sistema imune dando suporte aos seus efeitos antivirais naturais. Há diversos compostos que auxiliam a imunidade, como *Tinospora cordifolia*, AHCC (composto correlacionado de hexose ativa), própolis, mel de Manuka, berberina (que também reduz a glicose e é com frequência usada para tratar diabetes tipo 2), naltrexona em pequena dosagem, timosina alfa 1 e Transfer Factor PlasMyc.

PERIODONTITE Esse é o termo para a inflamação em volta dos dentes, com retração da gengiva associada, causada por infecção com diferentes bactérias, como *Porphyromonas gingivalis* (*P. gingivalis*), *Treponema denticola*, *Fusobacterium nucleatum* e *Prevotella intermedia*, entre outras. Quando seus dentes e gengivas estão saudáveis, essas bactérias patogênicas são minimizadas, mas quando não estão saudáveis, essas espécies prejudiciais podem se instalar e invadir. E aqui está o fato chocante: embora tenhamos sempre acreditado que essas bactérias se limitavam à boca, elas foram encontradas por todo o corpo, em surpreendentes associações com diversas doenças diferentes, incluindo as placas da doença cardiovascular, a proliferação de células cancerígenas e o cérebro de pacientes com Alzheimer. Essas descobertas sugerem que as bactérias orais estão ganhando acesso a nossa corrente sanguínea e abrindo caminho até os vasos sanguíneos, contribuindo com doenças cardiovasculares; os nossos órgãos, contribuindo para o câncer; e nosso cérebro, contribuindo para o declínio cognitivo. Essas novas descobertas alimentaram todo um novo campo de especialização e cuidados sistêmicos orais, como observado pelo dr. Charles Whitney — assim como em nossos estudos da doença de Alzheimer e sua relação com a saúde sistêmica geral, devemos considerar a saúde oral em relação também à doenças sistêmicas crônicas.

Logo, ao cuidar da dentição, você está ajudando a prevenir o declínio cognitivo. Considere os seguintes passos para obter a melhor chance de sucesso:

- Converse com seu dentista sobre um exame para essas bactérias patogênicas (*P. gingivalis* etc.), como o OralDNA. Ele vai lhe dizer se você tem níveis elevados dessa bactéria perigosa e lhe dará uma ideia de seu microbioma oral geral.
- Se encontrar altos níveis da bactéria patogênica, você pode conversar com seu dentista sobre as medidas a serem tomadas para reduzir os micróbios.
- Experimente fazer a higiene dental com óleo de coco — você bochecha o óleo, passando-o entre os dentes, por cerca de dez minutos todos os dias, e isso ajudará a reduzir as bactérias associadas à deterioração dentária.
- Se houver canal, pode ser uma fonte de infecção crônica, assim por favor fale com seu dentista sobre uma avaliação e o potencial tratamento.
- Se você tem gengivite — inflamação da gengiva, muitas vezes associada a sangramento — e ela continua depois que você tratou os patógenos, sua gengivite pode ser por conta da respiração bucal.
- Assim como há benefícios em otimizar seu microbioma intestinal, também há benefícios em otimizar seu microbioma oral, como reduzir as bactérias patogênicas, além de existirem hoje novos probióticos orais, como *Streptococcus salivarius*.

Esses passos devem minimizar suas bactérias orais patogênicas, reduzir a periodontite e a gengivite, melhorar seu microbioma oral, prevenir a deterioração dentária, melhorar a aparência dos seus dentes e gengivas e minimizar o acesso dos patógenos orais a seu cérebro, ajudando assim a prevenir o declínio cognitivo.

18. Traduzindo dados em sucesso

Nunca é tarde demais para ser o que você poderia ter sido.
George Eliot

A MONTAGEM DA EQUIPE DE APOIO

1. **Responsabilize-se por sua própria saúde.** Pela mera leitura deste livro, você já deu um grande passo para proteger sua saúde cerebral, aprendendo sobre os inúmeros fatores que podem influenciá-la. Com esse aprendizado, pode cuidar da sua própria saúde. Você aprendeu sobre a importância de se precaver contra resistência à insulina, deficiências nutricionais e hormonais, inflamação, toxinas e mais. Sabe as metas ideais de biomarcadores que precisa atingir e é capaz de monitorá-los e ajustá-los à medida que progride em sua jornada salutar.
2. **Encontre sua tribo.** Quem tenta prevenir ou está cada vez mais preocupado com pequenas alterações cognitivas talvez queira procurar uma comunidade de apoio on-line, como a oferecida pela organização sem fins lucrativos ApoE4.Info. A maioria dos inscritos no site é portadora de uma ou duas cópias do gene ApoE4 e usa de modo proativo os protocolos individualizados que seguem o modelo que descrevemos. Seus membros são pessoas comuns de todas as idades e com diversos níveis

de capacidade cognitiva, acadêmicos, cientistas, médicos e outros profissionais de saúde. O objetivo de todos está focado na saúde cognitiva. Eles compartilham regularmente seus experimentos N-de-1, analisam a pesquisa médica mais recente e de modo geral se apoiam mutuamente em seus cuidados. Muitos pedem os próprios exames e monitoram e ajustam com regularidade seus biomarcadores. (Ver "Ferramentas para o sucesso" para encontrar opções de exames laboratoriais direto ao consumidor.)

3. **Trabalhe em parceria com um profissional.** O ideal é que você consiga encontrar um médico disposto a ser seu parceiro no tratamento. Em geral é melhor procurar médicos com quem você já tenha estabelecido uma relação de respeito e confiança. Alguns pacientes relataram ter levado um exemplar de *O fim do Alzheimer* e terem sido bem recebidos. De fato, há muitos médicos, assistentes e enfermeiros inteligentes, compassivos e atenciosos que estão dispostos a colaborar com o paciente. Muitas vezes ajuda ir às primeiras consultas na companhia de um esposo ou esposa. O simples fato de ter alguém para lhe dar apoio mostra seu nível de preocupação e contribui para a seriedade do seu pedido. Muitos exames de biomarcadores que recomendamos são fáceis de serem solicitados por profissionais tradicionais do sistema de saúde e são reembolsados pelos planos de saúde.

4. **Procure um médico funcional para ajudá-lo.** Se não encontrou um médico tradicional disposto a ser seu parceiro, considere um médico funcional. São profissionais médicos licenciados em suas especialidades (incluindo clínicos, naturopatas, osteopatas, quiropratas ou enfermeiros) com treinamento adicional focado na causa da doença com uma abordagem de saúde integrativa centrada no paciente e baseada em ciência. Além do mais, nutricionistas, dietistas, *health coaches*, profissionais de saúde mental e outros também podem ter certificados de medicina funcional. Seria útil usar a ferramenta de busca avançada para incluir uma especialidade em que você gostaria de focar. As primeiras consultas levam em geral uma hora ou mais, e não de sete a quinze minutos, como costumam ser as consultas com alopatas. O atendimento mais longo possibilita ao médico obter um histórico completo do paciente para orientar o tratamento. Muitos médicos funcionais costumam trabalhar

em parceria com *health coaches* e nutricionistas, que também ajudam a orientá-lo. A desvantagem de trabalhar com um médico funcional é que muitos seguros não cobrem ou cobram uma franquia que é preciso pagar antes de usar seus serviços. Alguns médicos funcionais trabalham com o paciente para pedir o máximo de exames possível que sejam cobertos pelos planos de saúde tradicionais. É melhor entrar em contato diretamente com o plano para se informar sobre as taxas e planejar de forma adequada os seus gastos.

5. **Use os serviços da Apollo Health (apollohealthco.com).** Esse grupo oferece uma "cognoscopia" diretamente para os pacientes e criou uma comunidade de saúde do cérebro que oferece novas informações sobre o melhor tratamento para declínio cognitivo, treinamento do cérebro, avaliação cognitiva, informação nutricional e outras. Se os seus resultados revelam motivos de preocupação ou se você está interessado em prevenção, pode se registrar no site, que o porá em contato com um médico treinado pelo dr. Bredesen, além de muitos outros recursos úteis.

FERRAMENTAS PARA O SUCESSO

É essencial para essa abordagem a coleta de dados atualizada que quantifica seu progresso. Queremos que você reúna dados durante sua jornada para ajudá-lo a otimizar sua saúde de maneira contínua e proteger sua cognição. Você não precisa apenas *achar* que está no caminho certo. Queremos que monitore e ajuste suas escolhas baseado no feedback em tempo real e em exames laboratoriais e testes cognitivos periódicos. A lista cobre de tudo, das ferramentas mais básicas às extravagâncias. Algumas, como o medidor de cetonas e glicose, são importantes de início para verificar seu nível de base, mas perdem relevância à medida que sua jornada progride. Não se preocupe em conseguir tudo da lista. Encorajamos você a ler o manual primeiro e pensar com cuidado nas ferramentas que já tem, quais serão mais úteis no início, quais podem ser deixadas para depois e outras que você simplesmente não precisa. Sabemos que cada um entra para o programa em um estágio diferente. Uns já praticam algumas (ou até muitas) das estratégias delineadas no manual. Parabéns! Concentre-se nas ferramentas que a seu ver mais contribuirão para sua jornada. Tenha em mente que sua necessidade de várias ferramentas evoluirá à medida que sua jornada progride.

DIÁRIO Recomendamos fortemente que você mantenha um diário, que lhe permita acompanhar as muitas mudanças que fará em sua jornada. Independentemente do ritmo adotado em seu novo estilo de vida, você (ou seu cônjuge ou seu cuidador) precisa se tornar seu próprio *investigador principal*, um termo usado por cientistas na condução de ensaios clínicos. É útil monitorar seu *antes* e *depois* ao empregar cada intervenção. O diário lhe permite monitorar os efeitos colaterais positivos e negativos das várias estratégias e identificar os *confundidores*, outros fatores capazes de influenciar sua reação. O diário possibilita monitorar seu progresso e fazer ajustes conforme necessário.

MEDIDOR DE CETONAS E GLICOSE Trata-se de um pequeno aparelho manual que utiliza uma gota de sangue obtida com a lanceta (instrumento parecido com uma caneta, que tem uma agulha minúscula com mola numa ponta) para examinar seu nível glicêmico e cetônico, usando tiras de papel separadas. É importante ter um sistema que capte com precisão tanto a glicose como as cetonas (em especial níveis baixos de BHB). Os sistemas de acompanhamento de glicemia Precision Xtra e Keto-Mojo são boas opções. O Keto-Mojo é consideravelmente mais barato, mas as tiras Precision Xtra podem ser encontradas com preços similares procurando por descontos na internet. No começo, você vai achar seu medidor extremamente útil para calcular seus números e ajudá-lo na adaptação da cetose. Após esse período, precisará usá-lo apenas de tempos em tempos para fazer um acompanhamento ou quando algo estiver estranho. (Dica: comparadas a um exame de sangue, as tiras dos testes de cetona pela urina *não* são precisas para medir níveis baixos de BHB. Medidores de cetona pelo hálito medem a acetona, outro tipo de cetona, mas a medição pode ser distorcida pelo metano de alguns carboidratos, como amido resistente e/ou bebidas alcoólicas, proporcionando resultados inconsistentes.)

Como usar as medições de glicose

- Se você é diabético e toma remédio para reduzir o açúcar no sangue, procure seu médico *antes* de iniciar o programa. O KetoFLEX 12/3 acabará por reduzir ou eliminar a necessidade de medicação, mas seu médico precisa instruí-lo sobre como diminuir a dosagem conforme seus níveis de glicemia melhoram.

- Anote em um diário suas medições de modo que você possa acompanhar seu progresso. Medir sua glicemia lhe proporciona dados em tempo real para saber como seu corpo está reagindo a determinado alimento ou refeição.
- Siga sempre as instruções do fabricante sobre como realizar um exame glicêmico. Testes de glicemia em tiras são baratos e podem ser encontrados em qualquer lugar.
- É importante fazer o teste de glicemia em jejum antes de tomar café, suplementos ou medicações. Sua meta é uma leitura entre 70 e 80 mg/dL (3,89-5,00 mmol/L).
- Se a sua medida está dentro dessa faixa, provavelmente você é sensível à insulina. Não é necessário realizar verificações pós-prandiais em *toda* refeição, a menos que queira verificar sua reação a um alimento específico. Continue a fazer o exame de glicose em jejum por uma ou duas semanas para ver se permanece na faixa adequada. Se ocorrerem lapsos ocasionais, proceda às verificações pós-prandiais.
- Se a sua medida está mais elevada do que a faixa recomendada, realize verificações regulares após cada refeição, de modo a identificar os alimentos que causam seus picos de glicose e fazer ajustes na dieta.
- O teste pós-prandial é realizado em geral uma hora após o fim da refeição e depois de duas horas. Para algumas pessoas, a glicose demora a se elevar, então muitas vezes é uma boa ideia fazer o segundo teste mesmo que o primeiro esteja dentro da faixa adequada.
- Uma hora após encerrar a refeição, sua glicemia deve estar entre 90-125 mg/dL (5,00-6,94 mmol/L). Duas horas depois, sua meta deve ser entre 90-110 mg/dL (5,00-6,11 mmol/L)
- Cinco horas após uma refeição normal, sua glicemia deve voltar à faixa em jejum, entre 70-90 mg/dL (3,89-5,00 mmol/L).
- Se as suas medidas estão mais altas do que as metas acima, é útil identificar os alimentos que estão causando a resposta hiperglicêmica. Os culpados óbvios são tudo que tenha glicose ou frutose, até alimentos "saudáveis" como frutas. Carboidratos de amido como batata-inglesa, arroz, aveia, massas e pão são gatilhos comuns. Até batata-doce pode

causar um pico; por isso seu consumo é recomendado apenas em pequenas quantidades. Outros culpados usuais são os amidos resistentes, como legumes e quinoa. Além do mais, o contexto de macronutrientes da sua refeição pode contribuir para medidas mais altas. Carboidratos ou até proteína em excesso são possíveis culpados.

- Em sua próxima refeição, tente substituir o gatilho suspeito por gorduras saudáveis (azeite extravirgem, azeitona, abacate, oleaginosas e sementes) ou vegetais sem amido. Repita os testes pós-prandiais e registre no diário a reação do seu corpo.
- Tenha em mente que *cada um* tem uma reação glicêmica diferente ao mesmo alimento, baseada na genética, no estado geral de saúde, no status da flora intestinal, nos níveis de estresse e uma infinidade de outros fatores. Pode ser até que a pessoa tenha uma reação variável para o mesmo alimento devido a fatores extrínsecos, como estresse, sono ruim, status hormonal, entre vários outros. Identificar e tratar seus gatilhos o ajudará a se recuperar.
- Uma vez cetoadaptado — ou seja, quando você passou da queima principalmente de glicose para a queima de gordura —, sua glicemia em jejum pela manhã talvez suba um pouco com o tempo. O acompanhamento simultâneo das cetonas pode servir para tranquilizá-lo. A presença delas (> 0,5 mM) indica que isso provavelmente tem poucas consequências, em especial se sua hemoglobina A1c e seus níveis de insulina em jejum permanecem dentro da faixa adequada.
- Após semanas de cetoadaptação, talvez você queira fazer a transição para um estado de queima de glicose um dia por semana, adicionando mais carboidratos aprovados, de modo que seu corpo mantenha a flexibilidade metabólica. A capacidade de fazer a transição tranquila de um alimento à base de glicose para um à base de gordura chama-se flexibilidade metabólica e é um sinal de saúde otimizada. Talvez você note que a descontinuação da cetose seja acompanhada de confusão cognitiva. Não fique sem registrar sua mudança cognitiva no diário e volte à dieta cetogênica usual na refeição seguinte.
- Seu nível de glicose pode se elevar temporariamente após o exercício. O fígado reage às demandas energéticas do exercício liberando mais glicose. Isso não costuma ter consequências e logo voltará para o nível pré-exercício, ou até menos.

Como usar as medições de cetonas

- Pode ser que você não produza suas próprias cetonas (ou seja, a cetose *endógena*, sua meta de longo prazo) muito bem até sua glicose em jejum baixar para a faixa pretendida de 70-90 mg/dL (3,89-5,00 mmol/L), algo que talvez leve semanas ou meses, dependendo de seu nível de resistência à insulina. O uso de suplementos de cetona (óleo de coco, óleo MCT ou sais ou ésteres de cetona) antes desse momento (cetose *exógena*) é uma opção transicional excelente e o deixará temporariamente em cetose, mas você não estará cetoadaptado nesse estágio.
- A medição dos níveis cetônicos do sangue pode lhe fornecer dados em tempo real para ajudá-lo a determinar se você está queimando glicose ou gordura como fonte primária de combustível — cetonas indicam que está queimando gordura.
- Não deixe de seguir as instruções do fabricante. As tiras de teste de cetona são mais caras do que as de glicose. Assim que estiver cetoadaptado, você perceberá a diferença e não precisará mais fazer o teste com regularidade. Registre no diário as alterações em sua cognição, humor e energia com diferentes níveis de BHB.
- Quando sua glicemia em jejum estiver dentro da faixa pretendida, comece a verificar seu nível cetônico em jejum junto com sua glicose pela manhã. Em geral é possível usar a mesma tira se o teste for feito rapidamente. Talvez seja difícil no começo, mas com o tempo ficará mais fácil. Tenha em mente que isso ocorre quando o BHB costuma estar no nível *mais baixo*, por uma série de motivos. Qualquer nível > 0,5 mM está na faixa adequada para um teste matinal de jejum.
- *Para curar a resistência à insulina e melhorar a cognição, sua meta é manter um nível cetônico entre 0,5 e 4,0 mM.* O extremo mais alto desse nível pode em último caso ser necessário para aqueles com sintomas mais avançados, 1,0-4,0 mM. Níveis mais baixos podem ser mais adequados para quem está sob risco ou trabalhando na prevenção. Sua resposta o ajudará a encontrar os níveis certos para você.
- Conforme você estende seu jejum, seu nível de BHB subirá ainda mais. Quando os depósitos de glicogênio estiverem esgotados, pessoas

- metabolicamente flexíveis começam a gerar corpos cetônicos como combustível alternativo.
- Pode ser importante testar o BHB antes de interromper o jejum. Ele deve estar mais elevado do que o nível do jejum matinal e talvez até representar o pico do dia.
- Quando fizer exercício, seus níveis de BHB às vezes caem por certo tempo, devido à glicose extra liberada pelo fígado para atender às exigências do exercício. Isso é temporário e irrelevante. O exercício o conduz no fim a um nível mais elevado de cetose após a recuperação.
- Fazer uma dieta de poucos carboidratos, com proteína adequada e muitas gorduras saudáveis, como descritas na Pirâmide Alimentar do Cérebro, o ajudará a manter e aumentar seus níveis de BHB ao longo do dia.
- Se os seus níveis de BHB caírem após você comer, pode ser um sinal de que está ingerindo carboidratos ou proteínas em excesso e gordura saudável insuficiente.
- Para alguns, dependendo da saúde metabólica, do jejum, do exercício e dos horários de refeição, testar as cetonas ao final do dia resulta no nível de BHB mais elevado porque a pessoa teve oportunidade de aplicar todas as três estratégias KetoFLEX 12/3: jejum, exercício e dieta.
- Quando estiver há algum tempo cetoadaptado, preste atenção em qualquer coisa que pareça diferente: a sensação de estar com mais fome do que o normal, uma queda na cognição ou na energia ou alterações de humor. Podem ser sinais de que saiu da cetose e voltou a queimar glicose.
- Sentir mais fome do que o normal também pode ser sinal de perda de peso. Use sua escala de peso corporal para verificar. Se perder muito peso, siga nossas "Estratégias para ganhar peso", delineadas no cap. 8, p. 106
- Muitos outros fatores, como sono ruim, estresse ou doença podem afetar os níveis cetônicos. Se de repente encontrar dificuldade para entrar em cetose, volte ao início destas orientações para se readaptar. Em geral é razoavelmente fácil, uma vez que seu corpo se acostumou a queimar gordura como combustível. Para alguns, ajuda tomar pequenas quantidades de óleo de coco ou MCT para fazer a transição durante o processo de readaptação.

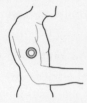
MONITORAMENTO CONTÍNUO DE GLICOSE (CGM) Esse sistema pode oferecer insights valiosos para todo mundo. Ele permite monitorar a glicose a cada um a dez minutos por mais de catorze dias. Um sensor minúsculo é colocado sob a pele (é um adesivo relativamente indolor em seu braço) e transmite os dados para o leitor, o celular ou o relógio inteligente, provendo dados em tempo real de modo que você possa perceber o efeito que um alimento específico tem em sua glicose. O CGM também lhe possibilita monitorar a glicose durante o sono, com frequência alertando-o para episódios hipoglicêmicos.

BALANÇA DE PRECISÃO Você não precisa gastar um monte de dinheiro, mas certifique-se de que sua balança é precisa comparando com seu peso na balança do consultório. Lembre-se de usar as mesmas roupas (e pesar-se mais ou menos no mesmo horário do dia) em ambas as balanças. É muito fácil perder peso com o estilo de vida KetoFLEX 12/3. Se essa é sua meta, ótimo. Se não (ou se você já está no seu peso ideal), ver "Estratégias para ganhar peso", p. 106, para dicas sobre como manter ou até ganhar peso. Perda de peso excessiva, IMC < 18,5 em mulheres e < 19 em homens, pode na verdade ser contraproducente para sua saúde cognitiva.

PODÔMETRO É um pequeno dispositivo portátil que ajuda a medir seu nível de atividade contando os passos que você dá com o movimento de sua cadência ao caminhar (ou correr). As instruções do podômetro geralmente lhe dirão para calibrar o dispositivo para obter precisão. Quando fizer isso, use a velocidade que é mais comum para você. Recomendamos um tipo barato sem wi-fi para se proteger da exposição a campo eletromagnético conforme se exercita. É tentador usar as populares versões high-tech, e tudo bem, mas lembre-se apenas de que elas o expõem a pequenas quantidades de radiação.

CRONOMETER O Cronometer é um diário alimentar on-line gratuito que oferece uma variedade de recursos úteis, incluindo a capacidade de monitorar proporções de macronutrientes. (Em resumo, macronutrientes são alimentos que necessitamos em grande quantidade — proteínas, gorduras e carboidratos.) Ver a seção "Monitorando proporções de macronutrientes" para instruções. Isso pode ser útil para quem está começando a tentar atingir a cetose.

BALANÇA DE COZINHA DIGITAL Se decidir monitorar suas proporções de macronutrientes, talvez valha a pena investir numa balança de cozinha de boa qualidade. Você vai economizar bastante tempo deixando de calcular a quantidade de comida à moda antiga. Elas são relativamente baratas e vale o investimento. A maioria permite mudar a unidade de medida — por exemplo, gramas ou onças — para combinar com o Cronometer. Há ainda a função de tara, que possibilita verificar o peso do recipiente e nas medidas subsequentes a balança o subtrairá de forma automática, mostrando assim diretamente o peso do alimento.

 MONITOR DE PRESSÃO ARTERIAL Um monitor de pressão arterial automático para uso doméstico pode ser útil para acompanhar seu progresso. Também há monitores de pressão arterial disponíveis na maioria das farmácias. Isso é importante para quem toma remédio para *hipertensão* (pressão alta) e para quem sofre de *hipotensão* (pressão baixa). Monitores de pressão arterial automáticos e domésticos são baratos e podem ser encontrados em todo lugar. O estilo de vida KetoFLEX 12/3 reduzirá sua pressão arterial, acabando por fim com sua necessidade de medicação. Se você inicia o programa tomando remédio para abaixar a pressão, combinado à abordagem KetoFLEX 12/3, ela pode cair *demais*. Os sintomas incluem tontura e fadiga. Monitore-a com cuidado para saber quando é hora de discutir uma redução no remédio com seu médico. Se você já tem pressão baixa, fique atento, que pode baixar ainda mais. Uma quantidade adequada de sódio na dieta pode facilmente aliviar os sintomas.

 **MONITOR iHEART DE VELOCIDADE DE ONDA DE PULSO** O iHeart proporciona monitoramento cardíaco pessoal com um pequeno dispositivo portátil que lhe permite acompanhar a elasticidade de suas artérias simplesmente prendendo o oxímetro de pulso em seu dedo, que transmite dados para um aplicativo em seu celular ou tablet. A informação é correlacionada por um algoritmo que fornece sua idade biológica. É uma boa maneira de acompanhar o efeito que as mudanças da KetoFLEX tiveram na saúde do seu coração. Tem uma boa validade científica, mas a desvantagem é o preço, 195 dólares.

OXÍMETRO DE PULSO CONTÍNUO É um pequeno dispositivo portátil para controlar sua apneia do sono (e outros problemas), capaz de levar a uma dessaturação de oxigênio noturna, fortemente associada ao declínio cognitivo. Seu médico pode lhe dar a receita para você alugar um oxímetro de pulso contínuo ou você pode comprar um. Há dois produtos que recomendamos devido a sua precisão de nível hospitalar. O primeiro é o Innovo 50F Plus, um relógio de pulso confortável que fornece monitoramento contínuo da saturação de oxigênio e do batimento cardíaco com coleta e análise de dados 24 horas por dia. Use o Bluetooth ou um cabo para baixar os dados coletados no seu computador. Você também pode usar o dispositivo com facilidade durante o dia para monitorar seus níveis de oxigênio. As únicas desvantagens são que o Innovo 50F Plus não é compatível com dispositivos Apple ou Android e algumas pessoas têm dificuldade de dormir com qualquer coisa no pulso. Outra opção é o Beddr Sleep Tuner, compatível com Apple e Android. O Beddr usa um pequeno sensor óptico que adere à sua testa para medir seus níveis de oxigênio no sangue e batimento cardíaco ao longo da noite. Ele também fornece um relatório detalhado que você pode ver no celular ou no tablet. A única desvantagem desse dispositivo é que ele só é prático para usar à noite. Para mais informações, ver cap. 14.

MONITORAMENTO DO SONO Dispositivos de monitoramento do sono, que podem ser usados no dedo ou no pulso, deixados sobre o criado-mudo ou até sob o lençol ou colchão, fornecem algumas informações sobre a qualidade e a duração do seu sono, fatores que auxiliam no transporte de beta-amiloide. Como esses monitores usam uma combinação de inputs (movimento, pulsação, respiração), em vez de medição direta por ondas cerebrais, são inerentemente imprecisos e fornecem no máximo uma estimativa grosseira sobre a duração e a qualidade do sono. Para um monitoramento mais rigoroso pode-se utilizar o Dreem 2, um dispositivo médico classe II pela FDA que fica preso na testa à noite e na verdade mede as ondas cerebrais, junto com a respiração, o batimento cardíaco e o movimento, para fornecer um relatório preciso e detalhado por meio do aplicativo que o acompanha. Esse produto também oferece treinamento de sono, com dicas para melhorar a qualidade.

ANEL OURA Se você é fissurado em dados, o Anel Oura pode ser o dispositivo dos seus sonhos. Na aparência é apenas um anel estiloso (embora masculino), mas na verdade é um dispositivo high-tech de quantificação fisiológica. Ele mede o sono, a pulsação, a variabilidade do batimento cardíaco, o nível de atividade, a temperatura corporal, movimento, respiração etc., sem expor o usuário ao wi-fi.

CHILIPAD E OOLER São sistemas de capa de colchão que o ajudam a obter um sono restaurador sem precisar resfriar a casa toda à noite. Eles fazem água resfriada circular pela capa acolchoada, com a unidade eletrônica de controle de temperatura colocada a pelo menos meio metro (ou mais) da cama, minimizando a exposição direta ao campo eletromagnético. O ChiliPAD é a primeira geração, e hoje o OOLER, modelo mais novo, está disponível. Eles são bem indicados para quem vive em climas muito quentes ou para ambientes que não podem ser resfriados de forma adequada.

EXAMES LABORATORIAIS CONTRATADOS PELO CONSUMIDOR Em grande parte dos Estados Unidos (com exceção de Nova York, Nova Jersey, Califórnia e Rhode Island), o consumidor pode pedir os próprios exames. Isso é muito útil quando precisamos monitorar o efeito das várias estratégias em nossa saúde. Você pode ver nossa lista atualizada de laboratórios e metas para uma cognoscopia (uma avaliação do bem-estar cognitivo) na tabela 1, no cap. 1. O ideal seria fazer todos eles, mas sabemos que nem todo mundo precisa ou tem condições de bancar a relação completa de exames hoje disponibilizada diretamente ao consumidor em mycognoscopy.com.

TESTE GENÉTICO CONTRATADO PELO CONSUMIDOR Muitas empresas hoje oferecem teste genético, fornecendo informação de saúde e ancestralidade. O 23andMe disponibiliza informações de saúde, incluindo o status do ApoE4, que pode ser útil na determinação de seu risco de Alzheimer.

PROMETHEASE A Promethease, adquirida recentemente pelo MyHeritage, oferece acesso a uma interpretação de seus dados genéticos brutos organizados em estilo Wiki obtidos de inúmeros fornecedores de teste genético direto ao consumidor, incluindo 23andMe.

GENETIC GENIE O Genetic Genie é um serviço on-line gratuito (aceitam-se doações) que utiliza seus dados genéticos brutos do 23andMe para interpretar as vias de metilação e detox. Pessoas com metilação prejudicada correm risco de maiores níveis de homocisteína, implicados na patofisiologia do Alzheimer, e pessoas com vias de desintoxicação prejudicada apresentam de Alzheimer tipo 3 (tóxico). O conhecimento de ambos os riscos pode ajudar no ajuste da sua abordagem.

FOUNDMYFITNESS GENETICS O FoundMyFitness, da dra. Rhonda Patrick, oferece uma variedade de relatórios de saúde atualizados regularmente com base nos dados genéticos brutos do 23andMe e AncestryDNA. Discutimos seu relatório abrangente delineando o metabolismo de vitamina D e ácido graxo ômega-3, absorção de vitamina B_{12} e mais em "Usando genes para orientar suas escolhas dietéticas", no cap. 12.

AVALIAÇÃO COGNITIVA MONTREAL (MoCA) O MoCA é um teste cognitivo que você pode usar para avaliar e monitorar o efeito de várias estratégias em sua cognição. Há versões que você pode fazer sozinho e outras que exigem um parceiro para fornecer instruções simples. Essa ferramenta de exame, que leva aproximadamente de dez a doze minutos, pode ser repetida todo mês, usando cada vez uma versão diferente, para evitar um efeito de aprendizado. Observe que o MoCA pode não ser sensível o bastante para detectar as primeiras alterações cognitivas — ele é melhor para pacientes de déficit cognitivo leve e Alzheimer —, assim, quem procura a prevenção ou reversão no começo talvez queira usar um teste mais sensível, como CNS Vital Signs (acessível no site da Apollo Health).

BRAINHQ O BrainHQ é um serviço on-line de treinamento do cérebro que usa métodos cientificamente comprovados para melhorar a cognição. Ele foi projetado para ser útil em muitos níveis diferentes de performance cognitiva e faz ajustes constantes para melhorar seu desempenho, oferecendo jogos mais desafiadores. O BrainHQ também oferece uma avaliação cognitiva atualizada de suas habilidades em atenção, velocidade do cérebro, memória, habilidades pessoais, inteligência e orientação, comparando pares segundo a faixa etária. Você pode usar seu desempenho como modo de monitorar sua cognição geral. (Ver mais no cap. 16.)

Esta lista não é exaustiva e ferramentas adicionais podem ser encontradas nos vários capítulos deste livro que delineiam estratégias específicas.

Parte Três

Manual, seção 2:
Mais cartuchos de prata

19. Dementógenos: Nadando na sopa do Alzheimer

Há algo de podre no reino da Dinamarca.
William Shakespeare, *Hamlet*

A Finlândia tem a maior taxa de mortalidade relacionada à demência do mundo e já se sugeriu que um dos principais motivos para isso podem ser as micotoxinas produzidas por mofo.[1] Desse modo, como diria Shakespeare, há algo de podre no reino da Finlândia. Mas esse não é um problema exclusivo dos finlandeses, e sim um problema global — nunca na história estivemos tão expostos a toxinas. Inalamos um ar poluído que aumenta o risco de Alzheimer.[2] Ingerimos peixes contaminados por mercúrio, como atum e peixe-espada. Comemos vegetais borrifados com glifosato (do Roundup, usado para matar ervas daninhas). Construímos nossas casas e colonizamos nossos seios nasais com mofos produtores de neurotoxinas. Queimamos velas de parafina que enchem o ambiente de benzeno e tolueno. Bebemos água contaminada com pesticidas e arsênico. Respiramos o mercúrio derivado da queima de carvão a milhares de quilômetros de distância. Em suma, vivemos imersos numa mistura tóxica propícia ao Alzheimer. Logo, nossa capacidade de fazer um detox constante é absolutamente crucial, e sua interrupção aumenta o risco de declínio cognitivo.

Estamos familiarizados com os carcinógenos — substâncias químicas que causam câncer —, que, graças ao professor Bruce Ames e ao teste Ames que ele desenvolveu para detectá-los, foram identificados em alimentos, água, produtos de beleza e outros agentes a que somos expostos. Porém, não existe hoje um teste análogo para *dementógenos* — substâncias químicas que causam demência —, que, no entanto, estão por toda parte, levando à nossa exposição diária. Podemos dividir esses venenos em três grupos: metais e outras substâncias químicas inorgânicas; substâncias químicas orgânicas, como tolueno e pesticidas; e biotoxinas, que são toxinas produzidas por organismos vivos, como mofos.

Celeste, sessenta anos, começou a ter problemas de concentração que prejudicavam seu trabalho aos 57 anos. Ela passou a ter dificuldade de se organizar e em seguida manifestou perda de memória. Embora de início isso tenha sido atribuído apenas à preocupação com seu histórico familiar de Alzheimer, ficou claro que o caso era muito mais grave quando sua ressonância magnética mostrou o hipocampo bastante atrofiado, com um tamanho menor do que o primeiro percentil para sua idade. Foram encontradas duas micotoxinas em sua urina — ocratoxina A e gliotoxina — e ela foi diagnosticada com doença de Alzheimer tipo 3 (tóxica). Ela iniciou o protocolo RECODE e ficou melhor. Em diversos momentos, quando ocorreram infiltrações na sua casa, tornou a ficar exposta ao mofo, piorando em cada ocasião, mas melhorava de novo quando a exposição era removida e seguia o protocolo. Porém, um dia ela teve pedra no rim: a pedra causou dores horríveis, exigindo cirurgia, e assim ela recebeu anestesia e narcóticos. No dia seguinte, voltou a piorar, e não melhorou por várias semanas.

Celeste ilustra um ponto crítico relativo aos dementógenos: seus efeitos tendem a ser viciantes, de modo que qualquer coisa que aumenta a carga tóxica geral — como agentes anestésicos ou nova exposição — ou desacelera o processo de desintoxicação — como estresse, privação de sono, redução da glutationa ou danos no fígado ou no rim — faz a balança pender outra vez em favor do declínio. Além disso, enquanto a exposição for maior que o processo de detox, o declínio continuará, e pode prosseguir nessa condição por anos. Mas assim que a balança pender na direção positiva, com a exposição sendo reduzida e a desintoxicação, reforçada, a melhora deve voltar.

Logo, após identificar a toxina ou as toxinas que contribuíam para o declínio cognitivo — e em geral há mais de uma, como no caso de Celeste —, a recomendação mais importante é fazer todo o possível para minimizar a exposição e maximizar a decomposição química e a excreção. Dois livros excelentes oferecem insights importantes sobre o processo de desintoxicação: *The Toxin Solution*, do dr. Joseph Pizzorno, trata de quimiotoxinas, como pesticidas, mercúrio e anestésicos, ao passo que *Toxic*, do dr. Neil Nathan, é mais útil para biotoxinas, como as micotoxinas a que Celeste foi exposta.

Assim, o primeiro passo para lidar com os dementógenos é simplesmente determinar seu grau de exposição:

- É fácil verificar sua exposição a **toxinas metálicas** pelo sangue, urina e até cabelo. Diversos laboratórios realizam esses exames. (Responda rápido: O que galinhas, aquíferos, arroz e amantes enraivecidos têm em comum? Arsênico!) A Quicksilver oferece um excelente exame de mercúrio chamado Tri-Test, que avalia sangue, urina e cabelo. Ele informa não apenas quanta exposição a mercúrio você sofreu, como também qual a proporção de mercúrio inorgânico — originado dos amálgamas dentários (as antiquadas "obturações prateadas") — e orgânico — originado de alimentos marinhos, em especial peixes com elevada contaminação por mercúrio como atum, peixe-espada e tubarões (assim como qualquer peixe de boca grande e com vida longa, pois são os que mais acumulam mercúrio). Ela também oferece um exame completo que inclui outros metais como ferro, alumínio, chumbo e arsênico. Mas lembre-se de ficar sem comer alimentos marinhos por uma semana antes de fazer o exame de arsênico, uma vez que eles podem levar a um resultado falso positivo, devido à presença de arsênio não tóxico (o elemento se liga a moléculas protetoras no alimento marinho — meio que lembra o amiloide do Alzheimer, não é?).

  Metais como mercúrio não só aparecem no sangue e na urina, mas também se acumulam nos órgãos, incluindo o cérebro e o fígado, e nos ossos. Logo, muitos médicos preferem ministrar um aglutinante antes de coletar a urina, de modo a extrair alguns metais do corpo e ter uma ideia melhor da carga geral. A Doctor's Data oferece esse tipo de exame.

  O teste mais simples para identificar metais tóxicos é medi-los no sangue, assim é comum o exame de sangue para mercúrio, chumbo, arsênico, cádmio, ferro, cobre e zinco. Ferro, cobre e zinco são na verdade importantes para a saúde nas quantidades corretas, mas podem ser tóxicos quando o corpo está sobrecarregado.

Lillianna, sessenta anos, desenvolveu dificuldade progressiva de reconhecer objetos. Após o PET scan e a análise de fluido espinhal, foi diagnosticada com Alzheimer. Ela não era portadora de nenhuma cópia do alelo do gene de risco de Alzheimer comum, o ApoE4; porém, descobriu-se que tinha níveis muito elevados de mercúrio e arsênico. Além do mais, seus exames indicaram exposição a biotoxinas. Suspeitou-se que tivesse desenvolvido Alzheimer tipo 3 (tóxico) devido à pesada exposição à fumaça do World Trade Center, e a suspeita foi confirmada quando desenvolveu um tipo de câncer muito associado à tragédia.

A fumaça produzida na tragédia do Onze de Setembro no World Trade Center era uma nuvem tóxica — o combustível de jato dos aviões, os metais dos computadores e da estrutura da construção, o mofo e as bactérias dos prédios, o amianto e as partículas de vidro do isolamento, as dioxinas do plástico queimado, os PCBs (bifenilpoliclorados) dos transformadores elétricos. Foi como se o acúmulo de uma vida inteira de grave exposição tóxica se concentrasse em horas e dias. Como todo mundo se lembra, as primeiras equipes no local, bem como a população dos arredores, desenvolveram doenças pulmonares graves e, em alguns casos, câncer. As manifestações tóxicas não cessaram por aí: quinze anos depois, 12,8% dos membros dessas equipes haviam desenvolvido declínio cognitivo.[3] Ainda não se sabe quais serão os efeitos de longo prazo nos inúmeros moradores de Nova York que sofreram menos exposição do que os primeiros a chegar ao local, mas que mesmo assim foram atingidos pela nuvem que se espalhou. A preocupação permanece.

No caso de Lillianna, constataram-se elevados níveis de mercúrio e de arsênico, além de uma provável exposição a micotoxinas. Entre os metais, a exposição ao mercúrio é a que mais costuma estar associada à doença de Alzheimer. Porém, como o amiloide do Alzheimer e sua progenitora, a APP, são na verdade especializados em aglutinar metais,[4] não surpreende que a reação protetora de encolhimento à qual nos referimos como Alzheimer possa ser desencadeada pela exposição a metais. Além do mais, o processo geral de desintoxicação pode sofrer estresse com a exposição a múltiplos metais, como chumbo, cádmio, ferro, cobre e o metaloide arsênico. O alumínio também já foi implicado no mal de Alzheimer e, embora o tema continue controverso, não será uma surpresa se esse metal de fato se revelar como mais um a contribuir para o risco de Alzheimer.

- Você pode verificar sua exposição a **toxinas orgânicas** com qualquer laboratório que ofereça exames para essas toxinas. É uma boa ideia incluir o exame para glifosato (principal substância química ativa do Roundup), já que há cada vez mais evidências de que ele não só é um carcinógeno, como também uma neurotoxina.[5] Além do mais, todas essas várias toxinas orgânicas podem contribuir para sua carga tóxica geral, como observado acima, reduzindo sua glutationa (um desintoxicante e antioxidante celular importante) e interferindo na capacidade do corpo de se desintoxicar, aumentando assim sua exposição a todos os inúmeros agentes contra os quais você teria resistido em outras circunstâncias.

Isla, uma executiva de cinquenta anos, é uma "mulher-maravilha multitarefas" que começou a ter dificuldades de achar as palavras e falar aos 48 anos. Os sintomas progrediram e ela foi avaliada com um PET scan, um PET scan de amiloide e uma punção lombar, exames que confirmaram o diagnóstico de Alzheimer como causa de sua afasia progressiva primária (PPA).

Embora seu teste de demência padrão desse negativo, o exame de toxinas revelou níveis muito elevados de benzeno, formaldeído e mercúrio. Após conversar com o marido, lembraram do fato de que ela trabalhara na presença de velas de parafina por muitos anos; ele comentou que a fumaça era tão irritante que evitava visitá-la no trabalho.

O exame de Isla revelou exatamente as toxinas da vela de parafina. Essas velas são extremamente tóxicas, então, se você acende velas com frequência, use as de cera de abelha, não de parafina!

A recente classificação do glifosato (um ingrediente ativo no herbicida Roundup) como provável carcinógeno pela Organização Mundial de Saúde[6] pode a qualquer momento ser acompanhada também de sua designação como neurotoxina. O glifosato, em uso desde 1974, possui três mecanismos principais. Primeiro, aglutina metais como manganês, cobre e zinco, alterando desse modo todo tipo de vias enzimáticas que requerem esses metais.[7] Segundo, bloqueia a via do ácido chiquímico exigida pelas plantas para produzir aminoácidos essenciais — por isso ele é um bom exterminador de mato —, mas, infelizmente, essa via também é exigida por bactérias! Isso mesmo, as mesmas bactérias de que dependemos para metabolização, síntese e proteção, como as do nosso microbioma intestinal. Assim, não surpreende que bloquear essa via crítica danifique seu microbioma, causando um caos nas bactérias cruciais em seu intestino. Terceiro, suspeita-se que o glifosato, que é essencialmente glicina-metil-fosfato — em outras palavras, ele se parece muito com nosso aminoácido mais simples, a glicina —, tome o lugar da glicina em algumas proteínas, interferindo com sua função normal.[8]

Logo, embora ainda se esteja por determinar se o glifosato é ou não uma neurotoxina, a combinação das evidências teóricas, epidemiológicas e anedóticas sugere que deveríamos saber se temos níveis elevados de glifosato em nosso organismo, e se de fato for descoberta a exposição a ele, se deveríamos no mínimo fazer uma desintoxicação para reduzir seu efeito carcinogênico.

- Você pode verificar sua exposição a **biotoxinas** checando as micotoxinas urinárias, e dois exames diferentes são os mais usados: micotoxinas urinárias GPL e o exame de micotoxinas urinárias dos RealTime Labs. Também é possível obter indícios de uma possível exposição verificando a resposta de seu sistema imune: indivíduos expostos a biotoxinas têm níveis elevados de C4a, TGF-beta-1, MMP-9 (metaloproteinase de matriz 9), leptina e reduções no fator de crescimento vascular endotelial (VEGF) e no hormônio estimulante de melanócitos (MSH). Você também pode verificar sua sensibilidade ao contraste visual (SC), um teste que revela até que ponto conseguimos distinguir tons sutis de cinza. Tendemos a perder essa capacidade com a exposição a biotoxinas, e o teste pode ser feito no consultório médico ou on-line.
- Você pode verificar sua capacidade de se desintoxicar avaliando sua dieta e estilo de vida e fazendo exames bioquímicos e testes genéticos para vias de desintoxicação. A desintoxicação fica abaixo da ideal se você não ingere pelo menos trinta gramas de fibra por dia; se não sua e não usa sabonete atóxico; se não bebe água filtrada ou de osmose reversa; se não come crucíferos e outros alimentos detox (como explicado na primeira seção do Manual). Dos exames bioquímicos, faça os de glutationa, homocisteína, vitamina C, função hepática (GGT, ALT, AST) e função renal (BUN, creatinina). Também há diversos testes genéticos disponíveis, como o da IntellxxDNA, que determina se o seu genoma inclui mutações associadas a reduções de desintoxicação, como na

peroxidase glutationa. Esses testes são muito úteis para planejar o tratamento ideal, principalmente entre portadores de ApoE4 negativo, uma vez que eles costumam apresentar desintoxicação reduzida como fator de contribuição para o declínio cognitivo, em especial Alzheimer tipo 3 (tóxico).

PREVENÇÃO E TRATAMENTO DE EXPOSIÇÃO A DEMENTÓGENOS

O conceito mais importante na prevenção e no tratamento da exposição a dementógenos é reconhecer que se trata de um processo dinâmico. No mundo de hoje, é impossível evitá-los por completo, assim, uma combinação entre a minimização da exposição e a otimização da desintoxicação é a melhor abordagem. Não se esqueça que excretamos toxinas constantemente — no suor, na urina, na respiração e nas fezes —, além de desarmá-las bioquimicamente e sequestrá-las na gordura, nos ossos, no cérebro e em outros órgãos, de modo que usamos múltiplos mecanismos para minimizar nossa carga tóxica. Porém, cada um tem seu limite para o que o corpo consegue suportar, e quando ele é ultrapassado desenvolvemos doenças relacionadas com toxinas, como Alzheimer, corpos de Lewy, Parkinson e esclerose lateral amiotrófica (ELA). Como você pode imaginar, com a multiplicidade de dementógenos a que somos expostos, praticamente qualquer toxina pode contribuir para exceder esse limite, e assim é importante conhecer a carga tóxica geral, não apenas a exposição a uma toxina importante.

O primeiro passo é *minimizar a exposição* aos dementógenos. Essas toxinas podem ser inaladas (poluição do ar, nuvem do World Trade Center, toxinas de mofo e inflamógenos de prédios com infiltrações), ingeridas (mercúrio de atum, alimentos muito glicêmicos ou glúten inflamatório ou laticínios) ou absorvidas pelo contato da pele com produtos de saúde e beleza. Também podem ser geradas dentro do corpo, como as micotoxinas produzidas por mofos que conseguem se instalar nos seios nasais e no aparelho gastrintestinal, serem absorvidas em procedimentos dentários e cirúrgicos ou liberadas dos lugares onde estão sequestradas, como o mercúrio, que é liberado quando se aproxima a menopausa ou a andropausa e ingressamos nos primeiros estágios da pré-osteoporose.

Assim, para minimizar sua exposição a dementógenos, faça o seguinte:

- Compre um filtro HEPA, como IQAir ou outro modelo. Melhor ainda se filtrar tanto partículas como gases tóxicos. Como filtros HEPA podem ser barulhentos, é melhor ligá-lo apenas quando sair de casa, embora muitos prefiram mantê-lo ligado o tempo todo.
- Evite fumar ou o fumo passivo.
- Evite poluição do ar na medida do possível. Isso inclui não só escapamentos de automóveis, mas também a poluição associada a incêndios, como os incêndios florestais da Califórnia que se tornaram tão comuns nos últimos anos, destruindo a qualidade do ar. Também inclui a fumaça de velas, em especial velas de parafina, que emitem inúmeras toxinas, como benzeno e tolueno. Como as pequenas (2,5 mícrons) partículas do ar são particularmente prejudiciais, o uso de máscaras N95 (PFF2, no Brasil) ou P100, que são confortáveis e prendem acima e abaixo das orelhas, é importante. Seu cérebro agradece.
- Evite a respiração bucal prolongada, uma vez que suas passagens nasais também funcionam como um filtro de partículas. Além disso, a respiração bucal aumenta o risco de gengivite, diminui a absorção de oxigênio e não aquece o ar como faz a respiração nasal, podendo levar a irritação pulmonar.
- Verifique sua pontuação ERMI[9] e, se estiver acima de dois, tome providências para eliminar a exposição a mofo. Se fizer isso, fique fora de casa durante o processo.
- Principalmente se sua casa tem algum sinal de mofo, passe mais tempo ao ar livre e fique longe da poluição do ar.
- Use um filtro de água, como o de osmose reversa. Há filtros disponíveis para jarra purificadora, para instalar sob a pia e para sistemas domésticos integrados. Escolhemos um AquaTru porque inclui tanto filtro de carbono como de osmose reversa, mas há muitos outros modelos. A água da rua contém bactérias, vírus, inúmeros metais, toxinas orgânicas, vestígios de diversos medicamentos e outros contaminantes, então a filtragem é um método excelente para minimizar a exposição a dementógenos. Além disso, evite água contaminada perto de locais onde ocorre *fracking* [fraturamento hidráulico].

- Coma frutas e vegetais orgânicos, em especial os Doze Sujos do Environmental Working Group, que costumam ser os mais contaminados: morango, espinafre, couve *kale*, nectarina, maçã, uva, pêssego, cereja, pera, tomate, aipo e batata. Por outro lado, os Quinze Limpos são uma preocupação menor de exposição a pesticidas porque têm mais proteção que os Doze Sujos, portanto a importância de comprar orgânicos é menor: abacate, milho verde, abacaxi, ervilha congelada, cebola, mamão, berinjela, aspargo, kiwi, repolho, couve-flor, melão-cantalupo, brócolis, cogumelos e melão.
- Evite toxinas em produtos de saúde e beleza. Use o aplicativo Think Dirty para ter uma ideia de quais toxinas há em cada produto. Consulte as recomendações do Environmental Working Group.
- Evite peixes com elevado teor de mercúrio — peixes longevos e de boca grande, como atum, tubarões, peixe-espada, marlim, peixe-relógio, pirá, anchova, garoupa e cavala real. Opte por peixes com baixo teor de mercúrio, como salmão (não cultivado), cavala (não real), anchova, sardinha e arenque.
- Evite amálgamas dentários devido a seu elevado conteúdo de mercúrio inorgânico. Se você já tem obturações prateadas na boca, e principalmente se o seu mercúrio inorgânico está elevado, providencie a remoção. Como comentado no cap. 17, procure um dentista biológico, treinado para minimizar a exposição a mercúrio durante a remoção. O procedimento deve ser feito com cuidado, removendo um ou dois amálgamas de cada vez, nunca muitos ao mesmo tempo, depois repetir a cada poucos meses até todos terem sido removidos.
- Evite dementógenos associados a alimentos. Além do mercúrio de peixes como atum e dos pesticidas e herbicidas (incluindo glifosato) de frutas e vegetais não orgânicos, há muitas outras fontes de toxinas em certos alimentos, como o arsênico em algumas marcas de frango e arroz, antibióticos e hormônios de carnes, bisfenol A (BPA) de enlatados, gorduras trans em alimentos fritos e cozidos, nitratos na salsicha e outras carnes processadas, sulfatos nos alimentos processados, conservantes e tinturas. Claro que os dementógenos mais comuns nos alimentos são açúcar, xarope de milho com alto teor de frutose e outros carboidratos simples.

- O modo de preparo do alimento é importante. Infelizmente, cozinhar é uma maneira eficiente de produzir dementógenos. Produtos finais da glicação avançada (AGEs), que se ligam diretamente ao receptor cerebral chamado RAGE que agrava a patologia do Alzheimer; hidrocarbonos aromáticos policíclicos (PAHs); aminos-heterocíclicos; e acrilamida, uma neurotoxina particularmente elevada em batatas fritas e chips — todos eles se formam com o cozimento a altas temperaturas. AGEs e PAHs são formados quando a carne fica enegrecida ou tostada. Cozinhar com óleos vegetais libera aldeídos tóxicos. Óleos submetidos a tratamento térmico são deficientes em antioxidantes e, portanto, óleos prensados a frio, como o azeite, são preferíveis para cozinhar a baixas temperaturas, enquanto gorduras resistentes ao calor, como óleo de abacate, manteiga ou *ghee*, são preferíveis para cozinhar a temperaturas elevadas. Ver sugestões culinárias na parte 2.
- Os plásticos constituem uma fonte de múltiplas toxinas, como bisfenol A (BPA) e outros disruptores endócrinos, ftalatos, dioxinas, cloreto de vinila, dicloroetano, chumbo e cádmio, entre outros. Logo, na medida do possível, use na cozinha recipientes de vidro.
- Recibos de maquininhas também contêm BPA, portanto minimize o manuseio.
- Evite o chumbo de algumas tintas (por exemplo, usadas em canecas de café) e de encanamentos antigos.

O segundo passo é *otimizar a desintoxicação*. A boa notícia é que o corpo faz um detox constante por meio do metabolismo e da excreção na urina, nas fezes, na respiração e no suor. Melhor ainda, podemos auxiliar esses processos de muitas maneiras. A má notícia é que mesmo depois de diminuirmos nossa exposição a toxinas, as que se acumularam em nossos órgãos ao longo dos anos podem sofrer lixiviação, continuando a causar exposição. Entretanto, enquanto o equilíbrio dinâmico tender para a desintoxicação, estamos no caminho certo, contanto que o processo de desintoxicação não seja tão agressivo a ponto de ficarmos mais uma vez expostos a altos níveis de toxinas quando viajarem pela corrente sanguínea para sair do corpo.

Comecemos pelo básico, o que qualquer um deve fazer para manter um nível saudável de desintoxicação.

- Beba água filtrada, de um a quatro litros por dia.
- Ingira fibras, solúveis e insolúveis, de preferência de alimentos como aipo e alface (e muitos outros como abacate, couve-de-bruxelas, couve *kale*, chocolate amargo, ameixa seca etc.), mas muitos suplementam com cascas de psyllium orgânicas ou raiz de konjac (por exemplo, PGX). O objetivo é ultrapassar trinta gramas de fibra diárias (admitindo que nossos ancestrais consumiam cerca de cem a 150 gramas por dia!), o que pode ajudá-lo na sua eliminação de toxinas.
- Transpire! Você pode transpirar com exercícios, na sauna ou em outras atividades para remover toxinas e tomar uma ducha depois com um sabonete atóxico, como sabão de castela, para assegurar que as toxinas que deixaram o organismo não voltem a entrar. Um estudo finlandês sobre saunas revelou uma dramática redução de mais de 50% no risco de demência para quem faz sauna diversas vezes por semana.[10]
- Passe momentos ao ar livre! Faça a balança pender para a desintoxicação, não para mais acúmulo de toxinas, em especial se sua casa tem uma pontuação ERMI > 2 ou mobília que libera substâncias gasosas ou outros compostos orgânicos voláteis.
- Cure seu intestino permeável, se tiver (como discutido acima), depois inclua probióticos (como alimentos fermentados) e prebióticos (como jícama, alcachofra-girassol ou suplementos) em sua dieta. Alguns gostam de dar apoio ao intestino com a Triphala, uma combinação ayurvédica de Amalaki, Bibhitaki e Haritaki, que tem inúmeros mecanismos de ação, como aumento do microbioma e fortalecimento do sistema imune.
- Certifique-se de que seus desintoxicadores endógenos, como glutationa, estão otimizados, tomando N-acetilcisteína (quinhentos miligramas duas vezes ao dia) ou glutationa lipossomal (250 miligramas duas vezes ao dia) ou S-acetil glutationa (de duzentos a trezentos miligramas duas vezes ao dia), sulforafano e vegetais crucíferos.
- Fortaleça o fígado, seu órgão de desintoxicação mais importante. Muitos gostam de tomar cardo-de-leite, presente em inúmeros produtos para limpar o fígado. Outros alimentos e suplementos também ajudam o fígado,

como curcumina (um anti-inflamatório e aglutinante de beta-amiloide), ácido tauroursodesoxicólico (TUDCA), maçã orgânica (que contém pectina, um agente aglutinante de toxinas), nozes, abacate, ovo orgânico, sardinha, vegetais crucíferos, verduras, alcachofras e óleo de peixe.
- Auxilie seus rins, outro órgão essencial na desintoxicação. Para isso, aumente o fluxo sanguíneo em seus rins com suco de beterraba (240 mililitros diários), mirtilo (uma xícara por dia), ginkgo biloba (sessenta miligramas duas vezes ao dia), gotu kola (cem miligramas duas vezes ao dia) e citrato de magnésio (quinhentos miligramas por dia); e reduza alimentos prejudiciais ao fígado, como os de teor elevado de nitrogênio (em outras palavras, consuma carne como um acompanhamento a mais, não como o prato principal), fosfato (em queijos processados) e sal (em feijão cozido e sopas salgadas).
- Faça massagem, que também intensifica a desintoxicação e melhora o fluxo linfático.
- Minimize e administre seu estresse. Observamos que pacientes com Alzheimer tipo 3 (tóxico) tendem a ser hipersensíveis ao estresse, piorando de forma acentuada com a privação do sono, infecções virais e outros estressores, ao passo que com frequência respondem de forma muito positiva a meditação, exercícios restaurativos (evite maratonas), sauna e otimização dos níveis hormonais.

O terceiro passo é o tratamento dirigido a dementógenos específicos. Essa é uma importante área em si, então se os seus exames revelam evidência de exposição a micotoxinas, toxicidade de metais pesados ou orgânica (por exemplo, com altos níveis de glifosato, tolueno ou pesticidas), marque consulta com um especialista em desintoxicação que, além disso, seja especializado em quimiotoxicidade (metais e orgânicos) ou em biotoxicidade (como micotoxinas), uma vez que com frequência são especialidades separadas. É importante notar que a desintoxicação costuma levar meses ou até anos, pode ser complicada e levar a toxicidade aumentada se for excessivamente agressiva (e, portanto, deve ser tratada com cuidado), mas pode salvar a vida de alguém com declínio cognitivo por dementógenos, em especial pacientes de Alzheimer tipo 3 ou nas fases iniciais da doença.

Para quem sofre de toxicidade de metais como mercúrio, alguns especialistas preferem agentes quelantes, como DMSA para mercúrio e EDTA para chumbo, ou clorela para múltiplos metais, enquanto outros preferem o uso de ativação de Nrf2. O detox básico delineado acima no segundo passo também deve ser continuado.

Kay, uma senhora de 61 anos, queixou-se de dificuldade de se organizar e completar tarefas. Sua função executiva recebeu pontuação no primeiro percentil e pontuação cognitiva geral no 33º percentil para sua faixa etária. O genótipo ApoE era 3/3 e o PET scan mostrou metabolismo de glicose reduzido nos lobos temporais, compatível com atrofia cortical. O nível de mercúrio estava elevado, catorze microgramas por litro. Ela foi tratada com quelação e após sete meses se sentiu muito melhor. O mercúrio descera para o extremo mais elevado da faixa normal e suas pontuações cognitivas gerais foram do 33º percentil para o 79º.

Para toxicidade química devida a toxinas orgânicas como benzeno ou tolueno, a desintoxicação delineada no segundo passo deve ser seguida e, além do mais, a vasodilatação com niacina pode ser útil, mas deve ser realizada apenas sob supervisão médica. Embora qualquer uma dessas toxinas possa danificar o microbioma intestinal, uma delas em particular — o glifosato — é uma toxina direta de microbioma e, portanto, a desintoxicação deve incluir um produto como Restore (hoje chamado de ION* Gut Health) ou o zeólito da ClearDrops, que ajuda a curar o intestino, além de probióticos e prebióticos.

Se você tem biotoxinas, como micotoxinas (por exemplo tricotecenos, ocratoxina A, gliotoxina, aflatoxina ou outras), o médico que o avalia e o trata provavelmente utilizará alguma variação do protocolo desenvolvido pelo dr. Ritchie Shoemaker.[11] Algumas pessoas que usam o Protocolo Shoemaker acrescentam antifúngicos como itraconazol ou anfotericina B, uma vez que mofos podem colonizar seios nasais ou o aparelho gastrintestinal, e desse modo continuar produzindo micotoxinas dentro de seu corpo (ver, por exemplo, o livro do dr. Neil Nathan, *Toxic*); entretanto, a recomendação do dr. Shoemaker é evitar antifúngicos, uma vez que podem levar à resistência a antibióticos, focando em vez disso na desintoxicação e outros aspectos do protocolo, cujos pontos principais estão resumidos abaixo.

- Praticamente todo especialista em biotoxinas concorda que o fator mais importante no tratamento é remover a fonte do problema — como você pode imaginar, o paciente raras vezes melhora se a exposição continuar. Como observado acima, a exposição pode ser reduzida com o uso de filtros HEPA. Se a pontuação ERMI de sua casa ou local de trabalho for dois ou maior, você precisa fazer alguma coisa para melhorar o problema. Conforme toma providências, é fundamental permanecer longe da casa e, nos piores casos — como mofo preto (*Stachybotrys*) e seus tricotecenos causadores de demência —, talvez seja preciso se mudar, pura e simplesmente.

    O dr. Ritchie Shoemaker escreveu um excelente livro, *Surviving Mold: Life in the Era of Dangerous Buildings* [Como sobreviver ao mofo: A vida na era das construções perigosas], que recomendo de forma enfática aos interessados em doenças relacionadas a mofo.

- Cuidar dos micróbios que produzem as biotoxinas é o próximo passo. Uma cultura do fundo do nariz costuma revelar a presença de biopelículas bacterianas, que são como iglus que protegem as bactérias dos antibióticos e dificultam a sua erradicação. As biopelículas muitas vezes contêm MARCONS, que são bactérias *Staph* resistentes a diversos antibióticos. Elas devem ser tratadas com Biocidin, spray de BEG — Bactroban (mupirocina) 0,2%, EDTA (edetato dissódico) 1% e gentamicina 3% — ou prata coloidal. A isso você pode combinar SinuClenz e Xlear para reduzir o ardor e ajudar na recuperação. Além do mais, melhores resultados serão obtidos se for acrescentado ao spray o gel polímero mucoadesivo 15%. Mofos às vezes são tratados com itraconazol (como observado acima), mas alguns acham que o fortalecimento imune com guduchi (*Tinospora cordifolia*) funciona tão bem quanto.

    É fundamental desativar e excretar as biotoxinas associadas ao patógeno, e há diversas técnicas para isso. A glutationa intravenosa pode estar associada a uma rápida melhora na condição mental, e embora seja transitório (durando em geral várias horas), infusões duas vezes por semana podem levar a ganhos prolongados. Aumentos na glutationa também podem ser obtidos com glutationa S-acetil oral, glutationa lipossomal ou N-acetilcisteína. Em seguida, um peptídeo intestinal vasoativo intranasal fornece suporte trófico para o cérebro e costuma ser aplicado assim que as culturas de MARCONS dão negativo. Essas aplicações estão com frequência associadas à melhora cognitiva.

Como observado acima, certos alimentos intensificam o detox, como coentro, vegetais crucíferos (couve-flor, brócolis, vários tipos de repolho, couve *kale*, rabanete, couve-de-bruxelas, nabo, agrião, couve-rábano, rutabaga, rúcula, rábano, maca, rapini, daikon, wasabi, bok choy etc.), abacate, alcachofra, beterraba, dente-de-leão, alho, gengibre, toranja, limão, azeite e alga. A eliminação das toxinas é potencializada pela aglutinação com colestiramina, Welchol, argila de bentonita, carvão, zeólitos (por exemplo, ClearDrops) ou Guggul; pela transpiração numa sauna, seguido de ducha com sabonete não tóxico (por exemplo, sabão de castela) para emulsificação e remoção das toxinas associadas ao suor; e por hidratação com água filtrada após urinar. Por fim, pacientes com doenças associadas a biotoxinas muitas vezes melhoram quando seus protocolos incluem otimização hormonal, e isso talvez se deva à associação de níveis de progesterona adequados com a desintoxicação otimizada.

- Após o tratamento, assim como queremos nos beneficiar de um microbioma intestinal otimizado, também queremos restabelecer o microbioma ótimo do trato respiratório superior. Use probióticos como *Lactobacillus sakei*, ProbioMax ou outros probióticos para os seios da face. A importância disso é a mesma de otimizar seu microbioma intestinal — os micróbios protetores previnem o reaparecimento dos nocivos. Sem essa medida, pode haver recorrência mais frequente de MARCONS.

Uma classe de dementógenos merece menção especial: os agentes anestésicos. É muito comum ouvir dizer que o declínio cognitivo do paciente começou após uma cirurgia com anestesia geral, sobretudo se o período sob anestésico foi longo ou se houve diversos episódios. A anestesia geral contribui para o declínio cognitivo por múltiplos mecanismos. Primeiro, há a carga geral de toxicidade, com redução de glutationa e estresse nos sistemas de desintoxicação (embora deva-se observar que os agentes anestésicos também apresentam alguns efeitos neuroprotetores).[12] Segundo, há a hipóxia (oxigenação pobre) e a hipotensão (pressão baixa) que costuma ocorrer sob anestesia geral, potencializando desse modo a toxicidade dos agentes anestésicos. O terceiro ponto é o estresse severo que ocorre em procedimentos cirúrgicos. O quarto é o uso comum de antibióticos associados a cirurgias, o que altera o microbioma e pode aumentar a permeabilidade intestinal. O quinto é a inflamação que ocorre com a cirurgia e em geral com a recuperação. Desse modo, a anestesia geral e os procedimentos cirúrgicos associados são uma espécie de programa poderoso causador de demência, associado a um risco duas vezes maior.[13]

Logo, se você pretende se submeter a anestesia geral, considere o seguinte:

- Converse antes com seu cirurgião. A anestesia geral é necessária? É possível usar anestesia local? Por quanto tempo é provável que seja usada? Surpreendentemente, a anestesia espinhal não se revelou melhor do que a anestesia geral e pode ser até pior, com risco para o desenvolvimento subsequente de demência.[14]
- Converse antes com o anestesista. É comum permitir que a pressão arterial caia durante a anestesia geral, e quedas súbitas podem reduzir o fluxo sanguíneo; assim o anestesista pode assegurar que sua pressão não sofra uma queda brusca durante o procedimento, bem como cuidar para manter a pressão ideal. Ele também pode optar por agentes anestésicos de ação mais curta, que serão eliminados rapidamente após o procedimento cirúrgico. Além disso, não deixe de avisá-lo sobre as medicações que estiver tomando.
- A estratégia algum tempo antes da anestesia geral é otimizar sua desintoxicação, preparando-se para a exposição aos agentes anestésicos, de modo que eles possam ser eliminados rapidamente, com danos mínimos aos órgãos. Isso pode ser conseguido combinando a glutationa desintoxicante (que pode ser tomada na forma da precursora N-acetilcisteína, quinhentos miligramas, duas vezes ao dia, como glutationa lipossomal, 2540 miligramas, duas vezes ao dia, ou como S-acetil glutationa, trezentos miligramas, duas vezes ao dia), cardo-de-leite, setenta miligramas, três vezes ao dia, colina, um grama por dia, e metionina, um grama por dia, junto com um complexo multivitamínico de alta potência que inclui vitamina C (pelo menos quinhentos miligramas) e o complexo B. Eles devem ser tomados no mínimo uma semana antes da cirurgia e duas semanas depois da operação.

- Suplementos a serem evitados (em geral uma semana) antes da cirurgia (converse com seu cirurgião) incluem óleo de peixe, acetil-L-carnitina, vitamina E, alho, gingko e gengibre, devido ao efeito de afinamento do sangue. Outros suplementos, como erva-de-são-joão e raiz de valeriana, devem ser evitados por vários dias antes da operação, uma vez que podem prolongar o efeito da anestesia. Providencie a lista completa de seus suplementos e medicações para seu cirurgião. Alguns dias antes, pergunte quais precisam ser interrompidos e quando você deve retomá-los.
- Além disso, considere uma dieta de limpeza da anestesia (assim que seu intestino voltar a funcionar, claro) por algumas semanas durante o pós-operatório (como a Ketoflex 12/3): comece com caldo de tutano para facilitar a digestão e prover seu corpo com a proteína e o colágeno extras necessários para a cicatrização. Depois faça uma dieta rica em fibras e crucíferos como brócolis (de preferência preparado para fácil digestão), sem álcool e com muita água filtrada, de um a quatro litros diários. Muitas medicações anestésicas são solúveis em gordura, assim restabelecer a cetose moderada com gorduras saudáveis o manterá no modo de queima de gordura para ajudar na desintoxicação e reduzir a inflamação. Suor induzido na sauna, seguido de sabão de castela várias vezes por semana durante o mesmo período também é recomendável.

20. Sobre micróbios e microbiomas

*Parece improvável que o entorno das unhas tenha matéria ou vapor
infeccioso escondidos suficiente para matar o paciente.*
Médico do século XIX, cético de que lavar
as mãos prevenisse infecções

Assim como os médicos do século XIX não acreditavam que as doenças fossem causadas por germes, os atuais veem com ceticismo a reversão do declínio cognitivo e não acreditam que a abordagem da medicina funcional seja superior às monoterapias, a despeito de evidências contrárias cada vez mais fortes. Num intrigante experimento recente, cientistas expuseram camundongos à *Candida*, uma levedura comum, injetando-a na corrente sanguínea dos animais.[1] O pressuposto inicial era de que a levedura seria mantida fora do cérebro pela conhecida barreira sangue-cérebro, que mantém o órgão a salvo da maioria das proteínas e outras moléculas grandes — ainda assim, muito menores que o organismo da levedura. Surpreendentemente, porém, a levedura, com todo seu tamanho, entrou no cérebro de imediato e induziu uma reação inflamatória que se parecia, patologicamente, com o estágio inicial da doença de Alzheimer. Esse é mais um experimento que implica infecções tratáveis e a resposta do cérebro a infecções como um dos potenciais fatores de contribuição do desenvolvimento de Alzheimer. Além do mais, é um fator particularmente relevante, pois foi demonstrado que o cérebro de pacientes de Alzheimer de fato abrigam *Candida*, pelo menos em alguns casos.

Nossa exposição a organismos com potencial de desencadear o declínio cognitivo é incessante, uma vez que ficou cada vez mais claro ao longo das últimas décadas que nós humanos não somos os organismos individuais distintos que acreditávamos ser. Somos na verdade uma cidade — mais de mil organismos diferentes (bactérias, vírus, bacteriófagos, leveduras, mofos, espiroquetas e parasitas!) vivem em nossos intestinos, pele, fossas nasais, boca e outras partes do corpo. Eles afetam nosso pensamento, nosso humor, nosso sentido de autopreservação e nossas doenças.

Assim, na verdade, não somos indivíduos, mas colaborações complexas entre esses inúmeros organismos, e quando essas colaborações são interrompidas, em especial à medida que envelhecemos, elas levam a algumas das doenças mais comuns que nos atormentam hoje, incluindo mal de Alzheimer, depressão, doença inflamatória intestinal e diabetes tipo 2.

Para quem sofre de declínio cognitivo, ou está sob risco de declínio cognitivo, o status do microbioma intestinal — a composição das várias bactérias e outros micróbios no intestino — é crucial, uma vez que o microbioma intestinal humano desempenha um papel importante em praticamente *todos* os principais fatores de risco e causadores do declínio cognitivo: inflamação, autoimunidade, resistência à insulina, metabolismo lipídico, obesidade, absorção de nutrientes, amiloidogênese, neuroquímica, sono, reação ao estresse e desintoxicação. Entre vários exemplos, bactérias específicas, *Lactobacillus* e *Bifidobacteria*, estão envolvidas na produção do neurotransmissor GABA do glutamato, e na doença de Alzheimer há um desequilíbrio nessa proporção.[2] Além disso, nosso intestino e nosso cérebro conversam constantemente entre si, tanto no nível químico como elétrico!

Quando observamos o intestino de uma pessoa com Alzheimer, o que vemos? Uma *alteração* na composição das bactérias, de modo que a distribuição se parece muito com a de alguém com obesidade ou diabetes tipo 2.[3] O que acontece se "consertamos" o microbioma? Experimentos laboratoriais são muito promissores nesse aspecto, uma vez que alterar as bactérias intestinais em camundongos com modelo de Alzheimer ("Mouzheimer") pode melhorar ou exacerbar o problema, de acordo com o microbioma gerado.[4] Em outro estudo usando probióticos em camundongos Mouzheimer,[5] o declínio cognitivo foi reduzido, os mediadores inflamatórios foram inibidos e o processamento normal de proteína foi restabelecido. Foi demonstrado que o tratamento com probiótico ativou a via SIRT1, uma importante via de longevidade e anti-Alzheimer.[6] Além disso, a recuperação intestinal e a otimização do microbioma exercem efeitos maravilhosos em muitos fatores, como inflamação, absorção nutricional, neurotransmissores e resistência à insulina, de modo que isso representa uma parte realmente promissora do protocolo terapêutico geral para o declínio cognitivo.

Desse modo, já que o microbioma fica "bagunçado" no Alzheimer, o que o bagunçou? Cesárea (uma vez que o microbioma materno não é transmitido ao recém-nascido, como no parto normal), estresse, antibióticos, álcool, consumo reduzido de fibras, carboidratos refinados, envelhecimento, inflamação e parasitas estão entre os muitos fatores capazes de afetar a flora intestinal.[7] Por outro lado, probióticos, prebióticos, recuperação intestinal e transplantes fecais são terapias promissoras do microbioma intestinal. Logo, quando tomamos antibióticos contra uma infecção, é uma boa ideia lembrar que isso altera nosso microbioma intestinal e, portanto, devemos devolvê-lo à normalidade com ajuda de probióticos e prebióticos.

Na realidade, os cuidados e a "alimentação" de nossos microbiomas são cruciais para mantermos a cognição em forma! Isso é verdade não só para combater a inflamação, auxiliar na absorção nutricional e prover os metabólitos cruciais, mas também para a desintoxicação.[8] A alimentação prebiótica do microbioma afeta o tempo de trânsito e excreção das toxinas. Como você pode perfeitamente imaginar, se o seu intestino é lento, a remoção de toxinas por essa via é igualmente lenta, assim é melhor ter um trânsito rápido (menos de 24 horas) do que um lento. De modo recíproco, nosso microbioma é alterado por toxinas específicas, como triclosan, pesticidas, glifosato (o onipresente herbicida), plastificantes, metais pesados e alguns medicamentos (por exemplo, antibióticos, inibidores de bomba de próton e estrogênios sintéticos).[9]

Além dos efeitos metabólicos, imunológicos e tóxicos do microbioma e seus efeitos no declínio cognitivo, os micróbios intestinais podem na verdade produzir seus *próprios* amiloides, que deverão impactar nossa própria produção, degradação e eliminação de beta-amiloide.[10] Já foi sugerido que amiloides derivados de bactérias podem se depositar no cérebro e afetar a produção geral de amiloide.[11]

Assim, está claro que, para prevenir e reverter o declínio cognitivo, sem dúvida devemos incluir o suporte e a otimização do microbioma. Em um sentido genérico, fazemos isso com probióticos, prebióticos e evitando, se possível, os agentes que o prejudicam. Em um sentido mais específico, as perspectivas são empolgantes: à medida que começarmos a identificar, entre os inúmeros tipos diferentes de bactérias, quais exercem os maiores efeitos nos principais elementos cognitivos, "consertaremos" nosso microbioma com precisão e eficácia cada vez maior. Por exemplo, em um estudo, um aumento no fator neurotrófico derivado do cérebro (BDNF) foi associado a uma espécie particular de *Bifidobacteria*.[12] Em outro, uma reação contra uma espécie de bactéria, *Mycobacterium vaccae*, foi associada à redução na resposta ao estresse e na ativação microglial, induzindo uma resposta anti-inflamatória no sistema nervoso central.[13] Haja vista o grande número de potenciais espécies, há opções quase ilimitadas para os efeitos terapêuticos neuroquímicos e imunológicos na neurodegeneração, então fique de olho!

INFECÇÕES E DECLÍNIO COGNITIVO

Claro que além dos inúmeros micróbios que compõem o microbioma intestinal, somos expostos a agentes infecciosos de muitas fontes diferentes. Por anos, esses agentes infecciosos foram vistos como os suspeitos de causar a doença de Alzheimer, mas faltava uma prova irrefutável. A suspeita, porém, se transformou em acusação recentemente,[14] conforme cada vez mais evidências ligavam as infecções crônicas, e as respostas inflamatórias que delas resultavam, ao declínio cognitivo. Por outro lado, infecções agudas como pneumonia pneumocócica ou infecções do trato urinário são exacerbadores comuns para quem já sofre de declínio cognitivo e causas comuns de retrocesso em pacientes cuja cognição melhorou com o tratamento.

Na teoria, qualquer infecção que ative o sistema imune inato pode estar associada à doença de Alzheimer; entretanto, alguns organismos específicos têm sido repetidamente implicados. A família de vírus do *Herpes*, como o HSV-1, que produz feridas e se instala no principal nervo que transmite sensações para nosso rosto — chamado nervo trigêmeo —, provavelmente tem papel importante no risco de Alzheimer. Na verdade, a supressão das crises de *Herpes* está associada a menor risco de demência.[15] Há inúmeras formas de conseguir isso e com frequência ajuda experimentar maneiras diferentes e determinar qual funciona melhor para você. Quem sabe tomar lisina ou, como alternativa, valaciclovir ou aciclovir. São bem tolerados e algumas pessoas os tomam por anos sem maiores problemas. Você também pode tomar ácido húmico ou fúlvico. E ainda conversar com seu médico sobre a possibilidade de usar o Transfer Factor PlasMyc, em especial se apresenta sintomas dentro de um quadro de infecção viral ativa.

Organismos associados à dentição ruim — em especial a bactéria *P. gingivalis*, mas também outros como *Fusobacterium nucleatum, Treponema denticola, Prevotella intermedia, Eikenella corrodens* — foram implicados no risco de Alzheimer associado a periodontite.[16] Logo, pessoas com dentição ruim devem discutir um tratamento com um dentista funcional. Probióticos orais, incluindo organismos como *Streptococcus salivarius* e *Lactobacillus sakei*, estão cada vez mais acessíveis e prometem minimizar os organismos associados a periodontite e, por extensão, reduzir o risco de declínio cognitivo associado a esse problema.

Organismos transmitidos por carrapato costumam estar associados a infecções de longo prazo e ao declínio cognitivo. Mais da metade dos que contraem *Borrelia burgdoferi*, a bactéria da doença de Lyme, também ficam infectados por outros organismos transmitidos pelos carrapatos, como *Babesia, Bartonella, Ehrlichia* ou *Anaplasma*. *Babesia* é o organismo mais comum que ocorre junto com o *Borrelia* da doença de Lyme; o parasita infecta as hemácias e está relacionado aos parasitas causadores da malária. *Bartonella, Ehrlichia* e *Anaplasma* são bactérias transmitidas pelo carrapato e podem ser tratadas com antibióticos ou de forma natural. Porém, essas infecções crônicas muitas vezes são difíceis de erradicar sem um tratamento persistente e um acompanhamento cuidadoso posteriormente.

Os fungos — mofos como *Aspergillus* e leveduras como *Candida* — são também potenciais fatores de contribuição para o declínio cognitivo, não só devido a sua produção de micotoxina e seu potencial para atacar a infecção, mas também porque muitas vezes interferem na resposta imune. Na verdade, a *Candida* foi identificada no cérebro de pacientes com Alzheimer,[17] assim como outras leveduras e mofos.[18] Os principais mofos associados à produção de toxina em pacientes com síndrome da resposta inflamatória crônica (SRIC) e doença de Alzheimer tipo 3 são *Stachybotrys* (o mofo preto tóxico), *Penicillium*, *Aspergillus*, *Chaetomium* e *Wallemia*. Prédios com infiltrações que abrigam esses mofos também nos expõem a vapores de compostos orgânicos voláteis, fragmentos de bactérias variados, esporos e outros agentes inflamatórios — uma verdadeira sopa de demência.

Pacientes com doença de Alzheimer tipo 3 são afetados não apenas por micotoxinas produzidas por mofo, mas também muitas vezes por biopelículas, que são como iglus que protegem as bactérias. Essas biopelículas deixam as bactérias que protegem muito mais difíceis de tratar com antibióticos. As mais comuns identificadas nessas biopelículas são MARCONS: bactérias *Staph* que residem no fundo da nasofaringe e são resistentes a diversos antibióticos. As MARCONS podem ser tratadas com spray BEG, Biocidin ou prata coloidal.

Em suma, os organismos que vivem dentro de nós — os que constituem nosso holobioma (a soma total dos microbiomas de nosso intestino, pele, seios da face etc.) e os que nos invadem e nos infectam — são fatores determinantes fundamentais para nossa cognição, risco de declínio cognitivo e progressão do declínio cognitivo. O beta-amiloide tão fortemente associado à doença de Alzheimer é elaborado como um antimicrobiano (entre outros efeitos), e assim a consideração e o tratamento das interações complexas entre o sistema imune, os vários micróbios e o sistema nervoso são importantes para produzir os melhores resultados terapêuticos.

21. Suplementos: Por onde começar?

*Ou você é motivado pelo que ajuda seus
pacientes ou pelo que ajuda sua carreira.*
R. F. Loeb

*Quem não acredita em um tratamento novo porque
não viu os resultados é apenas desinformado; quem não
acredita a despeito de ver os resultados é um "especialista".*
R. F. Loeb

De um e-mail recente:

Minha esposa de 69 anos começou a apresentar sinais de perda de memória há cerca de um ano e foi diagnosticada com Alzheimer. Como o senhor pode imaginar, ficamos devastados ao receber a notícia. A irmã da minha esposa morreu de Alzheimer faz poucos anos, assim como a mãe delas, então é de família. O médico mandou tomar Aricept, mas ela não se curou e sua saúde só piorou.
    Minha esposa não conseguia manter uma conversa simples, não era uma "pessoa funcional", e isso era muito triste.
    Meu filho me ligou em outubro depois que o senhor lhe falou sobre o Protocolo Bredesen. Eu estava bem cético e parecia "bom demais para ser verdade".

Em novembro de 2018, encontramos a dra. Deborah Cantrell para fazer exames de sangue, uma ressonância magnética e o teste do ApoE. O ApoE foi 3/4. Recebemos uma lista com vitaminas, probióticos, açafrão em pó e medicações sublinguais. Ela começou a tomá-los em janeiro e está 95% melhor!!!! Todo mundo que conhece minha esposa viu seu declínio e agora essas mesmas pessoas a encontram hoje e perguntam: "Ela se curou do Alzheimer?". E eu apenas respondo: "Ela tem feito um regime de vitaminas e outras coisas que mudou sua vida".

Não posso lhe dizer o QUANTO minha esposa, eu, meu filho e meus netos somos gratos pelo senhor ter nos apresentado ao Protocolo e à dra. Cantrell, e pelo fato de minha esposa ter ganhado sua vida de volta.

Suplementos são "inúteis" para tratar o declínio cognitivo, como alegam alguns?[1] Bem, antes de mais nada, como o nome diz, são *suplementares*. Inúmeros pacientes tentaram pular diversas outras partes do protocolo e seguir as recomendações apenas de suplementos, e poucos mostraram alguma melhora. A razão de ser do protocolo é usar todos os métodos disponíveis para fazer a sinalização bioquímica do cérebro passar de sinaptoclástica, causadora do Alzheimer, para sinaptoblástica, a normalidade. Assim, a questão aqui não é se os suplementos funcionam ou não; é o que podemos empregar para propiciar alterações neuroquímicas cruciais e necessárias para a prevenção e reversão do declínio cognitivo, tendo em conta os fatores de contribuição específicos de cada um. Como o Alzheimer é uma doença seriíssima, devemos fazer tudo ao nosso alcance em uma situação de emergência, e suplementos de alta qualidade dirigidos às necessidades específicas de cada paciente, como parte do protocolo geral, se revelaram efetivos repetidas vezes. Além do mais, tivemos inúmeros exemplos de gente que suspendeu os suplementos — por exemplo, em um pré-operatório, ao viajar ou por estar sem naquele momento — e manifestou claro declínio nas semanas subsequentes. Essas observações sugerem que os suplementos são de fato importantes como parte de um protocolo personalizado ideal.

Como os fatores de contribuição subjacentes para o declínio cognitivo são muitos e variam de pessoa para pessoa, o arsenal de suplementos é igualmente grande e personalizado. Por exemplo, se nós, enquanto médicos que declaram oferecer tratamento para o declínio cognitivo, falharmos na avaliação e no tratamento de todos esses problemas subjacentes — resistência à insulina, inflamação sistêmica, intestino permeável, patógenos associados ao Alzheimer (como *Herpes simplex* ou *Porphyromonas gingivalis*), exposição a micotoxinas e a quimiotoxinas, apneia do sono e outras causas de dessaturação de oxigênio, anormalidades no microbioma, deficiência hormonal ou nutricional, doenças vasculares, defeitos de metilação —, estaremos oferecendo um serviço longe do ideal. Logo, como existem suplementos disponíveis para tratar todos esses fatores críticos de contribuição, eles representam uma importante parte do arsenal médico.

Examinemos assim os vários suplementos disponíveis observando as metas bioquímicas — o que queremos realizar a fim de melhorar a cognição? Conforme passamos de uma em uma, lembre-se de que metas bioquímicas idênticas podem muitas vezes ser atingidas com alimentos específicos e mudanças no estilo de vida e, na verdade, se houver escolha, é preferível pegar leve com os suplementos. Alcançar suas metas bioquímicas do jeito mais natural possível é sempre a melhor maneira. Por exemplo, você pode ajudar seu microbioma com probióticos de alimentos fermentados, como kimchi e chucrute, ou tomando cápsulas probióticas — a opção é sua. Nesse caso, novos suplementos oferecem cepas específicas de bactérias com os efeitos desejáveis, que sobrevivem ao processo digestivo melhor que as dos alimentos fermentados e contagens de colônias específicas, de modo que os alimentos fermentados e as cápsulas probióticas são na verdade complementares. Entretanto, há ocasiões em que o alimento pode não fornecer um nutriente necessário — por exemplo, vegetarianos com frequência tem deficiência em vitamina B_{12}, e assim exibem teor elevado de homocisteína, um fator de risco importante para a doença de Alzheimer, de forma que em tais casos os suplementos são fundamentais.

Observação sobre compras: existem muitas opções de alta qualidade para ervas e suplementos e é importante recorrer a marcas confiáveis. Ervas: Banyan Botanicals, Gaia Herbs, Natura Health Products, Metagenics e Cytoplan são altamente recomendadas (o que não significa dizer que outras não ofereçam ervas de qualidade, apenas que essas são confiáveis e de qualidade comprovadamente alta). Suplementos: Pure Encapsulations, Garden of Life, LifeSeasons, Metagenics, Cytoplan e Thorne, entre outros, são marcas confiáveis.

Com tudo isso em mente, vejamos a seguir as metas dos suplementos voltados ao suporte sináptico e os principais problemas que eles tratam.

Como baixar a homocisteína?

A homocisteína ideal, abaixo de sete micromols, pode exigir vitamina B_{12} (como metilcobalamina, S-adenosilcobalamina e/ou hidroxocobalamina), um miligrama ao dia, metilfolato, 0,8 miligrama ao dia (embora alguns tomem até quinze miligramas) e piridoxal-5-fosfato (P5P), vinte miligramas ao dia (cuidado com doses elevadas de piridoxina, acima de 150 miligramas, uma vez que podem causar danos aos nervos, dormência nos pés e dificultar a locomoção). Alguns acrescentam trimetilglicina, quinhentos miligramas (acima de três gramas), caso a homocisteína elevada persista. Colina adequada também ajuda e pode ser obtida a partir de sua dieta (por exemplo, gema de ovo, fígado) ou via suplementação com citicolina, colina GPC ou lecitina.

Como reduzir a inflamação sistêmica?

Para a maioria dos que seguem a dieta KetoFLEX 12/3 descrita na primeira seção do Manual, os efeitos anti-inflamatórios vão prevenir inflamação sistêmica. Entretanto, em pessoas cujo hs-CRP continua acima de 0,9 mg/dL, reduzir a inflamação é fundamental, e assim a suplementação é importante. O processo deve ser realizado em três etapas: (1) determine o que está causando a inflamação, se intestino permeável, infecção crônica, síndrome metabólica ou outra causa; (2) resolva a inflamação, usando para isso mediadores especializados pró-solução (um produto chamado SPM Active foi lançado pela Metagenics após a pesquisa seminal do professor Charles Serhan; podem ser tomadas de duas a quatro cápsulas por dia durante um mês) ou gorduras ômega-3 como DHA e EPA, a uma dosagem total de um a três gramas de gorduras ômega-3; (3) tome um grama de açafrão por dia e/ou um grama de ômega-3 por dia e/ou de um a três gramas de gengibre por dia e/ou de trezentos a quinhentos gramas de boswellia duas vezes ao dia e/ou de 250 a 350 gramas de unha-de-gato (*Uncaria tomentosa*) por dia (a unha-de-gato tem inúmeros efeitos extras, como redução do beta-amiloide). Se possível, evite danos gástricos e renais associados à aspirina e a toxicidade hepática associada ao paracetamol.

Como atingir sensibilidade à insulina?

Assim como no caso da inflamação, a dieta e o estilo de vida descritos na primeira seção do Manual devem mitigar a resistência e gerar sensibilidade à insulina para a maioria. Entretanto, mais uma vez, essa abordagem deve ser suplementada por vários compostos muito eficazes que podemos comprar sem receita: (1) berberina quinhentos miligramas três vezes ao dia é muito eficiente para o controle da glicose; (2) zinco picolinato (ou outras formas de zinco) melhora a liberação e a ação da insulina. Importante para o 1 bilhão de pessoas com deficiência de zinco no mundo todo, muitas delas em um regime de inibidores de bomba de próton para GERD (refluxo gástrico ou azia). Picolinato de zinco pode ser tomado em doses de vinte a cinquenta miligramas por dia; (3) ¼ colher de chá de canela por dia; (4) picolinato de cromo, quinhentos microgramas duas vezes ao dia; (5) o ácido alfalipoico (ou, de preferência, ácido R-lipoico) reduz os produtos finais da glicação avançada (AGEs) aumentando a enzima protetora glioxalase e por meio de seu efeito antioxidante, entre outros mecanismos, e costuma ser tomado em doses de cem a quinhentos miligramas diários; (6) melão amargo (*Momordica charantia*) e aloé vera também são usados como suplementos por seus efeitos moderados na hemoglobina A1c; (7) como observado acima, dietas e suplementos ricos em fibras melhoram o controle da glicose.

Como entrar em cetose?

Assim como a sensibilidade à insulina, a maioria de nós será capaz de atingir cetose com a dieta KETOFLEX 12/3, exercícios, um sono de qualidade e cuidados com o estresse. A cetose endógena é preferível. Entretanto, para alguns, isso pode não levar ao nível desejado (pelo menos 0,5 mM BHB e preferivelmente 1,0-4,0 mM BHB); nesse caso, óleo MCT, uma colher de chá a uma colher de sopa três vezes ao dia, com frequência é útil. Comece com uma colher de chá e aumente devagar ao longo de algumas semanas para evitar diarreia.

Também podemos tomar sais e ésteres de cetona para atingir cetose na mesma faixa. Use o medidor de cetonas Precision Xtra ou o Keto-Mojo ou Keto Guru para medir o nível cetônico. Como alternativa, embora falte precisão a medição de cetonas na urina (que mede acetoacetato) ou com um Breathalyzer (que mede acetona), ao menos permite isso que você comece o tratamento.

Como aumentar a sinalização neurotrófica?

As neurotrofinas são fatores de crescimento que apoiam os neurônios ligando-se neles a receptores específicos. Por exemplo, o fator neurotrófico derivado do cérebro (BDNF) aumenta com os exercícios e tem um efeito anti-Alzheimer. De forma similar, o fator de crescimento nervoso (NGF) auxilia os neurônios colinérgicos do cérebro, que são importantes na formação de memórias. Além de exercícios e cetonas, é possível aumentar o BDNF com extrato de fruta de café integral (WCFE), também chamado de NeuroFactor, que parece ser mais eficaz quando tomado pela manhã ou à noite, de cem a duzentos miligramas. Pode-se obtê-lo com a LifeSeasons, a Garden of Life ou outras marcas.

Outra abordagem é tomar 7,8-di-hidroxiflavona, que se liga ao receptor de BDNF e aumenta a sinalização. Ainda não se sabe a dosagem ideal; talvez seja melhor começar com 25 miligramas diários durante três dias, em seguida duas vezes ao dia por uma semana, depois três vezes ao dia.

Pterostilbeno, cinquenta miligramas diários, também aumenta o BDNF, além de incrementar a dopamina. Orotato de lítio, de cinco a dez miligramas duas vezes ao dia, também aumenta o BDNF, entre outros efeitos salutares.

ALCAR (acetil-L-carnitina) transporta ácidos graxos para as mitocôndrias para obter energia e demonstrou-se que aumenta o NGF (fator de crescimento nervoso). A dose usual é de quinhentos a mil miligramas, de uma a três vezes por dia.

Demonstrou-se que *Hericium erinaceus*, o cogumelo juba-de-leão, também chamado Yamabushitake, aumenta o NGF, reduz a inflamação e melhora a cognição em pacientes com MCI.[2] Uma dosagem de 250 a quinhentos miligramas três vezes ao dia com refeições é o usual. Alguns preferem usar esse cogumelo para fazer chá.

Além desses suplementos e ervas, há enorme potencial no uso de fatores tróficos por via nasal e espero ver uma facilidade de acesso cada vez maior a eles nos próximos anos. Em alguns casos, como insulina e NGF, há uma excelente penetração cerebral se ministrado por via nasal, enquanto em outros, como netrino-1 (que se liga à própria APP), não. Porém, para quem sofre de penetração pobre, em geral usar um pequeno fragmento ativo (peptídeo) com boa penetração é suficiente, assim, seja por meio do uso de insulina de ação prolongada, NGF, fragmentos ativos de netrin-1 ou outros penetradores ruins, eles contribuem com importante potencial para o arsenal médico geral. Tudo isso — insulina, NGF, BDNF, ADNP, netrin-1, GDNF etc. — exerce potente efeito sinalizador e de apoio para os neurônios, incrementando a sobrevivência, o desenvolvimento de processos (chamados nevrites) e a formação e retenção de sinapses. Devemos tomar cuidado para não inundar o sistema — por exemplo, não queremos piorar a resistência à insulina com níveis elevados dessa substância. Não obstante, eles representam poderosos aliados no programa geral para declínio cognitivo e esperamos que em pouco tempo estejam disponíveis.

Como aumentar o foco e a atenção?

Uma queixa comum de pessoas com declínio cognitivo é a incapacidade de manter o foco e a atenção. Esse é um primeiro passo na formação das memórias — é crucial focar e dar importância a novas informações, uma vez que detalhes pouco relevantes tendem a ser esquecidos. A cafeína serve como um conhecido incremento para o foco e a atenção. Ácido pantotênico, de cem a duzentos miligramas, também ajuda, embora devido ao seu efeito estimulante deva ser evitado na parte da tarde. Gotu kola, de cem a quinhentos miligramas, uma ou duas vezes ao dia também é eficaz. A taurina, de quinhentos a 2 mil miligramas ao dia, tem efeitos na redução da ansiedade e no aumento do foco; bálsamo de limão, de trezentos a seiscentos miligramas, também auxilia nesse sentido. Alguns preferem cheirar hortelã, que também aumenta o foco e melhora a clareza mental. ALCAR, quinhentos miligramas, também aumenta o foco.

Como melhorar a memória?

A memória é a função quintessencial do cérebro, uma propriedade complexa e de fato notável que é afetada por muitos parâmetros diferentes. O aprendizado e a memória são afetados por foco e atenção, neurotransmissores (em especial acetilcolina, glutamato e, para o feedback positivo da recompensa, dopamina), fatores tróficos (por exemplo, NGF e BDNF), sinais do AMP cíclico, leitura do DNA para produzir proteínas associadas à memória, formação e fortalecimento de sinapses, hormônios, nutrientes e genética. Todos esses processos (exceto nossa genética subjacente) podem ser modulados por vários nutracêuticos e ervas.

Como observado acima, o foco e a atenção podem ser potencializados por inúmeros agentes, como cafeína, teanina, taurina, ácido pantotênico, ALCAR, bálsamo de limão (para não mencionar uma boa noite de sono, exercícios, cetose e a insulina sem picos); a acetilcolina pode ser aumentada com citicolina (CDP-colina), de 250 a quinhentos miligramas, duas vezes ao dia; colina GPC (de quinhentos a 1200 miligramas); fosfatidilcolina (de quatrocentos a 1500 miligramas, três vezes ao dia); huperzina A (de cinquenta a duzentos miligramas, duas vezes ao dia); *Bacopa monnieri* (250 miligramas com as refeições); centrofenoxina (de quinhentos a mil miligramas), DMAE (dimetilaminoetanol), de cinquenta a duzentos miligramas; estigma de açafrão, de 25 a trinta miligramas por dia; ou maca (dos Andes; cuidado com imitações de outras origens), de meio a cinco gramas por dia. A dopamina pode ser aumentada com precursores como tirosina e fenilalanina, cofatores como piridoxina, precursores como a L-dopa encontrada em *Mucuna pruriensm*, ou inibidores de quebra de dopamina, como o fármaco selegilina ou extrato de palha de aveia (de oitocentos a 1600 miligramas por dia).

A sinalização colinérgica e glutamatérgica pode ser intensificada com um grupo de nutracêuticos chamados racetam, incluindo piracetam (de 250 a 1500 miligramas três vezes ao dia), aniracetam (de 376 a 750 miligramas duas vezes ao dia), oxiracetam (de 250 a quinhentos miligramas três vezes ao dia) e fenilpiracetam (cem miligramas duas vezes ao dia). Alguns incluem creatina (de duzentos a 5 mil miligramas diários) como suporte energético ao usar qualquer racetam. Shankhpushpi (de cem a quatrocentos miligramas) produz alguns efeitos similares aos racetam.

Os fatores neurotróficos, como observado na p. 297, podem ser ampliados com ALCAR, *Hericium erinaceus* (cogumelo juba-de-leão), extrato de fruta do café integral, pterostilbeno ou 7,8-di-hidroxiflavonas, entre outros.

A sinalização AMP cíclica pode ser incrementada com cafeína (de cinquenta a cem miligramas) e L-teanina (duzentos miligramas; com frequência combinada a fim de minimizar o batimento cardíaco acelerado só da cafeína), bem como forscolina (de 150 a 250 miligramas por dia) ou extrato de alcachofra (quinhentos miligramas), que contém luteolina. A formação de sinapses é auxiliada pelo DHA (ácido docosa-hexaenoico, uma gordura ômega-3), um grama ao dia, junto com citicolina (de 250 a quinhentos miligramas), duas vezes ao dia.

Magnésio treonato, dois gramas (que inclui 144 miligramas de magnésio), que pode ser tomado à noite, ou 667 miligramas três vezes ao dia, auxilia a transmissão sináptica, assim como fosfatidilserina, de cem a trezentos miligramas por dia. Benfotiamina, de 150 a trezentos miligramas, duas vezes ao dia, pode auxiliar na formação de memórias em pessoas com deficiência de tiamina (vitamina B_1), fundamental para o aprendizado e a formação de memórias.

Como auxiliar a função mitocondrial?

As mitocôndrias são as "baterias" de nossas células, e seu comprometimento desempenha papel crucial na neurodegeneração. Elas podem ser comprometidas por danos em seu próprio DNA ou por uma falha na taxa de reposição normal, ou ainda por danos em suas membranas ou componentes. Assim como a autofagia ativada à noite enquanto dormimos ajuda a remover componentes celulares danificados, a mitofagia, que devora as mitocôndrias danificadas e permite a produção de novas, auxilia a função neuronal otimizada.

A coenzima Q (CoQ) ou sua forma reduzida, Ubiquinol, é usada com frequência, a uma dosagem de noventa a duzentos miligramas. PQQ (pirroloquinolina quinona) é usada para aumentar a quantidade de mitocôndrias e é tomada na dosagem de dez a vinte miligramas. NAD+ (nicotinamida adenina dinucleotídeo) é uma fonte de energia essencial para as mitocôndrias e também ativa o SIRT1, que aumenta os sinais sinaptoblásticos desejados para o suporte cognitivo. Nicotinamida ribosida, de duzentos a trezentos miligramas por dia, aumenta a NAD+; um mecanismo alternativo para ativar o SIRT1 é tomar resveratrol, de 150 a quinhentos miligramas.

A proteção de mitocôndrias em geral inclui ácido R-lipoico cem miligramas, vitamina C um a quatro miligramas, tocoferóis e tocotrienóis mistos quatrocentos IU e o suporte energético inclui ALCAR quinhentos miligramas,

Ubiquinol, como acima, nicotinamida ribosida como acima e creatina de duzentos a mil miligramas por dia.

Como auxiliar as glândulas suprarrenais?

O capítulo sobre minimização do estresse oferece a melhor maneira de reduzir, evitar e administrar o estresse. Entretanto, o suporte renal suplementar com frequência é útil, e *Rhodiola rosea*, de trezentos a seiscentos miligramas (para rosavina 1%; se for usado 2%, reduza para de 150 a trezentos miligramas), costuma ser utilizada para esse propósito, junto com Schisandra, de um a três gramas por dia, com as refeições, e *holy basil*, de duzentos a seiscentos miligramas, três vezes ao dia. Eles são frequentemente combinados com raiz de alcaçuz (deglicirrhizinatado), de meio a cinco gramas ao dia.

Para quem está com baixa pregnenolona ou DHEA, pequenas doses, começando entre dez e quinze miligramas por dia, muitas vezes ajudam a restabelecer a função renal.

Como melhorar a desintoxicação?

Ver cap. 19.

Como curar o intestino?

O caldo de tutano é discutido no cap. 9. Há inúmeros outros suplementos também usados para recuperação do intestino, como L-glutamina, suco de repolho (que contém L-glutamina), ProButyrato, alcaçuz deglicirrhizinatado, *slippery elm*, Triphala e extrato de lignito (Restore, hoje chamado ION* Gut Health). Após a recuperação, que pode levar um ou dois meses, eles podem ser descontinuados ou tomados de maneira intermitente.

Como otimizar o microbioma?

Como observado antes, há cerca de mil espécies diferentes em nossa flora intestinal (ignore por ora o resto do holobioma, como o microbioma da pele, das fossas nasais e vaginal) e, embora tenham sido identificados padrões gerais em associação com doenças como Alzheimer e diabetes tipo 2, os detalhes ainda não são conhecidos. Logo, o melhor que podemos fazer atualmente é fornecer gêneros como *Lactobacillus* e *Bifidobacteria*, e então alimentar essas bactérias com prebióticos, como os encontrados na jícama ou na alcachofra-girassol.

Os alimentos são a melhor escolha para probióticos e prebióticos, como descrito no cap. 20. Porém, também estão disponíveis como suplementos. Alguns pacientes gostam de VSL3 (que é usado com sucesso na doença inflamatória intestinal), outros preferem probióticos da Garden of Life, enquanto outros preferem probióticos da Schiff, da LifeSeasons ou qualquer outra. *Saccharomyces boulardii*, de 250 a quinhentos miligramas, de duas a quatro vezes ao dia, é uma suplementação comum, em especial para pessoas com infecções intestinais como *Helicobacter pylori* ou *Clostridium difficile*. Se você está tomando antibióticos, e portanto prejudicou seu microbioma, tomar esporobióticos (derivados de esporos em vez de probióticos vivos) antes da reintrodução de probióticos após a descontinuação dos antibióticos também ajudará.

Alguns sugerem o uso de *goldenseal*, que inibe bombas de resistência a medicação bacteriana, como método para destruir algumas bactérias mais patogênicas e selecionar espécies amigáveis para o microbioma.

Como observado nos cap. 9 e 20, nossos microbiomas precisam de nutrição, o que pode ser provido por dietas ricas em fibras ou amidos resistentes, ou por suplementos com probióticos, como cascas de psyllium orgânico ou raiz de konjac (que está no PGX).

Como auxiliar a função imune?

O beta-amiloide associado à doença de Alzheimer é parte da resposta do sistema imune inato, e inúmeros patógenos foram identificados no cérebro de pacientes, como espiroquetas, bactérias orais, vírus de *Herpes* e fungos.

Assim, o suporte imune representa uma estratégia para reduzir a produção de beta-amiloide. Uma combinação utilizada pela medicina ayurvédica por muitos séculos é Amalaki (de quinhentos a mil miligramas duas vezes ao dia), *Tinospora* (trezentos miligramas três vezes ao dia) e ashwagandha (quinhentos miligramas com as refeições). Além disso, o suporte nutricional básico, como vitaminas A, D e zinco, também auxilia o sistema imune.

Ácido húmico e ácido fúlvico oferecem estímulo imune e são usados com frequência em pessoas com infecções virais como *Herpes simplex* ou *Cytomegalovirus*, ou outras infecções crônicas como doença de Lyme. Outra abordagem para pacientes com infecções crônicas é Transfer Factor PlasMyc.

Inúmeras ervas e suplementos fornecem suporte imune, incluindo AHCC (composto correlato de hexose ativa, um extrato de cogumelo, normalmente ingerido em doses de 3-6 g por dia), Avemar, Astragalus, beta-1, 6-glucano, raiz de alcaçuz, *black elderberry*, *echinacea*, folhas de oliveira, própolis e orégano.

Como otimizar a vitamina D?

O nível ideal de vitamina D é controverso. Por um lado, já se defendeu que o nível reflete o tempo passado ao ar livre, mais do que algum efeito mecanicista nos parâmetros de saúde; por outro, a vitamina D media a transcrição de centenas de genes, afetando processos críticos, como a neuroplasticidade, o sistema imune, a formação de tumores, doenças cardiovasculares e a regulação de cálcio.

Para atingir um nível de vitamina D ideal, é fácil usar a "regra das centenas": subtraia seu nível do nível almejado e multiplique por cem para determinar a dosagem aproximada. Por exemplo, se a sua meta é sessenta (e recomendo uma meta entre 50-80 ng/ml) e seu nível atual é 25 (o que é razoavelmente normal), então 60 - 25 = 35, o que significa que você tomaria 3500 IU de vitamina D. Lembre-se de incluir vitamina K_2, no mínimo cem microgramas, a fim de mobilizar o cálcio e prevenir depósitos nas paredes arteriais, e tome suas vitaminas D e K com um pouco de gordura boa (por exemplo, abacate ou oleaginosas) para melhor absorção. A dosagem geral de vitamina D deve ser mantida abaixo de 10000 IU para evitar toxicidade, e níveis séricos abaixo de 100 ng/ml – e não deixe de obter um pouco de sua vitamina D da luz do sol!

Como melhorar a circulação de sangue no cérebro?

Quando analisamos o cérebro de alguém que morreu com demência, a descoberta mais comum é o Alzheimer e, em segundo lugar, a demência vascular. Além do mais, a doença vascular é comum no Alzheimer e onipresente no Alzheimer tipo 5. Assim, a melhora da circulação cerebral pode ser muito útil e há inúmeros produtos que auxiliam nisso: óxido nítrico, que causa dilatação dos vasos sanguíneos, é aumentado com rúcula, extrato de raiz de beterraba, Neo40 (um tablete, uma a duas vezes por dia), L-arginina (de três a seis gramas, três vezes por dia), ProArgi-9 (uma colher — cinco gramas de L-arginina — em água diariamente), extrato de cortiça de pinho (Pycnogenol), até cem miligramas três vezes ao dia, assim qualquer um desses produtos pode ser usado. Abordagens alternativas incluem ginkgo (de quarenta a 120 miligramas, três vezes ao dia), nattoquinase (cem miligramas, uma a três vezes ao dia), vinpocetina (de cinco a vinte miligramas, três vezes ao dia), ou Hydergine (de um a três miligramas, três vezes ao dia). Por fim, para pessoas com contribuição vascular para o declínio cognitivo pode ser uma boa ideia adotar uma dieta vegana ou vegetariana, bem como EWOT (exercícios com terapia de oxigênio).

Como conseguir a neuroproteção

Infelizmente, o termo "antioxidante" se confunde com "proteção", quando na verdade excesso de atividade antioxidante pode interferir nos processos celulares, como o combate a infecções. Assim, a meta é obter a quantidade ideal de atividade antioxidante, não a máxima. Isso inclui proteção das membranas com vitamina E (tocoferóis e tocotrienóis misturados, 400 IU), bem como vitamina C (um a quatro gramas ao dia), inúmeros fitonutrientes protetores nos vegetais (discutidos nos cap. 4 a 12) e glutationa (um antioxidante, desintoxicante e protetor celular fundamental), para começar. Um antioxidante dirigido a mitocôndrias, mitoquinol, foi desenvolvido para possível uso em doenças neurodegenerativas.[3] O TUDCA (ácido tauroursodeoxicólico) também promete, como neuroprotetor,[4] e costuma ser ministrado em dosagens de trezentos a mil miligramas por dia.

Existem múltiplas abordagens para incrementar a glutationa: a N-acetilcisteína (de quinhentos a seiscentos miligramas, de uma a três vezes ao dia) é um precursor da glutationa. Como a glutationa em si é de difícil absorção, pode ser ingerida como glutationa lipossomal (250 miligramas, duas vezes ao dia), glutationa S-acetil (cem miligramas, duas vezes ao dia) ou como glutationa por via nasal ou intravenosa.

Além desses suplementos básicos, há dezenas de vias e centenas de compostos que oferecem neuroproteção, então a forma que funciona melhor para você depende de seu subtipo — tenha você inflamação, perda trófica, exposição a toxinas, dano vascular, histórico de traumatismo. A vitamina D é um bom anti-inflamatório, assim como estigma de açafrão, gorduras ômega-3 e outros listados na p. 295, e minimizar a inflamação é crucial para a neuroproteção. Estradiol é outro neuroprotetor, e neuroestereoides protetores, como pregnenolona e DHEA, podem ser comprados sem receita.

As neurotrofinas, discutidas acima, estão entre os neuroprotetores mais potentes. Na verdade, um dos efeitos protetores das cetonas se dá pela regulação do BDNF. Entretanto, para otimização dos efeitos, a inflamação deve ser minimizada e o glutamato, balanceado com GABA.

22. Calibragem:
Quando não dá certo de primeira

Problemas não são placas de PARE, são orientações.
Robert H. Schuller

São coisas assim que me motivam a levantar da cama pela manhã:

Escrevo para lhe contar do extraordinário progresso feito por minha esposa, diagnosticada com Alzheimer em janeiro de 2018, desde que iniciou o Protocolo RECODE. Hoje quero lhe dizer que ela continua a fazer ÓTIMO progresso. O protocolo salvou sua vida. Ganhei minha esposa de volta e nossos filhos e netos ganharam sua mãe e avó.

E coisas assim me mantêm acordado à noite:

Estou MUITO desanimada porque meu marido não mostrou nenhum sinal claro de melhora, apesar de todas as nossas tentativas.

Como saber se tudo está funcionando como deveria? Como saber se estamos no caminho certo? Em geral, demoram algumas semanas para os resultados dos exames chegarem e o protocolo ser iniciado e, depois, alguns meses para otimizar as diversas partes do programa individualizado. Quando isso é feito — lembre-se de que o processo degenerativo subjacente à doença de Alzheimer pode evoluir por dez ou até vinte anos antes do diagnóstico, assim não deve surpreender que leva algum tempo para ser impactado —, as pessoas costumam notar melhora em três a seis meses. Vimos melhora em quatro dias e em mais de um ano, mas três a seis meses é o normal.

Betsy, 79 anos, passou a sofrer com perda de memória após a anestesia para uma histerectomia aos 66 anos. Ela foi diagnosticada com Alzheimer aos 74 anos e receitada com Aricept, que depois foi suspenso porque não ajudou e a deixou agressiva. Mesmo após significativa intervenção no estilo de vida para diabetes, seus sintomas de demência continuaram a progredir, incluindo síndrome do pôr do sol aos 75 anos, em que se sentia confusa e muito agitada a partir das quatro da tarde e fazia as malas para voltar para a sua mãe (que falecera muitas décadas antes). Isso prosseguiu por três anos até ser avaliada pelo dr. Wes Youngberg, que pediu exames abrangentes do Protocolo Bredesen. A despeito de suas pontuações cognitivas extremamente baixas (MOCA 0/30 e miniexame do estado mental de 1/30), houve reviravolta quando seu marido começou a lhe dar suplementos nutricionais específicos parar tratar homocisteína elevada (em quinze) e uma enfermidade autoimune previamente não diagnosticada. A melhora mais significativa ocorreu após adicionar orotato de lítio, dez miligramas diários. Após três anos sem conseguir ler, recuperou a capacidade de ler palavras na TV, nas manchetes de jornais e nas placas de trânsito. Para grande alívio de seu marido, depois de seguir essa nova estratégia durante apenas um mês, a síndrome do pôr do sol praticamente sumiu, com menções ocasionais a sua mãe uma ou duas vezes por semana. Esse desafio importante foi resolvido por meio da atenção cuidadosa a áreas do protocolo que não haviam sido de todo abordadas antes.

A causa mais comum para a falta de resposta ao tratamento é não segui-lo direito. Você não precisa se cobrar demais — sabemos que é desafiador cumprir as inúmeras partes do programa e, de fato, estamos tentando simplificá-lo —, mas o processo subjacente da doença infelizmente é complicado. A boa notícia é que não necessariamente precisamos seguir cada passo do programa, porque o mais importante é o limiar que você precisa ultrapassar para continuar seguindo na direção certa. Não há como medir esse limiar de maneira direta, assim você só precisa continuar fazendo o ajuste até a melhora ter início.

A segunda causa mais comum de resposta ruim ao tratamento é deixar de identificar e atacar algum fator de contribuição, como infecção, intestino permeável ou exposição a toxinas. Logo, não desista depois de apenas algumas semanas de tentativas iniciais — continue a otimizar sua resposta e a trabalhar com seu médico e *health coach*.

Além desses dois problemas, há diversos outros pontos fundamentais a serem analisados para termos certeza de obter a melhor chance de melhora:

Você checa suas cetonas e a faixa costuma ficar entre 1,0 e 4,0?

Esse nível está associado à melhora ideal. Pessoas com níveis baixos em torno de 0,2 a 0,5 (medidos em milimols de beta-hidroxibutirato, ou mM BHB) em geral não se saem tão bem. Talvez você tenha de usar óleo MCT ou sais ou ésteres de cetona para atingir esse nível, sem esquecer de interromper o ciclo uma vez por semana com um pouco de batata-doce ou similar, mas esse nível de cetose está associado à maior chance de melhora.

Sua pontuação no BrainHQ ou MoCA estabilizou, declinou ou melhorou?

Para a maioria das pessoas, a melhora subjetiva, como notar evolução da memória, maior envolvimento nas conversas ou mais organização, está associada à melhora objetiva, como pontuações mais altas em MoCA, BrainHQ ou CNS Vital Signs. Em outras palavras, essas coisas em geral andam juntas. Entretanto, às vezes as pessoas não percebem até que ponto melhoraram de fato, então é importante você observar suas pontuações para ver como tem se saído. Lembre-se de que a história natural do Alzheimer é de declínio incessante, assim até progressos modestos ou estabilidade representam um sinal auspicioso de que você está no caminho certo.

Já descartou apneia do sono? Sua oximetria não mostra eventos de dessaturação noturna?

Um dos fatores de contribuição mais comuns para o declínio cognitivo que não costumam ser detectados é a apneia do sono — quando paramos de respirar momentaneamente à noite e nosso oxigênio fica reduzido. Em geral, achamos que isso ocorre com homens com sobrepeso que roncam, mas na verdade tanto homens quanto mulheres, com qualquer peso, roncando ou não, podem ter seu nível de oxigênio reduzido à noite (com ou sem apneia do sono), assim é fundamental saber se isso é um fator de contribuição para seu declínio cognitivo, mesmo se sua cognição estiver "normal". É fácil de ser feito e seu médico pode emprestar um oxímetro por algumas noites para você checar ou você pode comprar um. Você deve permanecer entre 96% e 98% de saturação de oxigênio noturna, sem descer abaixo de 94%. O importante é constatar que você tenha menos do que cinco eventos de apneia (suspensão da respiração) por hora — o assim chamado AHI (índice de apneia-hipopneia) de menos de cinco — ou, de preferência, zero.

Você curou seu intestino permeável e ingere probióticos e prebióticos (nos alimentos ou suplementos)?

A boa notícia aqui é que é relativamente fácil curar seu intestino e melhorar seu microbioma, e isso vai lhe ajudar de muitas maneiras, como nutrição, imunidade, desintoxicação e melhora do humor. A má notícia é que a maioria dos médicos ignora seu status intestinal, assim se isso não foi checado e sua cognição não está melhorando, não deixe de cuidar disso. O objetivo é eliminar o intestino permeável (você pode checar com Cyrex Array 2, por exemplo) e disbiose (flora intestinal anormal).

Você se exercita pelo menos quatro vezes por semana? Tanto treinamento cardiovascular como de força?

Como observado no cap. 13, o exercício tem múltiplos mecanismos para melhorar a cognição, como aumentar o suporte cerebral BDNF e melhorar a sensibilidade à insulina e o status dos vasos sanguíneos. Se você se exercita minimamente ou é sedentário, é importante fazer algo mais intenso. Experimente um personal trainer para ver se gosta, mas independentemente de como fizer, exercite-se pelo menos durante 45 minutos, quatro vezes por semana.

Você tem um *health coach* que pode ajudar a manter as coisas otimizadas? (Ou cônjuge ou parceiro que pode fazer o mesmo?)

Um paciente chamado Ken me disse: "Preciso de uma dominatrix?". Respondi que ele estava falando com a pessoa errada, mas compreendi o que quis dizer — alguns precisam adotar a abordagem da cenoura/incentivo, enquanto outros preferem a abordagem da vara/desincentivo, assim ajuda saber suas próprias propensões e preferências. Alguns preferem um *health coach* pessoal, outros preferem trabalhar em grupo; alguns preferem aulas presenciais, outros, à distância; alguns preferem que o cônjuge ajude — faça o que for melhor para você. A propósito, Ken optou por um treinador para exercícios com pesos e ocasionalmente um *health coach*, e está indo muito bem.

Seu médico compreende essa abordagem?

Isso pode ser muito importante, em especial se seu médico não pede os exames certos, não trata os fatores críticos de contribuição do declínio cognitivo ou está excessivamente pessimista. Talvez você já tenha ouvido falar no efeito placebo, mas pouca gente sabe o que é o efeito nocebo. Trata-se do efeito prejudicial à saúde que ocorre devido às expectativas negativas, e essas expectativas são comuns quando seu médico ou outra pessoa de autoridade lhe diz que você tem uma doença intratável.

Você está usando a dieta KetoFLEX 12/3 (ou algo similar)?

Os muitos efeitos diferentes dessa dieta — cetose, autofagia, sensibilidade à insulina, suporte nutricional, suporte mitocondrial, suporte imune, desintoxicação — destinam-se a melhorar a cognição e impedir o declínio cognitivo, assim, se você ainda não está seguindo essa dieta, talvez esteja arruinando suas chances de melhora cognitiva.

Você otimizou seus parâmetros bioquímicos?

Você tem hs-CRP < 0,9, insulina em jejum, 3,0-5,0, hemoglobina A1c, 4,0-5,3, vitamina D, 50-80? Hormônios e nutrientes otimizados? Homocisteína, ≤ 7? B_{12}, 500-1500? RBC Mg > 5? Otimizar esses parâmetros metabólicos é crítico para fornecer a sinalização sinaptoblástica de que precisamos para combater o declínio cognitivo, assim, se você continua subótimo em qualquer um deles, chegar à faixa certa provavelmente é importante.

Se esses parâmetros estão otimizados, você fez um exame de WCFE?

Na sigla em inglês, WCFE é extrato de fruta de café integral e seu efeito é aumentar de maneira significativa o BDNF (fator neurotrófico derivado do cérebro, que auxilia os neurônios). Se o seu status metabólico está otimizado, você curou seu intestino permeável e resolveu a inflamação, deveria ser capaz de reconstruir suas sinapses, e o BDNF tem uma contribuição fundamental (junto com vitamina D, estradiol, testosterona, hormônio da tireoide, citicolina, DHA e outros). Além disso, o dr. Keqiang Ye, da Universidade Emory, identificou um composto chamado 7,8-di-hidroxiflavona (vendido sem receita) que aglutina o receptor BDNF, causando assim um efeito similar.

Você identificou e tratou todos os patógenos?

Se estiver contaminado por *Borrelia*, *Babesia*, *Bartonella* ou outros patógenos, eles devem ser tratados — se possível, sem uso de antibióticos (ou, se usar antibióticos, monitore com cuidado a cognição, e se houver declínio, mude para um tratamento sem antibióticos). Os patógenos podem residir em seu sangue, suas fossas nasais, sua boca (por exemplo, com periodontite), seu intestino, seu cérebro, sua pele ou outros órgãos. Além de destruir patógenos, restaurar o microbioma ideal desses diversos locais oferece um suporte importante para a melhor cognição.

Você identificou e tratou toxinas (metalotoxinas, toxinas orgânicas e biotoxinas), otimizando a taxa de desintoxicação?

O sangue do cordão umbilical de recém-nascidos atualmente contém centenas de toxinas — somos expostos a uma panóplia de toxinas nunca vista antes na história. Elas com frequência contribuem para o declínio cognitivo. A boa notícia é que podemos identificá-las — que podem ser metais como mercúrio, substâncias orgânicas como tolueno ou formaldeído, ou biotoxinas como tricotecenos — e removê-las aos poucos. Uma dica fundamental: a desintoxicação excessivamente agressiva pode na verdade agravar os sintomas, assim é importante trabalhar com acompanhamento médico — de preferência, um especialista em detox — para ajustar seu ritmo. Livros excelentes sobre desintoxicação foram publicados recentemente, como *The Toxin Solution*, do dr. Joseph Pizzorno — útil em particular para toxinas químicas como benzeno, fluoreto, bisfenol A (BPA) e ftalatos — e *Toxic*, do dr. Neil Nathan — útil em especial para biotoxinas, como as produzidas por mofo como tricotecenos.

Se você tem micotoxinas, já se tratou com colestiramina (ou outros agentes aglutinantes como Welchol, argila, carvão ou zeólito)? Peptídeo intestinal vasoativo (VIP) via nasal? Eliminação de MARCONS? Seu C4a voltou ao normal? A MMP-9 voltou ao normal?

Se você sofre de exposição a micotoxinas (que pode ser verificado com uma amostra de urina), reduzir a exposição e excretá-las será fundamental para otimizar sua cognição. Não só essas toxinas produtoras de mofo danificam diretamente seu cérebro, como também comprometem seu sistema imune, exatamente o que você quer evitar na doença de Alzheimer.

Seu nível de glutationa está otimizado?

A glutationa é como uma avó — ela o protege contra muitos inimigos. Ela é fundamental para o detox e é um antioxidante-chave. É muito importante manter o nível ideal de glutationa — na verdade, a glutationa baixa é comum com a exposição crônica a toxinas, uma vez que estamos literalmente exaurindo nossos mecanismos de limpeza. Logo, certifique-se do nível ótimo de sua glutationa — no mínimo 250 mcg/ml, ou seja, 614 micromols. Você pode aumentar sua glutationa ingerindo o precursor dela, NAC (N-acetilcisteína), ou tomando glutationa lipossomal, glutationa S-acetil ou glutationa via nasal, e alguns com toxicidade grave tomam glutationa intravenosa ou inalada. Além do mais, há muitos outros fatores que ajudam a desintoxicar, como descrito no cap. 19, como sulforafano, diindolilmetano e ascorbato.

Você incluiu estímulos cerebrais?

Descobrimos que os resultados ideais estão com frequência associados à inclusão de uma forma de estímulo cerebral — seja por estímulo luminoso, como Vielight, de laser desfocado, magnético, como MeRT (terapia e-ressonante magnética) ou outra abordagem. Claro que o treinamento cerebral representa uma forma de estímulo cerebral, mas como complemento pode-se incluir pelo menos uma dessas modalidades físicas no protocolo geral, sobretudo na presença de uma bioquímica otimizada.

Chegou a hora de pensar em células-tronco?

Se tudo já foi devidamente tratado e otimizado e a melhora ainda não ocorreu ou você sente que estagnou, considere a alternativa das células-tronco. Tome cuidado — quando o assunto são células-tronco, há inúmeros charlatães por aí. Mas atualmente estão sendo feitos ensaios clínicos com células-tronco para o Alzheimer em lugares como Dallas, Panamá, Nova York e outros.

Se adotarmos as diretrizes delineadas no Manual, começarmos o mais cedo possível, continuarmos a otimizar e usarmos a abordagem de calibragem delineada aqui, seremos capazes de reduzir a carga global da demência. Será possível fazer do Alzheimer uma doença rara, como deve ser. E assim praticamente eliminar esse mal ainda nesta geração.

Epílogo:
O triunfo da medicina do século XXI

Eu a conheci antes que fosse virgem.
Oscar Levant, sobre Doris Day

Talvez você não se lembre de Doris Day — uma importante atriz e cantora das décadas de 1950 e 1960, que projetava uma imagem tão virtuosa que foi apelidada de "a virgem mais velha do mundo". O mordaz pianista Oscar Levant comentou que a conhecera antes da adoção dessa imagem e, assim, "antes que fosse virgem".

Embora uma coisa pareça não ter nada a ver com a outra, é assim que me sinto em relação à medicina. Sim, por mais bizarro que possa soar, conheci a medicina antes que tivesse a ver com saúde! Antes que tivesse a ver com tratar o que de fato causa a doença. É difícil acreditar hoje nas coisas horrivelmente prejudiciais que os médicos faziam a si mesmos e a seus pacientes, coisas que, com tristeza, muitos continuam a fazer. Os médicos não só fumavam, como ainda por cima faziam comerciais para vender cigarro! Dificilmente se exercitavam e era comum serem obesos e desenvolverem problemas cardiovasculares precoces; tinham hábitos de alimentação horríveis e diziam a seus pacientes que a nutrição não era importante no tratamento de doenças; muitas vezes, negligenciavam o sono, em detrimento da necessidade de clareza de discernimento; deixavam de avaliar exatamente os processos que causavam doenças que alegavam cuidar; tratavam doenças crônicas complexas com remédios ineficazes; e muitos focavam menos nas necessidades do paciente do que nas políticas voltadas para o lucro do hospital ou nos remédios empurrados pelos representantes de vendas.

Na faculdade de medicina, estudávamos, praticávamos e aprendíamos medicina de estágio terminal — estudando e procurando sinais de metástase, insuficiência cardíaca e demência, anos depois das enfermidades associadas que deveríamos identificar e tratar.

Quando penso em tudo isso, é desanimador lembrar como era ruim. Era como treinar por anos para ser professor de meditação e depois berrar constantemente com seus alunos — não fazia sentido. Pior ainda, essas práticas antiquadas são repassadas para toda nova turma de medicina. Como disse um educador: "Sabemos que estamos mentindo para os alunos, mas eles continuam acreditando em nossas mentiras, então continuamos a contá-las". Uma abordagem não muito progressista, sem dúvida!

Fui criado na década de 1960, um período de revoluções sociais. Uma época em que não se considerava notícia o presidente pedir uma bola extra de sorvete. Em que os movimentos de base estavam mudando a estrutura social, a música, a arte, as guerras. Precisamos de um movimento como esse agora para provocar um deslocamento tectônico na saúde — no modo como a pensamos, aprendemos, praticamos e nos beneficiamos dela.

Felizmente, as mudanças começaram a ocorrer, pelo menos em algumas especialidades. De fato, a medicina do século XXI, focada nas causas das doenças e nos fatores que contribuem para elas, valendo-se de um tratamento programático em vez da monoterapia, representa uma mudança de paradigma em relação à medicina do século XX. Essas transformações estão trazendo resultados melhores do que nunca — contra o declínio cognitivo, diabetes tipo 2, hipertensão, artrite reumatoide, lúpus, depressão, intestino permeável, transtornos do espectro do autismo e outras enfermidades crônicas. Mas, para prejuízo de todos, o novo paradigma é adotado apenas a contragosto — apesar dos resultados melhores, as faculdades de medicina resistem em lecionar a medicina do século XXI. Assim, a vasta maioria dos médicos ainda pratica uma medicina drive-thru, calcada no bloquinho do receituário, que ignora a fisiologia subjacente aos processos das doenças. Devido a essas práticas, a atual revolução médica, embora tenha sido relativamente pouco anunciada e discutida até o momento, é possivelmente a revolução de maior derramamento de sangue da história, que continuará a reclamar a vida de bilhões de pessoas com doenças crônicas até modernizarmos e otimizarmos nossas práticas, até a medicina e a tecnologia ficarem indelevelmente integradas, até a medicina e a saúde se tornarem uma e até médicos e pacientes — na verdade, toda a sociedade — assumirem a responsabilidade pela saúde mundial.

Assim como o século XX presenciou o virtual fim de flagelos como pólio, sífilis e lepra, o século XXI verá o de Alzheimer, Parkinson, doença de corpos de Lewy, esclerose múltipla, autismo, esquizofrenia, artrite reumatoide, lúpus, colite ulcerativa e outras doenças crônicas complexas. Essas doenças entrarão para a história como males do século XX, dramaticamente agravadas por uma combinação letal de patógenos crônicos não diagnosticados, um coquetel tóxico como nunca se viu no mundo, suprimento alimentar não fisiológico, comprometimento do sistema imune, estilos de vida cronicamente estressantes e, no geral, a tentativa fútil que quase toda nossa espécie costuma fazer de aspirar a uma vida que se desvia de forma significativa de nossa capacidade de design evolucionário.

Assim, o caminho a seguir é claro. Sabemos o que procurar em cada indivíduo, identificar os fatores contribuintes, como lidar com cada um deles. Agora precisamos pôr esse conhecimento em prática, aperfeiçoá-lo e empregá-lo em larga escala. Arrumar a cognição passará a ser algo tão rotineiro quanto alinhar os dentes.

Nossa filha se casou este ano e não pude deixar de pensar no mundo em que ela cresceu — um mundo de e-mails, redes sociais, tuítes, celulares, ferramentas de busca, comércio eletrônico e armazenamento na nuvem. Completamente diferente daquele em que cresci. Ela criará seus filhos em um mundo em que felizmente o Alzheimer não será o flagelo que foi para minha geração.

Cada um de nós é um experimento com um único paciente. Que seu experimento seja bem-sucedido, gratificante, alegre e duradouro.

Agradecimentos

Antes de mais nada, agradeço à minha esposa, Aida, cujo foco sempre foi melhorar a vida dos pacientes, e a nossas filhas, Tara e Tess. Agradeço a Julie Gregory e Aida por suas leituras críticas do livro. Agradeço a Phyllis e Jim Easton, e a Diana Merriam e à Evanthea Foundation, por seu comprometimento em fazer a diferença para pessoas com doença de Alzheimer. Também sou grato a Katherine Gehl, Jessica Lewin, Wright Robinson, dr. Patrick Soon-Shiong, Douglas Rosenberg, Beryl Buck, Dagmar e David Dolby, Stephen D. Bechtel Jr., Gayle Brown, Lucinda Watson, Tom Marshall e a Joseph Drown Foundation, Bill Justice, Dave Mitchell, Josh Berman, Marcus Blackmore, Hideo Yamada e Jeffrey Lipton.

Agradeço o inestimável treinamento dos professores Stanley Prusiner, Mark Wrighton (chanceler), Roger Sperry, Robert Collins, Robert Fishman, Roger Simon, Vishwanath Lingappa, William Schwartz, Kenneth McCarty Jr., J. Richard Baringer, Neil Raskin, Robert Layzer, Seymour Benzer, Erkki Ruoslahti, Lee Hood e Mike Merzenich.

Sou grato também aos pioneiros e especialistas da medicina funcional que estão revolucionando a área e a saúde: drs. Jeffrey Bland, David Perlmutter, Mark Hyman, Dean Ornish, Ritchie Shoemaker, Neil Nathan, Joseph Pizzorno, Ann Hathaway, Kathleen Toups, Deborah Gordon, Jeralyn Brossfield, Kristine Burke, Ilene Naomi Rusk, Jill Carnahan, Sara Gottfried, David Jones, Patrick Hanaway, Terry Wahls, Stephen Gundry, Ari Vojdani, Prudence Hall, Tom O'Bryan, Chris Kresser, Mary Kay Ross, Edwin Amos, Susan Sklar, Mary Ackerley, Sunjya

Schweig, Sharon Hausman-Cohen, Nate Bergman, Kim Clawson Rosenstein, Wes Youngberg, Craig Tanio, Dave Jenkins, Miki Okuno, Ari Vojdani, Elroy Vojdani, Chris Shade, *health coaches* Amylee Amos, Aarti Batavia e Tess Bredesen, e os mais de 1500 médicos de dez países e por todos os Estados Unidos que participaram e contribuíram para o curso focado no protocolo descrito neste livro; e indivíduos corajosos como Kristin, Deborah, Edna, Lucy, Frank e Edward, que, com sua disciplina e comprometimento, auxiliam tantas outras pessoas na luta contra o declínio cognitivo. Além disso, agradeço a Lance Kelly, Sho Okada, Bill Lipa, Scott Grant, Ryan Morishige, Ekta Agrawal, Jane Connelly, Lucy Kim, Melissa Manning, Gahren Markarian e à equipe da Apollo Health, por seu extraordinário trabalho com o algoritmo, a codificação e os relatórios do ReCODE; a Darrin Peterson e à equipe da LifeSeasons; a Taka Kondo e à equipe da Yamada Bee; e a Hideyuki Tokigawa e sua equipe de documentário.

Nada do que é descrito neste livro teria sido possível sem os extraordinários membros do laboratório e colegas com quem trabalhei nas últimas três décadas. Pelas fascinantes discussões, pelas inúmeras trocas de ideias, pelas incontáveis horas de experimentação, pela paciência em repetir muitas vezes os experimentos e pela dedicação inabalável em incrementar a saúde e o conhecimento da humanidade, sou grato a Shahrooz Rabizadeh, Patrick Mehlen, Varghese John, Rammohan Rao, Patricia Spilman, Jesus Campagna, Rowena Abulencia, Kayvan Niazi, Litao Zhong, Alexei Kurakin, Darci Kane, Karen Poksay, Clare Peters-Libeu, Veena Theendakara, Veronica Galvan, Molly Susag, Alex Matalis e a todos os demais membros presentes e passados do Bredesen Laboratory, bem como a meus colegas no Buck Institute for Research on Aging, UCSF, Sanford Burnham Prebys Medical Discovery Institute e UCLA.

Por sua amizade e muitas discussões ao longo dos anos, agradeço a Shahrooz Rabizadeh, Patrick Mehlen, Michael Ellerby, David Greenberg, John Reed, Guy Salvesen, Tuck Finch, Nuria Assa-Munt, Kim e Rob Rosenstein, Eric Tore e Carol Adolfson, Akane Yamaguchi, Judy e Paul Bernstein, Beverly e Roldan Boorman, Sandy e Harlan Kleiman, Philip Bredesen e Andrea Conte, Deborah Freeman, Peter Logan, Sandi e Bill Nicholson, Mary McEachron e Douglas Green.

Por fim, sou grato à extraordinária equipe com quem trabalhei neste livro: pela redação e edição, Corey Powell e Robin Dennis; pelos números, Joe LeMonnier; pela revisão do original, Deirdre Moynihan; aos agentes literários, John Maas e Celeste Fine of ParkFine; e às editoras Caroline Sutton e Megan Newman e à Avery Books na Penguin Random House.

Índice remissivo

Os números das páginas em itálico se referem a ilustrações ou gráficos

23andMe, 189, 265
7,8-di-hidroxiflavonas, 47, 297, 299, 311

abacate, 109, 114, *124*
açafrão em pó, 116
ácido alfalipoico, 43, 109, 296
ácido estomacal inadequado, 139
ácido linoleico conjugado (CLA), 157
ácidos graxos ômega-3, 185-6; ALA (ácido alfa-linolênico), 122, 128, 185-6, 191, 201; beterraba e, 170; cognição e, 115, 161; conversão de ALA em EPA, 185-6, 191; da linhaça, 128, 185; de aves, 165; de oleaginosas, 127, 185; de ovos, 163; de peixes, 160, 162-3; deficiências em, 160, 185; dieta dos ancestrais humanos e, 157; EPA (ácido eicosapentaenoico), 33, 122, 161, 185-6, 191, 201, 295; fontes de, 122, 185; formação de sinapses e, 47, 170, 185, 300; homocisteína e, 161, 193; inflamação e, 49, 123, 295, 305; maximizando a neuroproteção de, 49, 161; níveis de, em exames, 33, 161, 186; portadores do ApoE4 e, 186, 191-2; proporção AA para EPA, *33*; proporção de ômega-6 para ômega-3, *33*, 123, 161, 186, 201; relatórios FoundMyFitness e, 266; *ver também* DHA
ácidos graxos ômega-6, 122-3, 161
ácidos graxos saturados (SFAs), 123, 126, 134, 201
ACTIVE, estudo, 247
açúcar, 82, 86-8, 97, 99, 139, 277
adoçantes artificiais, 139, 172-4
agachamentos diários, 211, *212*
agentes anestésicos, 270-1, 283-5
AGEs (produtos finais da glicação avançada), 167, 278, 296
aglutinina de germe de trigo (WGA), 89
agricultura, 95, 98, 157
água, 99, 276
AHI (índice de apneia-hipopneia), *36*
Ahn, Andrew, 10
ALA (ácido alfalinolênico), 122, 128, 185-6, 191, 201
albumina, 31, *33*
álcoois de açúcar, 173
álcool, 138, 181-2, 218
alergias e sensibilidades alimentares, 131, 137-8, 155-6

αCTF, 26
aliáceas, 109, 113, 120, 147
alimentos fermentados, 153, 188, 279
alimentos processados, 85-8, 97, 108
ALT (alanina aminotransferase), 35, 274
alumínio, 138, 271-2
Alzheimer, Alois, 40
Alzheimer, doença de: causas teóricas da, 23; como diabetes tipo 3, 79; como resposta protetora a agressões, 29; como terceira principal causa de morte, 21, 22; emergência social da, 38; erradicação da (ver estilo de vida KetoFLEX 12/3); incidência da, 21, 38; lutas associadas com a, 57; perigos de atrasar o tratamento da, 59; reversão da (ver também programa ReCODE), 18; sintomas da, 11, 64, 65; sobreviventes da, 66; tipos de, 40-1, 57
Alzheimer tipo 1, 40, 57
Alzheimer tipo 1,5, 40-1, 58
Alzheimer tipo 2, 40, 57
Alzheimer tipo 3: amidos resistentes e, 148; compra de café e, 129; depressão e, 58, 222; desintoxicação reduzida e, 266, 275; principais mofos associados com, 290; programa DNRS e, 235; recuperando, 210; requisitos de proteína e, 159; sensibilidade ao estresse, 280; sobre, 41; status negativo para ApoE4 e, 61
Alzheimer tipo 4, 41
Alzheimer tipo 5, 41, 304
amêndoa, 127
amendoim, 131, 137
amidos resistentes, 58, 106, 141, 145, 147-52, 149, 154
amiloide/beta-amiloide (Aβ): azeite de oliva extravirgem e, 125; café e, 129; como resposta protetora a agressões, 26, 36, 48, 54; dieta KetoFLEX 12/3 e, 75; efeito da beterraba em, 170; exposição ao metal e, 272; meditação e, 233; microbioma intestinal e, 287-8; potencial aglutinador da curcumina, 116, 280; produção de, 26, 49-50; progressão de doenças neurodegenerativas e, 65; resposta inflamatória e, 40, 47; sistema glifático e, 205, 216; sistema imunológico e, 302; sono e, 216, 264; teste, 91; toxinas ligadas a, 26; unha-de-gato e, 295
aminoácidos essenciais, 183, 201
análise das fezes, 36
Anaplasma, 35, 50, 290
Anel Oura, 265
antiácidos, 138-9
antibióticos: disfunção gastrintestinal e, 138; em proteínas animais, 99, 157, 163-4; microbioma e, 50-1, 136, 154, 284, 288, 302; micróbios resistentes a, 282, 291; suplementos probióticos e, 154; tratamento de patógenos e, 51, 156, 290, 312
anticorpos, 34, 35, 167, 178
antidepressivos, 138
anti-histamínicos, 138, 223
antitireoglobulina, 34
anti-TPO (peroxidase tireoidiana), 34
aparelho CPAP (pressão positiva contínua nas vias aéreas), 53, 217
ApoE2, 97, 98, 188
ApoE3, 29, 97, 98
ApoE4, 17, 30; agricultura e, 98; ApoE4.info (organização sem fins lucrativos) e, 70, 254; capacidade de resposta ao programa ReCODE e, 61; cetose e, 82; conhecimento de status e, 189; consumo de álcool e, 181; dieta dos ancestrais humanos e, 97; dieta mediterrânea e, 122; emergência evolutiva do, 97, 98; gorduras dietéticas e, 123; gorduras saturadas e, 134; intensidade do exercício e, 213; jejum e, 55, 103, 107; monitoramento de cetonas e, 78; níveis de ômega-3 e, 161, 186, 191; níveis de vitamina A (retinol) em, 188; permeabilidade da barreira hematoencefálica e, 90; produtos orgânicos e, 118; resistência à insulina e, 78; risco genético de Alzheimer e, 28; teste genético e, 265; utilização de glicose reduzida em portadores de, 81
Apollo Health, 256
aprendizagem, busca de, 242-5

argila de bentonita, 283
arrastamento cerebral, 235
arroz, 90, 151
arsênico, 34, 90, 151, 269, 271-2, 277
aspirina, 48, 138, 295
AST (aspartato aminotransferase), 35, 274
atenção plena, 231-3
autoanticorpos, 34
autofagia, 75, 102-3, 105, 125, 160, 218
AVCs, 204
aveia, 90, 152
azeite de oliva extravirgem (EVOO), 111, 124-5, 130, 197
azeitona, 114-5

Babesia, 16, 35, 36, 50, 60, 290, 312
balança de cozinha, 263
barbitúricos, 138
barreira sangue-cérebro, 34, 90-1, 117, 142, 160, 163, 286
Bartonella, 35, 50, 290, 312
batata-doce, 92
BDNF (fator neurotrófico derivado do cérebro), 47, 73, 125, 161, 205, 246, 289, 297-8, 299, 305, 310-1
benzeno, 34, 41, 51, 269, 276, 281, 312
benzodiazepinas, 138, 222
berberina, 43, 252, 296
beta-amiloide *ver* amiloide
beterraba, 170-1
bifenilpoliclorados (PCBs), 163, 272
Bifidobacteria, 154, 287, 289, 302
biopelículas, 282, 291
biotoxinas, 51, 56, 270, 274, 281-2
Borrelia, 16, 35, 36, 48-50, 60, 290, 312
BPA/BPS (bisfenol A e bisfenol S), 119, 150, 162, 277, 312
Brain Maker (Perlmutter), 144
BrainHQ, 246, 248, 266, 308
Bredesen, Aida Lasheen, 70
brócolis/broto de brócolis, 114
BUN (nitrogênio ureico no sangue), 35, 274

C31, 26
C4a (produto dividido de complemento 4a), 35, 274, 313
cacau em pó, 176
cádmio, 34, 163, 165, 175-6, 271-2, 278
café, 103, 128-9, 178, 180
cafeína, 218, 298
cálculo de frequência cardíaca máxima, 211
caldo de tutano, 141-4, 158
caminhando, 206-8
caminho da Nrf2, 114, 129
campos eletromagnéticos, 99, 219
canais radiculares, 250
câncer, 16, 22, 102, 129, 166, 252
Candida, 286, 290
canela, 43, 49, 111, 115, 126, 141, 296
carboidratos: dementógenos em, 278; eliminação de carboidratos simples, 85-8; marcadores de glicose e, 121; monitoramento da proporção de macronutrientes e, 198-9; produtos químicos comestíveis em carboidratos simples, 99
carcinógenos, 52
carne de veado, alerta para não comer, 167
carotenoides, 115
carvão, 283, 313
CD57 (grupamento de diferenciação 57), 35
células-tronco, 46, 64, 314
cereais: como amidos resistentes, 152; dependência de, 95; dieta dos ancestrais humanos e, 97, 98; eliminando, 89-92; em alimentos processados, 99; lectinas em, 119, 151; proteína animal e, 164-5
cérebro: evolução do, 94; fluxo sanguíneo para o, 304; papel de suporte da gordura no, 122; patógenos no, 49; requisitos de combustível para o, 94, 204; tamanho do, 94-5; *ver também* formação/suporte de sinapses
cetonas: café e, 129; consumo de fibra e, 98; flexibilidade metabólica e, 102; gripe cetogênica e, 107; hipometabolismo de glicose cerebral e, 81; monitoramento, 257, 260-1, 308; promoção de gorduras de, 121; resistência à insulina e, 260

cetose, 79-84; abacate e, 114; aspectos neuroprotetores da, 78; autofagia e, 102; café e, 129; cognição e, 82-4, *82*; como obter, 44; confusão cognitiva e, 259; consumo de álcool e, 181-2; demência vascular e, 78; doenças cardiovasculares e, 78; em nossos ancestrais humanos, 98; fome e, 261; gripe cetogênica e, 107; medidores de cetona e, 63, *63*; monitoramento da proporção de macronutrientes e, 194; níveis ideais de, 55, 63, 80, 82; oleaginosas/sementes e, 128; processo de, 73; quando, 44-5; reconhecendo a sensação da, 195; resistência à insulina e, 43, 77; sobre, 43-5; suplementos de cetona, 103, 105, 296

chá *matcha*, 117

chá verde, 103, 117

chumbo, *34*, 116, 165, 175-6, 278, 281

circulação, aumento da, 75

citomegalovírus (CMV), *35*, 51

Clostridium difficile, 302

cobre, 34-5, 47, 188-9, 271-3

cognição: café e, 128; cetose e, 77, 82-3, *82*; cognoscopia e, 21, *23*, *32*, 256, 265; declínio durante o programa ReCODE, 62; declínios associados a terapias medicamentosas, 11; declínios sutis em, 20; dieta mediterrânea e, 122; ensaios clínicos em tratamentos personalizados de, 56; estatinas e, 133; exercício e, 204; frutos silvestres e, 169; hipometabolismo de glicose cerebral e, 81-2; níveis de vitamina D e, 187; oxigenação e, 53; periodontite e, 252; pirâmide alimentar do cérebro e, 96; pirâmide alimentar original e, 96; potencialização da, 29; revertendo declínios, 46; saúde intestinal e, 136; testes que avaliam contribuintes para declínios em, 31-2, *33-6*, 37, 39, 91

cognoscopia, 21, *23, 32*, 256, 265

cogumelos, 109, 146, 187, 297

colágeno em pó, 48

colesterol: avelãs e, 127; azeite de oliva extravirgem e, 125; consumo de açúcar e, 87; CoQ10 e, *34*; doenças cardíacas e, 131-4, *132-3*; estatinas e, 133; ésteres de cetona e, 45; gorduras dietéticas e, 131, 134; HDL/HDL-C (colesterol "bom") e, *33*, 125, 131-2, *132-3*; LDL/LDL-C (colesterol "ruim") e, 114, 125, 127, 131-2, *132-3*; LDL-P e, 45; óleo MCT e, 44-5; papel do, no Alzheimer, 134; portadores de ApoE4 e, 123, 131; risco de Alzheimer e, 42; síndrome metabólica e, 32; triglicérides e, *33*, 49, 131, *132*; valores de referência para, *33*

colesterol de lipoproteína de alta densidade (HDL-C), 131-2

colestiramina, 283, 313

colina, 47, 158, 160-1, 167, 170, 185-6, 192-3, 284, 295

complexo B, 47, 146, 193; *ver também vitaminas B específicas*

conexão social, 240-1

confusão mental, 108, 137

constipação, 141

consumo de carne, 97, 99, 280; *ver também proteína animal*

CoQ10 (coenzima Q10), *34*, 300

cortisol, *34*, 47, 129, 224, 232, 241, 245

creatinina, *34*, 274

Cronometer (diário alimentar), 131, 185, 200-1, 262

crustáceos, 163

Cunnane, Stephen, 81

curcumina, 49, 105, 109, 116

custos do tratamento do Alzheimer, *39*

Cyrex Array 2, 48, 309

Cyrex Laboratories, 91

dança, 245-6

dano oxidativo, 114

defecação (evacuação), 141

déficit cognitivo leve (MCI), *39*, 59, *65*, 83, 146, 205, 266, 297

déficit cognitivo subjetivo (SCI), 39

demência vascular, 78, 134, 304

dementógenos, 269-85; agentes anestésicos, 283-5; biotoxinas, 270; desintoxicação e, 278-80; determinação do nível de exposição tóxica e, 271-5; efeitos viciantes dos, 270;

minimizando exposições a, 275-8; prevenção/tratamento de exposições a, 275-85; sobre, 269-70; toxinas de metal, 270, 271-2; toxinas orgânicas, 270, 273-4; tratamento específico, 280-5
dentição *ver* problemas de saúde bucal e dentição
depressão, 58-9, 64, 222
Descartes, René, 9
desconforto gastrintestinal, 154, 159-60
desempenho físico, piorado, 108
desidratação, 107
desintoxicação: alimentos que sustentam, 108, 113-4, 145, 147, 170, 274, 279, 283; bebidas detox, 103; consumo de álcool e, 181; dados genéticos nas vias de, 265; dementógenos e, 270, 275; determinação do nível de exposição tóxica e, 271-5; estilo de vida KetoFLEX 12/3 e, 75; importância crítica da, 52, 269; jejum durante a noite e, 102-3; microbioma intestinal e, 144, 287; otimização de, 278-80; papel das fibras na, 274, 279; recursos em, 271, 312; toxinas de metal e, 272; toxinas liberadas na queima da gordura e, 108; toxinas orgânicas e, 274
DGL (de alcaçuz), 48, 140-1
DHA (ácido docosa-hexaenoico), 160-1; conversão de ALA em, 185, 191; diário alimentar Cronometer e, 201; fontes de, 122; formação/suporte de sinapses e, 47, 160-1, 300, 311; inflamação e, 295; níveis ideais de, 161, 186; portadores de ApoE4 e, 191; vegetarianos/veganos e, 191
DHEA (desidroepiandrosterona), 47, 301, 305
DHEA-S (sulfato de desidroepiandrosterona), 34
diabetes: café e, 129; carboidratos simples e, 86-7; como fator de risco, 32; disfunção intestinal e, 136; erradicação do, 16; jejum e, 104; níveis de hemoglobina A1c e, 87, 122; níveis de insulina em jejum e, 87; obesidade e, 86; pirâmide alimentar original e, 96; prevalência de, 87, 88; resposta inflamatória e, 87; síndrome metabólica e, 32
diabetes do cérebro (diabetes tipo 3), 23

dieta KetoFLEX 12/3, 47, 71-84; alimentos a eliminar, 85-93; como estilo de vida, 73-5, 74; efeitos colaterais da, 77; esbaldando-se nos alimentos "proibidos", 85-92; flexitarianismo na, 158; foco nos mecanismos neuroprotetores, 75-6; pacientes com baixo peso e, 58; saúde metabólica e, 73, 77; sensibilidade à insulina e, 43, 75; sobre, 73; solução de problemas e, 311; *ver também* pirâmide alimentar do cérebro; macronutrientes
dieta mediterrânea, 76, 91, 115, 122
dietas de eliminação, 155-6
diretrizes da pirâmide alimentar, 91, 95-6, 95; *ver também* pirâmide alimentar do cérebro
disruptores endócrinos, 278
DNA oral, 36
doença cardiovascular: Alzheimer tipo 4 e, 41; cetose e, 78; como causa de mortalidade principal, 22; declínio cognitivo e, 60; erradicação da, 16; exercício e, 204; gorduras saturadas e, 134; gorduras saudáveis e, 122; hemoglobina A1c (HgbA1c) e, 131, 132-3; jejum e, 102; marcadores de risco para, 132, 134; níveis de colesterol e, 132; periodontite e, 252; resistência à insulina e, 134
doença celíaca, 89
doença da vesícula biliar, 131
doença de corpos de Lewy, 64, 66
doença de Lyme, 35, 36, 48-50, 290, 303
doença do desgaste crônico, 167
doença do refluxo gastroesofágico (GERD), 139-40, 159
doenças autoimunes, 102, 119, 136, 287
doenças complexas, 19
doenças, prevenção e erradicação, 16, 317
donepezil, 59
Doze Sujos do Environmental Working Group, 118, 277
drogas anticolinérgicas, 138, 222-3
drogas anti-inflamatórias (AINEs), 49, 138

Eat Fat, Get Thin (Hyman), 75, 134
Eat to Live (Fuhrman), 75

EBV (vírus Epstein-Barr), 35, 51
Ehrlichia, infecções, 16, 35, 50, 290
encefalopatia traumática crônica, 64
EPA (ácido eicosapentaenoico), 33, 122, 161, 185-6, 191, 201, 295
equipe de saúde, 254-6
ergotioneína, 146
ERMI (Índice Relativo de Mofo Ambiental), 35, 52, 276, 279, 282
ervas e especiarias, 111-2, 115, 117, 294
espiroquetas, 36
espirulina, 185
estados assintomáticos de doenças neurodegenerativas, 64, 65
estatinas, 133
estilo de vida KetoFLEX 12/3: capacidade cognitiva e, 83; componentes de, 74, 74, 82-3; efeitos sinérgicos de, 83; objetivos de, 77, 84; saúde metabólica e, 77, 84; solução de problemas, 306-14; tempo necessário para ver a melhora, 306
estilos de vida sedentários, 99, 214
estimulação cerebral, 313
estímulos combinados ao programa ReCODE, 64
estradiol, 34, 47, 305, 311
estresse, 229-38; desintoxicação e, 280; disfunção gastrintestinal e, 139; estratégias cotidianas para redução, 237-8; exercício e, 204; microbioma intestinal e, 287; sensibilidade à insulina e, 43; sono e, 221, 224; técnicas de manejo, 230-8
estrogênio, 46, 141, 224, 245
evacuação ("cocô"), 141
exames de imagem de ressonância magnética, 23, 29, 59, 169, 192
exames de imagem para calcificação da artéria coronária, 133
exercícios, 203-14; aeróbicos, 204; agachamentos diários, 211, 212; autofagia e, 102; benefícios fisiológicos de, 204-6; benefícios neuroprotetores dos, 203-6, 210; caminhar, 206-8; com elásticos, 209; com treinamento de oxigênio (EWOT), 213, 304; conexão mente-corpo e, 210; contornando as limitações, 214; estilo de vida KetoFLEX 12/3 e, 74, 74; fatores neurotróficos e, 47; frequência cardíaca máxima e, 211; glicose no sangue e, 259; higiene do sono e, 218; manejo do estresse e, 238; movendo-se ao longo do dia, 214; mudanças na rotina dos, 208-9; sensibilidade à insulina e, 43, 204; solução de problemas e, 310; toxinas liberadas na queima de gordura e, 109; treinamento intervalado de alta intensidade, 211-2; treino de força, 106, 159, 206
exercícios respiratórios, 232-3, 232
Experiências Adversas na Infância, 230
exposição à luz azul, 99, 218
exposição a wi-fi, 99, 220
extrato de fruta de café integral, 47, 297, 299, 311

fatalidades associadas ao Alzheimer, 21
fator de crescimento endotelial vascular (VEGF), 274
fator de crescimento nervoso ver NGF
fatores de risco para Alzheimer e declínio cognitivo, 16, 31-2, 37, 40-1
fatores tróficos (fatores de crescimento), 26, 32, 40-1, 46-7, 56, 79, 87, 297, 299; ver também BDNF; NGF
ferramentas de monitoramento de alimentos, 131
ferramentas para coleta de dados, 256-66
ferro, 140, 271-2
fibras, 98, 109, 134-5, 141, 145, 199, 274; ver também prebióticos
fígado (dietético), 109, 158, 161
fígado (humano), 181, 279
filtros de ar HEPA, 276, 282
fim do Alzheimer, O (Bredesen), 31, 73
fitatos, 89
flavanóis de cacau, 174-7
flexibilidade metabólica, 43, 73, 77, 102, 198, 204, 259

foco e atenção, 298
FODMAPs, 120, 155-6
folato (vitamina B9), 33, 113, 163, 186, 193
folhas/verduras escuras, 111-2, 117
fome, 104, 261
fora de casa, tempo passado, 206
formação/suporte de sinapses: ácidos graxos ômega-3 e, 47, 161, 170, 186, 300; células-tronco e, 46; cetose e, 75; colina, 161, 170, 186; como meta do programa ReCODE, 45, 293; CoQ10 (coenzima Q10) e, 300-1; DHA e, 47, 160-1, 300, 311; escolhas nutricionais e, 125, 160, 170, 185; exercícios e, 205; extrato de fruta de café integral e, 311; fatores neurotróficos e, 47, 73, 161, 205, 311; fatores tróficos via nasal e, 298; função de memória e, 299; hormônio do crescimento e, 47; matéria-prima do suporte sináptico, 75; música e, 245; níveis de hormônio e, 47; reconstrução sináptica, 45, 47; sinalização sinaptoblástica, 26, 27, 29, 31, 56, 293, 311; vegetarianos/veganos e, 186; vitamina D, 187
formaldeído, 52, 312
FoundMyFitness, 189, 266
FreeStyle Libre, 43
frutas, 111-2, 168-71, 168
frutas cítricas, 169
frutas silvestres, 169, 171
frutas tropicais, 170-1
função executiva, 205-6, 224, 233
fungos, 51, 111-2, 290-1

GABA (ácido gama-aminobutírico), 142, 223, 287
ganho de peso, 131
gases, 120, 137, 155, 178
gasto energético diário total (TDEE), 195-6
genética: como guia para escolhas alimentares, 189-94; predisposição à doença de Alzheimer, 16, 28; teste genético, 265
gengibre, 49
gengivite, 32, 48, 250, 253, 276
Genova Diagnostics, 48

GERD (doença do refluxo gastroesofágico), 139-40, 159
GGT, 274
GI Effects, teste, 48
gliadina, 89-90, 92
glicose: Alzheimer tipo 1,5 e, 40-1; amidos resistentes e, 148-9; cereais e, 91; cerebral, hipometabolismo da, 81-2; consumo de álcool e, 182; consumo de frutas e, 170; consumo de mel e, 174; doenças cardiovasculares e, 132; eliminação e, 141; exercício e, 259; flexibilidade metabólica e, 102; fornecida pelo fígado, 82; gorduras saudáveis e, 121, 152; hemoglobina A1c (HgbA1c) e, 132; índice glicêmico e, 111, 111-2; monitoramento, 32, 43, 104-5, 257-9; proteína animal e, 166; queimando, 79; resposta ao estresse e, 230
glicose em jejum, 32, 33, 55, 78, 80, 83, 198, 260
glifosato: como toxina do microbioma, 281, 288; desintoxicação e, 280; disfunção gastrintestinal e, 139; exames para, 34, 273; OGM e, 118; operações de alimentação animal concentrada e, 157; produtos contaminados com, 269, 277; safras de cereais e, 90; três mecanismos de, 273
glutamato, 142
glutationa: agentes anestésicos e, 283-4; alimentos que promovem a produção de, 108, 113, 147; exposição a toxinas e, 273; fungos e, 146; intravenosa, 282, 305; maximizando a neuroproteção e, 304; opções para incrementar, 305, 313; redução em, 270; suplementos para aumentar, 279, 282, 305; testes bioquímicos e, 274; valores de referência para, 34
glúten, 89-92; alimentos sem glúten, 91, 152; constipação e, 141; GERD e, 139; mimetismo molecular com laticínios e, 92, 178; minimizando exposições a, 275; sensibilidade ao, 34, 89-92, 178; sintomas de abstinência e, 91
goitrogênicos, 120
gordura abdominal (visceral), 80

gordura, toxinas liberadas durante a queima de, 108
gorduras monoinsaturadas (MUFAs), 122, 126
gorduras polinsaturadas (PUFAs), 122-3, 126
gorduras prejudiciais, 130
gorduras saudáveis, 121-35, *124*; cozinhar com, 125; de animais, 123; diretrizes da Associação Americana de Cardiologia e, 97; diretrizes para a escolha, 124; em abacates, 114, *124*, 130; em oleaginosas/sementes, *124*, 126-8, 130; glicose no sangue e, 152; jejum e, 104; monitoramento da proporção de macronutrientes e, 197-8; monoinsaturadas, 122, 126; mudanças na necessidade de, 77, 130, 198; plano de ação para, 130; polinsaturadas, 122-3, 126; produção de cetona e, 121; riscos, 130-5; saturadas, 123, 126; vegetais e, 110-1
gorduras trans, 123, 130, 277
Gregory, Julie, 70
Guggul, 283

hara hachi bu, 92
HDL/HDL-C (colesterol de lipoproteína de alta densidade; colesterol "bom"), *33*, 125, 131-2, *133*
HeartMath, 235-6
Helicobacter pylori, 302
hemácias, 34, 311
hemoglobina A1c (HgbA1c), 32, *33*, 41, 55, 78, 80, 87, 122, 131-3, *133*, 259, 311
herbicidas, 118, 277
herpes labial, 250-1, 289
Herpes, vírus da família do, 16, *35*, 36, 51, 60, 250-2, 289-90, 294, 303
HERTSMI-2 (lista de efeitos para a saúde dos formadores de tipo específico de micotoxinas e inflamógenos, segunda versão), *35*
HHV-6, 16, *35*, 36, 51
hidratação, 108-9, 218
hipertensão, 16, 32, 96, 263
hipoglicemia, 80, 104-5, 218
hipotensão, 263

hipotireoidismo, 139
HOMA-IR (avaliação do modelo homeostático de resistência à insulina), *33*, 80, 127
homocisteína: ácidos graxos ômega-3 e, 161, 193; cognoscopia e, 32; colina e, 192-3; doenças complexas e, 19; exames para, 274; metilação prejudicada e, 266; MTHFR e, 193; níveis elevados de, 113, 129, 158, 161, 166, 186, 192; redução de, 162, 295; solução de problemas e, 311; tendência do café a elevar a, 129; valores de referência para, *33*, 62, 186, 311; vegetarianos/veganos e, 294; vitaminas B e, 113, 186, 193, 294
hormônios: Alzheimer tipo 2 e, 40; importância da otimização, 56; níveis ideais de, 25, 32, 46-7; proteína animal e, 165; solução de problemas e, 311; terapia de reposição hormonal, 224-5
hormônios de crescimento, 47, 157, 164
hs-CRP (proteína C reativa de alta sensibilidade), 31, *33*, 295, 311
HSV-1, *35*, 36, 51, 251, 289
HSV-2, *35*, 51, 251
humanos ancestrais: alimentos pré e probióticos de, 145; amidos resistentes e, 145, 147; caldo de tutano e, 142; consumo de frutas de, 168; estilo de vida caçador-coletor de, 203; estilo de vida cetogênico de, 79, 98; evolução do cérebro humano e, 94-5; exposição ao solo e, 154; fibra na dieta de, 98, 279; gene ApoE4 e, 29, 97-8; leite de vaca e, 178; proporção de ômega-3 para ômega-6 e, 123, 201; proteína animal e, 157-8; ritmos circadianos e, 217; tubérculos e, 150

IGF-1 (fator de crescimento semelhante à insulina), elevação do, 167
iHeart, dispositivo usado na ponta do dedo, 135, 263
ImmuKnow, 36, 37
IMPACT, estudo, 246-7
imunoglobulinas, 37
inchaço, 120, 137, 155, 178

índice de massa corporal (IMC), *33*, 58, 80, 105, 159, 204, 262
índice/efeito glicêmico, 111, *111-2*, *146*, 150-1, 168
indústria farmacêutica, 10-1
infecções, 16, 28, 60, 289-91
infecções sinusais, 48
inflamação: Alzheimer tipo 1 e, 40; Alzheimer tipo 1,5 e, 40; causas comuns de, 31-2, 48; cereais e, 89-90; como fator de risco, 16, 31-2; de infecções não reconhecidas, 50; de laticínios, 178-9; depressão e, 58; diabetes e, 87-8; dieta KetoFLEX 12/3 e, 75; doenças complexas e, *19*; esbaldando-se nos alimentos "proibidos", 85-92; intestino permeável e, 32; jejum e, 102; microbioma intestinal e, 287; molho refogado para diminuir a, 115; oxalatos e, 120; padrões moleculares associados a patógenos e, 54; produção de amiloide e, 40, 48; resolução e prevenção, 47, 49, 56, 295; riscos para a saúde associados à, 29; síndrome metabólica e, 32; testes de laboratório para, 31, *33*
infobesidade, 76
ingestão de iodo, 108n, 120
inibidores da bomba de próton (PPIs), 138-40, 188
Institutional Review Board, 23
insulina em jejum, 32, *33*, 40-1, 55, 58, 80, 83, 87, 131, 259, 311
insulina, papel da, 42-3
intestino permeável: caldo de tutano e, 142-4; causas de, 48; como causa da inflamação, 32, 48, 295; declínio cognitivo e, 60, 62; disfunção gastrintestinal e, 155; exames para, *33*, 48; falha em identificar/tratar, 294, 308; intolerância à histamina e, 121, 143, 156; medicamentos anti-inflamatórios não esteroides e, 49; papel das lectinas em, 119; proteínas gliadina e, 90; risco de Alzheimer e, 42; solução de problemas e, 309
intolerância à histamina, 121, 143, 155-6
intolerância à lactose, 178

ioga, 209, 214, 236
iogurte, 180
Itzhaki, Ruth, 251

Jcasp, 26
jejum: autofagia e, 102-3, 105; cetose e, 44; duração do, 55, 101, 103, 107; estilo de vida KetoFLEX 12/3 e, 74, 74; exercício e, 204; fome vs. hipoglicemia e, 104-5; gripe cetogênica e, 107; incapacidade de jejuar e, 80; na base da pirâmide alimentar do cérebro, 101-9; perda de peso excessiva e, 105; quebrar, com bebida desintoxicante, 103; refeições e, 103; resistência à insulina e, 103-4; riscos, 107-9; sensibilidade à insulina e, 101; suplementos de cetona e, 105; suplementos e, 105; tempo de, 101-3, 107; transição para períodos mais longos de, 104; transportadores ApoE4 e, 55, 103, 107
Journal of the American Medical Association, The, 11

Lactobacillus, 115, 154, 283, 287, 290, 302
lascas de cacau, 176
laticínios, 92, 178-81; alergias/sensibilidades alimentares e, 137; glutamina e, 143; inflamação por, 178-9; intolerância à lactose e, 178; iogurte, 180; kefir, 180; leite, 179-80; plano de ação para, 180; queijo, 180; riscos, 181; sensibilidade ao glúten não celíaco (NCGS) e, 90; vitamina D e, 187
LDL oxidado, *33*, 133
LDL pequeno e denso, *33*, 114, 133
LDL/LDL-C (colesterol de lipoproteína de baixa densidade; colesterol "ruim"), 114, 125, 127, 131, *132-3*, 181
LDL-P (quantidade de partícula LDL), *33*, 45, 114, 133
lectinas, 90, *111-2*, 119, 127, 130, 149-51
Leeuwenhoek, Antonie van, 9
legumes, *111-2*, 119, 149-50, 160, 188
leite, 179-80; *ver também* laticínios
leptina, 274

levantamento de peso, 106, 159
levedo nutricional, 184, 187, 189
leveduras, 51
L-glutamina, 48, 140, 301
lignanas, 128
linhaça, 127-8, 141, 146, 185
LINX, teste de Alzheimer, 91
lipídios, 42, 125, 131-4, *132*, 287
Longo, Valter, 158

macronutrientes, 194-202; determinação do gasto de energia diário total (TDEE), 195; monitoramento, 200-2, 263; proporções ideais de, 196-202
magnésio, 34, 47, 224
MARCONS, 35, 282-3, 291, 313
marisco, 163
medicamentos para azia (IBP), 138-40
medicina funcional, praticantes de, 255-6
medicina, século XXI, 55, 71-2, 316
médicos, 310
médicos ayurvédicos, 40
meditação, 231-4
mel, 173-4
melatonina, 223
memória, melhora da, 298, 300
mercúrio: Alzheimer tipo 3 e, 41; ataques terroristas de Onze de Setembro de 2001 e, 272; causas potenciais de Alzheimer e, 23; como fator de risco, 60; consumo de peixe e, 162-3, 269, 271, 275; desintoxicação e, 281, 312; doenças complexas e, *19*; em amálgamas dentários, 250-1, 271, 277; exames para, 34, 37, 251; identificação e remoção, 51, 56; ligado por amiloide, 26; menopausa/andropausa e, 275; poluição do ar, 269; proteína animal e, 165
Mercury Tri-Test, 34
metais pesados, 119, 165, 175-6
metionina, 158
micotoxinas (toxinas de fungos), 18; Alzheimer tipo 3 e, 41; doenças complexas e, *19*; identificando e removendo, 51-2; infecções por, 290-1; inflamação associada a, 49; minimizando as exposições a, 276; na Finlândia, 269; reexposições a, 61; risco de declínio cognitivo e, 16; solução de problemas e, 313; tratamento de, 281-2
micotoxinas urinárias, 35, 274
microbiomas, 50, 286-91; capacidade cognitiva e, 136; disbiose em, 48; exposição ao solo e, 99; importância da cura/otimização, 56; probióticos de alimentos ou suplementos e, 294; restaurando, 48; solução de problemas e, 309; suporte para cura/otimização de, 301-2; uso de antibióticos e, 51, 288; *ver também* saúde intestinal
micronutrientes, 201
mindfulness ver atenção plena
minerais, níveis ideais de, 34
mitocôndrias, 23, 56, 75, 102, 122, 204, 223, 226, 297, 300-1
MMP-9 (matriz metaloproteinase), 35, 274, 313
MOCA (Montreal Cognitive Assessment), 35, 60, 266, 308
mofo, 131; *ver também* micotoxinas
monitoramento contínuo de glicose (CGM), 43, 218, 262
monoterapia, ideologia da, 10, 23
MSH (hormônio estimulante de alfamelanócitos), 35, 274
MTHFR (metileno-tetra-hidrofolato redutase), 193
mudanças comportamentais associadas à neurodegeneração, 64-6
música, 244-5
Mycobacterium vaccae, 289

N-acetilcisteína, 109, 279, 282, 284, 305, 313
Neu5Gc (ácido N-glicolilneuramínico), 164, 167
neurodegeneração relacionada ao trauma, 41, 64
neuroplasticidade, 239-49
neuroprotetores, 304-5
neurotrofinas, 47, 297-9, 305

Newport, Mary e Steve, 82
NGF (fator de crescimento nervoso), 40, 46-7, 146, 297
níveis de oxigênio: eventos noturnos de dessaturação e, 32, 53-4, 60, 264; importância da otimização, 56; oxigenação diurna pobre, 53
nori, verde ou roxa, 187
nutrientes: Alzheimer tipo 2 e, 40; deficiências de, 60, 95; dieta KetoFLEX 12/3 e, 75; importância dos, 56; microbioma intestinal e, 287; níveis ideais de, 25, 32, 46-7; solução de problemas e, 311

obesidade, 80, 86, 86, 96, 136, 287
OGMs (organismos geneticamente modificados), 118
Okinawa, dieta de, 92, 158
oleaginosas e sementes, 120, 124, 126-8, 130-1, 149, 160, 189
óleo de amendoim, 130
óleo de canola, 130
óleo de coco, 82, 103, 106, 124, 180
óleo de palmiste, 130
óleo de peixe, 49
óleo de soja, 130
óleo MCT, 44-5, 58, 63, 103, 105-6, 124, 129, 260, 296, 308
óleos, 99, 124
operações de alimentação animal concentradas (CAFOs), 157
ovos, 137, 160-1, 163, 166, 187
oxalatos, 120, 171
oxímetros, 53, 216, 263-4
Ox-LDL (LDL oxidado), 33, 133

P300b (onda positiva em trezentos milissegundos) no teste de resposta evocada, 35
pacientes abaixo do peso, 58
PAMPs (padrões moleculares associados a patógenos), 54
paracetamol, 295
parasitas, 28, 36
Parkinson, doença de, 16

patógenos: doenças complexas e, 19; exames para, 36; identificar e tratar, 49-51, 56, 63; padrões moleculares associados a, 54; solução de problemas e, 312
Patrick, Rhonda, 266
pedras nos rins, 121
peixes e frutos do mar, 160, 162-3, 269, 271, 277
peptídeo intestinal vasoativo intranasal, 282
peptídeos, 26
perda de peso, 131, 261
perda de sinapse: Alzheimer e, 29, 40; sinalização sinaptoclástica e, 27, 28-9, 31, 40, 56, 293
perda muscular, proteção contra a, 75
perda óssea, proteção contra a, 75
periodontite, 32, 48, 56, 250, 252-3, 290
pesticidas, 99, 118, 277
picada de carrapato, infecções de, 16, 35, 36, 50, 60
pico de frequência alfa no EEG quantitativo, 35
picolinato de cromo, suplemento de, 43, 296
pilates, 209, 214
pipoca, 152
pirâmide alimentar do cérebro, 96; declínio cognitivo e, 96; efeitos colaterais de, 100; jejum na base de, 101-9; Nível 1 (ver jejum); Nível 2 (ver gorduras saudáveis; vegetais); Nível 3 (ver saúde intestinal); Nível 4 (ver proteína animal; frutas); Nível 5 (ver álcool; laticínios; adoçantes); sobre a, 99-100; vegetais e, 110-21
Plant Paradox, The (Gundry), 75, 120, 213
plásticos, 278
podômetros, 262
polifenóis, 115, 125
poliomielite, 15
poluentes orgânicos persistentes, 108, 163
poluição do ar, 99, 269, 275-6
Porphyromonas gingivalis, 36
potássio, 34
prebióticos, 48, 141, 145-7, 146, 154, 173, 279, 288; *ver também* amidos resistentes

precursores de neurotransmissores, 47
pré-diabetes, 32, 87
pregnenolona, 34, 47, 49, 301, 305
pressão arterial, 75, 204, 263
probióticos, 48, 141, 145, 153-4, 180, 279, 287-8
problemas de saúde oral e dentição, 32, 36, 48, 51, 60, 250-3, 277, 290
ProButyrate, 48
produtos enlatados, 119, 150, 277
produtos orgânicos, 118-9, 277
produtos químicos, 270, 281
progesterona, 34, 47, 224-5, 283
programa ReCODE: criticado por ser caro/complicado, 72; cumprimento do programa, 62; declínio cognitivo contínuo e, 62; desenvolvimento do, 31; dieta do (ver dieta KetoFLEX 12/3); ensaio clínico para protocolo, 22, 56; estímulo combinado ao, 64; experiência do primeiro paciente com o, 56, 60; fases de melhora no, 61; importância da identificação de patógenos/toxinas no, 63; limiar da melhora e, 60-1; melhoras prolongadas com, 62; níveis de cetose e, 63; otimização de parâmetros no, 62-3; pacientes abaixo do peso e, 58; pacientes em estágios posteriores e, 61; reinicializando pacientes de longo prazo, 64; remoção, resiliência e reconstrução em, 42-56; reveses no progresso e, 61; status de ApoE4 e, 61; testes de laboratório e, 37; tratando alguns (mas não todos) fatores de contribuição, 60; ver também estilo de vida KetoFLEX 12/3
proporção A/G (de albumina para globulina), 31, 33
proporção cintura/quadril, 33
proporção de AA para EPA (ácido araquidônico para ácido eicosapentaenoico), 33
proporção de cobre para zinco, 35, 188-9
proporção TG para HDL, 33, 132
propósito/paixão, 242
proteases, 26
proteína: autofagia e, 102; monitoramento da proporção de macronutrientes e, 196; monitorando com o Cronometer, 201; perda excessiva de peso durante o jejum e, 106; ver também proteína animal; proteína vegetal
proteína animal, 157-71; aves, 164; cálculo das necessidades proteicas, 158-60; como opcional (ver também proteína vegetal), 183; de criação em pasto/orgânica, 123, 124; de origem silvestre/caça, 158, 160; exposição a cereais e, 164, 166; fontes de, 158, 162-5; ovos, 160-1, 163, 166; peixes e frutos do mar, 160, 162-3, 165; plano de ação para, 165; riscos, 165-7; saúde do cérebro e, 160-2; ver também alimentos específicos, incluindo ovos
proteína precursora de amiloide (APP), 25-6, 27, 40, 272, 298
proteína vegetal, 160, 183-5, 184
pseudocereais, 119
pseudodemência, 58-9

qigong, 236-7
Quinze Limpos do Environmental Work Group, 118, 277

radicais livres, 23
Rao, Rammohan, 210
RBC Mg (magnésio eritrocitário), 34, 311
receptor H2, antagonistas do, 138
recomendações dietéticas de baixo teor de gordura, 85
reducionismo na medicina, 9-10
refeições: antes de dormir, 101-2, 106, 218; planejamento/preparação de, 107, 140; quantidade, 103; técnicas culinárias e, 278
relações impactadas por doenças neurodegenerativas, 64-6
relaxantes musculares, 138
repelente de insetos, 99
reservas de glicogênio, esgotando as, 102
resistência à insulina, 26; café e, 129, 180; carboidratos e, 86, 131; cetose e, 43, 77; como fator de risco, 16, 32, 60; desenvolvimento da, 79-80; doenças complexas e, 19; doenças crônicas e, 102; em pacientes com demência

vascular ou cardiopatia, 134; estados assintomáticos da, 43; exercício e, 204; fome/desejo de comida e, 102; jejum e, 103-4; metas de KetoFLEX 12/3 e, 77, 84; microbioma intestinal e, 287; níveis cetônicos, 260; no cérebro, 77, 81, 87; noz-pecã e, 127; obesidade e, 80; pirâmide alimentar original e, 96; portadores do ApoE4 e, 78; prática *hara hachi bu* e, 92; prevenção de, 78; redução na capacidade de queima de gordura e, 83; restaurando a sensibilidade à insulina, 42-3, 55, 88; sintomas e marcadores de, 80; sobre, 26, 79-80; testes de laboratório para, 32, 33

resultados de laboratório dentro dos limites "normais", 61

resveratrol, 105

revertendo declínio cognitivo e Alzheimer, 18, 46

Riley, Pat, 38

rins, 280

ritmos circadianos, 99, 102-3, 129, 206, 217, 223, 226

Ross, Mary Kay, 18

sabonetes atóxicos, 274

Saccharomyces boulardii, 302

SAD (dieta americana padrão), 42

sais ou ésteres de cetona, 45, 58, 63, 105, 134, 260, 296, 308

sAPPα (APP solúvel), 26

sAPPβ (APP solúvel), 26

saturação de oxigênio noturna (SpO2), 35

saúde intestinal, 136-56; alergias/sensibilidades alimentares e, 137-8; alimentos prebióticos e, 48, 141, 145-7, 146, 154; alimentos probióticos e, 48, 141, 145, 153-4, 153; alimentos que sustentam, 145-54; amidos resistentes e, 147-52, 149, 154; causas comuns de disfunção intestinal, 138-9; estratégias para otimizar a digestão, 140-1; plano de ação para, 154; riscos, 154-6; *ver também* microbiomas

saúde metabólica, 73, 74, 77, 84, 114, 175

sauna, 109, 219, 279-80, 283, 285

Schnaider-Beeri, Michal, 10

sdLDL (LDL pequeno e denso), 33, 114, 133

secretagogos, 47

selênio, 34, 47, 109, 127, 131

sensibilidade à insulina: cetose e, 78; dieta KetoFLEX 12/3 e, 43, 75; jejum e, 101-2; metas de insulina e, 55; produção de cetona e, 105; regulando o desejo de comida, 102; restaurando, 42-3, 55, 88; suplementos para apoiar, 296

sensibilidade ao glúten não celíaca (NCGS), 89-90

Serhan, Charles, 295

Shoemaker, Ritchie, 281-2

SIBO (supercrescimento bacteriano no intestino delgado), 136-7, 155, 159

sinalização sinaptoblástica, 26, 27, 29, 31, 56, 293, 311

sinalização sinaptoclástica, 27, 28-9, 31, 40, 56, 293

sinapses *ver* formação/suporte de sinapses

síndrome do intestino irritável (IBS), 137, 155, 159

síndrome metabólica, 32, 49

sintomas da doença de Alzheimer, 11, 64, 65

sistema de retreinamento neural dinâmico (DNRS), 235

sistema glifático, 205, 216

sistema imune, 37, 54, 56, 303

sistema linfático, 210

sítio alfa/beta/gama, 26

sítio da caspase, 26

slippery elm, 48, 301

sobreviventes da doença de Alzheimer, 66

solanáceas., 119, 121, 137-8, 143, 151

solo saudável, 99, 154

solução de problemas do protocolo, 306-14

sono, 215-28; apneia do sono, 43, 53, 56, 60, 216-7, 309; autofagia e, 102, 218; boas práticas de higiene do, 217-21; capacidade cognitiva e, 216; consumo de álcool e, 181; dispositivos CPAP e, 53, 217; dormir de lado, 216; exposição à luz azul e, 99, 218, 226-8;

forro para resfriamento de colchão e, 265; importância central do, 215; importância da otimização, 56; manejo do estresse e, 238; medicamentos/suplementos para o, 222-5; microbioma intestinal e, 287; monitoramento, 264; privação de sono, 216; REM, 181; saturação de oxigênio e, 35, 53, 60, 216-7, 309; sistema glifático e, 206

SpO$_2$, 35

stevia, 172

subconjuntos de linfócitos, 37

supercrescimento bacteriano do intestino delgado (SIBO), 136-7, 155, 159

suplementos, 47, 292-305; antes da cirurgia, 285; antes de dormir, 218; aplicações, 295-305; autofagia e, 105; comprando, 294; de proteína, 185; diluidores de gordura, 105; flavonóis, 176; períodos de jejum e, 105; probióticos, 154; *ver também suplementos específicos*

suplementos de cardo-de-leite, 109

suprarrenal, suporte, 301

Surviving Mold (Shoemaker), 282

T3 (tri-iodotironina), 34

T3 livre, 32, 34

T3 livre para T3 reverso, 34

T3 reverso, 34

T4 livre, 34

tai chi, 214, 236-7

tau, 23, 116, 125, 129, 205, 223

técnicas culinárias, 278

terapias medicamentosas: associadas ao declínio cognitivo, 72; ineficácia para Alzheimer, 72; para a doença de Alzheimer, 10-1; tratamentos com um único medicamento, 23, 24-5

teste de colesterol total, 33, 45, 132, 133

testes, bioquímicos e fisiológicos, 31-2, 32, 36-7, 36, 39, 61

testosterona, 34, 46-7, 245, 311

testosterona livre, 34

TGF-β1 (fator de crescimento transformador beta), 35, 274

tipos de doença de Alzheimer, 40-1, 57

tireoide, 47

TMAO (N-óxido de trimetilamina), 166

tolueno, 34, 41, 51-2, 56, 269, 270, 276, 280-1, 312

tomates, 114-5, 119

tontura, 108

Toxic (Nathan), 52, 271, 281, 312

Toxin Solution, The (Pizzorno), 52, 271, 312

toxinas de metal, 270, 271-2, 280

toxinas e exposição tóxica: Alzheimer tipo 3 e, 41; capacidade de resposta ao programa RECODE e, 61; como fator de risco, 42; diagnosticadas como depressão, 222; doenças complexas e, 19; em casa, 279; exames para, 34, 37; exposição ao meio ambiente, 99; identificando e removendo, 51, 53, 56, 63; otimização dos parâmetros em, 63; padrões moleculares associados a patógenos e, 54; queima de gordura e, 108; solução de problemas e, 312; tempo requerido para constatar melhoras e, 60

toxinas orgânicas, 34, 52, 270, 273-4, 281, 312

transpiração, 274, 279, 283

treinamento do cérebro, 47

treinamento intervalado de alta intensidade (HIIT), 211-2

treino de força, 106, 159, 206

Triângulo do Mal, 134, 135

tricotecenos, 41, 52, 56, 281-2, 312

triglicérides (TGs), 33, 49, 131-2, 132-3

trigo, 89, 143

trigo-sarraceno, 90

triguilho, 90

Triphala, 279

TSC (teste de sensibilidade ao contraste), 35, 274

TSH (hormônio estimulador da tireoide), 34

tubérculos, 106, 114, 145, 150, 158

varfarina (Coumadin/Jantoven), 117

varicela-zóster, 51

vegetais, 111-2, 110-20; abacate, 114; azeitona, 114; coloridos, 112; cozinhar, 110; crucíferos,

108, *111-2*, 113-4, 117, 120; diretrizes para escolher, 110-2; ervas e especiarias, 115, 117; folhas/verduras escuras, *111-2*, 113; gorduras saudáveis e, 110-1; índice glicêmico e, 111, *111-2*; lectinas em, 119; orgânicos, 118-9, 277; plano de ação para, 117; proteína de, 160; riscos, 117-21; tomate, 115; tubérculos, 150
vegetarianos e veganos, 183-9; aminoácidos essenciais, 183, 201; demência vascular e, 304; flexitarianismo e, 158; nutrientes essenciais para, 185-9, 191; opções de proteína para, 160, 183-5; suplementos e, 294
velas, parafina, 41, 269, 273, 276
Vibrant Wellness Gut Zoomer, 48
vinagre de cidra de maçã, 141
vinho tinto, 182
VIP (peptídeo intestinal vasoativo), 282, 313
vírus, 50
vitamina A (retinol), 105, 158, 160, 185, 187-8, 194, 201
vitamina B1 (tiamina), 46, 300
vitamina B6, *33*
vitamina B9 (folato), *33*, 113, 163, 186, 193
vitamina B12, 32, *33*, 46, 60, 185, 186-7, 192-3, 266, 294, 311
vitamina C, *33*, 47, 169, 171, 274, 284, 300, 304
vitamina D, 187; cognoscopia e, 32; declínio cognitivo relacionado a deficiências em, 16, 46-7, 60; impacto da genética em níveis de, 193-4; óleo de peixe ou de fígado de bacalhau, 105; propriedades anti-inflamatórias de, 305; proteínas vegetais e, 160; protetores solares e, 99; relatórios FoundMyFitness e, 266; solução de problemas e, 311; suplementos de apoio, 303; valores de referência para, 34, 187; vegetarianos/veganos e, 185, 187; vitamina K2 e, 185, 187
vitamina E, *33*, 47, 105, 125, 285, 304
vitamina K, 105, 118, 188
vitamina K1, 188
vitamina K2, 47, 185, 187-8, 303

Welchol, 283, 313
Whitney, Charles, 252
World Trade Center, ataques terroristas no, 272

xarope de milho com alto teor de frutose, 139, 277
xilitol, 173

Ye, Keqiang, 47, 311

zeólito (ClearDrops), 281, 283, 313
zinco, 188-9; desintoxicação e, 109; exposição ao glifosato e, 273; fontes de, 188-9; mantendo níveis saudáveis de, 271; níveis ótimos de, 47; PPIs e, 140; proporção de cobre para zinco, *35*, 188; risco de declínio cognitivo e, 16; sensibilidade à insulina e, 43, 296; suplementos e, 189; suporte do sistema imunológico e, 303; valores de referência para, 34; veganos e, 160, 185, 188
Zonas Azuis, 92
zonulina, 90

1ª EDIÇÃO [2021] 2 reimpressões

ESTA OBRA FOI COMPOSTA PELA ABREU'S SYSTEM EM INES LIGHT
E IMPRESSA EM OFSETE PELA LIS GRÁFICA SOBRE PAPEL PÓLEN
DA SUZANO S.A. PARA A EDITORA SCHWARCZ EM ABRIL DE 2024

A marca FSC® é a garantia de que a madeira utilizada na fabricação do papel deste livro provém de florestas que foram gerenciadas de maneira ambientalmente correta, socialmente justa e economicamente viável, além de outras fontes de origem controlada.